QUAND LA MACHINE APPREND
APPREND

YANN LE CUN

QUAND LA MACHINE
APPREND

La révolution
des neurones artificiels
et de l'apprentissage profond

avec la collaboration de Caroline Brizard

POCHES

© ODILE JACOB, 2019, MAI 2023
15, RUE SOUFFLOT, 75005 PARIS

www.odilejacob.fr

ISBN : 978-2-4150-0656-3
ISSN : 1621-0654

Introduction

« *Open the pod bay door, HAL !* » Dans le film *2001 : l'Odyssée de l'espace*, HAL 9000, l'ordinateur supra-intelligent qui contrôle la mission du vaisseau spatial, refuse d'ouvrir le sas d'entrée à l'astronaute Dave Bowman. La scène résume, sur le mode dramatique, tout l'enjeu de l'intelligence artificielle. Le système se retourne contre l'homme qui l'a conçu. Fantasme ou peur fondée ? Faut-il craindre que notre monde soit un jour dominé par des Terminator, des humanoïdes aux pouvoirs quasi illimités et aux noirs desseins ? La question est de plus en plus souvent posée, car nous vivons une révolution inouïe, inimaginable il y a encore cinquante ans. L'intelligence artificielle, à laquelle je consacre ma carrière de chercheur, bouleverse notre société.

J'ai voulu écrire ce livre pour expliquer cet ensemble de méthodes et de techniques. Sans rien masquer de leur complexité. L'entreprise est moins simple que d'apprendre à jouer aux dames, mais je pense qu'elle est nécessaire pour se forger un avis raisonné sur la question. Notre espace médiatique est saturé des termes « apprentissage profond » (*deep learning*), « apprentissage-machine » (*machine learning*), ou « réseaux de neurones »... Je veux, pas à pas, éclairer la démarche scientifique qui est à l'œuvre, au carrefour de l'informatique et des neurosciences. Sans recourir aux métaphores.

Ce voyage au cœur de la machine propose deux niveaux de lecture. Le premier est plus intuitif. Je raconte, je décris, j'analyse. De temps à autre, pour ceux que cela intéresse, je développe des raisonnements mathématiques et informatiques plus poussés.

L'intelligence artificielle (IA) permet à une machine de reconnaître une image, de transcrire la voix d'une langue à une autre, de traduire un texte, d'automatiser la conduite d'une voiture ou le pilotage d'un procédé industriel. L'expansion prodigieuse qu'elle connaît ces dernières années est liée à l'apprentissage profond qui permet d'entraîner une machine à accomplir une tâche au lieu de la programmer explicitement. Ce *deep learning* caractérise un réseau de neurones artificiels, dont l'architecture et le fonctionnement sont inspirés de ceux du cerveau.

Le cerveau humain est composé de 86 milliards de neurones, des cellules nerveuses connectées les unes aux autres. Les réseaux de neurones artificiels sont, eux aussi, composés de nombreuses unités, des fonctions mathématiques, assimilables à des neurones très simplifiés. Dans le cerveau, l'apprentissage modifie les connexions entre les neurones ; il en va de même dans les réseaux de neurones artificiels. Comme ces unités sont souvent organisées en couches multiples, on parle donc de réseaux et d'apprentissage « profond ».

Le rôle de ces neurones artificiels est de calculer une somme pondérée de leurs signaux d'entrée, et de produire un signal de sortie si cette somme dépasse un certain seuil. Mais un neurone artificiel n'est ni plus ni moins qu'une fonction mathématique calculée par un programme d'ordinateur. Et si le champ lexical de l'intelligence artificielle est proche de celui du cerveau, ce n'est pas un hasard : les découvertes en neurosciences ont nourri la recherche en IA.

Je veux aussi dans ce livre retracer le parcours intellectuel qui est le mien, au sein de cette extraordinaire aventure scientifique. Mon nom reste attaché aux réseaux dits « convolutifs », qui ont transformé la reconnaissance visuelle. Inspirés de la structure et du fonctionnement du cortex visuel des mammifères, ils permettent de traiter efficacement l'image, la vidéo, le son, la voix, le texte et d'autres types de signaux.

En quoi consiste l'activité d'un chercheur ? D'où lui viennent les idées ? Pour ma part, je travaille beaucoup par intuition. Les maths interviennent ensuite. Je sais que d'autres scientifiques opèrent d'une manière diamétralement opposée. Je projette dans ma tête des cas limites, ce qu'Einstein appelait des « *gedanken experiment* », des « expériences de pensée » dans lesquelles on imagine une situation, puis on essaie d'envisager ses conséquences pour mieux appréhender le problème.

Cette intuition se nourrit de mes lectures. J'ai dévoré les livres. Je me suis imprégné des travaux de ceux qui m'ont précédé. On ne découvre jamais seul. Les idées existent, dormantes, et elles surgissent dans l'esprit de l'un ou de l'autre, parce que le moment est venu. Ainsi va la recherche. Elle progresse en ordre dispersé, par bonds et piétinements... voire retours en arrière. Mais l'affaire est toujours collective. L'image de l'inventeur seul dans son laboratoire relève de la fiction romanesque.

L'aventure du *deep learning* ne s'est pas faite sans mal. Il a fallu batailler contre les sceptiques de tous bords. Les tenants d'une intelligence artificielle exclusivement fondée sur la logique et sur des programmes écrits à la main nous promettaient l'échec. Les champions de l'apprentissage-machine « classique » nous montraient du doigt. Le *deep learning* sur lequel nous travaillions n'était pourtant qu'un ensemble de techniques particulières à l'intérieur du domaine plus large de l'apprentissage-machine. Mais ce dernier, qui permettait à une machine d'apprendre une tâche à partir d'exemples, sans être explicitement programmée, avait ses limites. Nous cherchions à les repousser. Les réseaux de neurones profonds, le *deep learning* que nous proposions, en étaient le moyen. Ils étaient très efficaces, mais aussi compliqués à faire marcher et difficiles à analyser mathématiquement. Nous passions donc pour des alchimistes...

Les défenseurs de l'apprentissage-machine « classique » ont cessé de brocarder les réseaux de neurones vers 2010, quand ces derniers ont enfin fait la preuve éclatante de leur efficacité. Pour ma part, je n'en avais jamais douté. J'ai toujours été convaincu que l'intelligence humaine est si complexe qu'il faut, pour la copier, viser la construction d'un système auto-organisateur ayant la capacité d'apprendre par lui-même, par l'expérience.

Aujourd'hui, cette forme d'intelligence artificielle demeure la plus prometteuse, boostée par la disponibilité de grandes bases de données et des outils comme les GPU (*graphical processing units*, ou processeurs graphiques) qui multiplient la puissance de calcul des ordinateurs.

À la fin de mes études, j'avais prévu de passer quelques années en Amérique du Nord. J'y suis encore ! Mon parcours m'a conduit, après bien des péripéties, à entrer chez Facebook, le site aux 2 milliards d'abonnés, pour y diriger la recherche fondamentale en IA. Là aussi, j'ouvre mes dossiers. Je ne veux rien cacher de ce qui se passe dans l'entreprise de Mark Zuckerberg, sévèrement mise en cause en 2018, et dont l'expansion semble sans limites. Je suis partisan de la transparence, *urbi et orbi*.

En mars 2019, je me suis vu décerner le prix Turing 2018 de l'Association for Computing Machinery, le Nobel de l'informatique. Je partage cette récompense avec deux autres spécialistes de l'apprentissage profond, Yoshua Bengio et Geoffrey Hinton, mes compagnons de route, parfois proches, parfois plus lointains, avec lesquels le dialogue n'a jamais cessé.

Ma trajectoire doit beaucoup à toutes ces rencontres, à la place que j'ai progressivement prise dans une communauté de doux dingues héritiers de la cybernétique des années 1950, qui se posaient des questions extravagantes et profondes du genre : « Comment se fait-il que des neurones, des objets très simples puissent, en se connectant les uns aux autres, produire cette propriété émergente qu'est l'intelligence ? »

Cette aventure scientifique alimente ainsi des questions essentielles. Une machine qui reconnaît une voiture, grâce à l'extraction de caractéristiques comme les roues, le pare-brise, etc., opère-t-elle différemment de notre cortex visuel quand il identifie cette voiture ? Que faire des similitudes observées entre les opérations de la machine et celles du cerveau humain ou animal ? Le domaine d'investigation est illimité.

Qu'on se le dise pourtant, les machines, si puissantes et si sophistiquées soient-elles, demeurent très spécialisées. Elles apprennent de manière infiniment moins efficace que les humains et les animaux. À ce jour, elles n'ont ni sens commun, ni conscience. Du moins, pas encore ! Sans doute surpassent-elles l'humain dans des tâches particulières. Elles le battent au go ou aux échecs ; elles traduisent des centaines de langues ; elles reconnaissent des plantes ou des insectes ; elles détectent les tumeurs dans les images médicales. Mais le cerveau humain garde une avance considérable. Il est beaucoup plus généraliste et malléable.

Quand les machines combleront-elles cet écart ?

La révolution de l'IA

L'intelligence artificielle est en train de coloniser tous les secteurs de l'économie, de la communication, de la santé, et des transports avec la voiture autonome... Beaucoup d'observateurs ne parlent plus d'une évolution technologique, mais d'une révolution.

Omniprésente IA

« Alexa, quel temps fait-il à Buenos Aires ? » En moins d'une seconde, l'enceinte intelligente a capté la question, l'a transmise, *via* la wi-fi domestique, aux serveurs d'Amazon qui l'ont transcrite en texte et interprétée. Ces derniers sont allés chercher l'information dans un service de météo, avant de renvoyer la réponse qu'Alexa émet d'une voix suave : « Actuellement à Buenos Aires, Argentine, il fait 22 °C, avec un ciel couvert. »

Au bureau, l'IA est une assistante diligente. Elle travaille vite, et les tâches répétitives ne lui font pas peur. Elle peut

parcourir des millions de pages à la recherche d'une citation...
et la trouver en une fraction de seconde, grâce aux capacités de calcul numérique des ordinateurs qui ont atteint des
vitesses extravagantes.

Un des premiers ordinateurs électroniques programmables, l'ENIAC, construit en 1945 à l'Université de
Pennsylvanie pour calculer des trajectoires d'obus, effectuait
environ 360 multiplications à 10 chiffres par seconde. Un
dinosaure ! Aujourd'hui, les processeurs de nos ordinateurs
personnels sont un milliard de fois plus rapide. Ils effectuent des centaines de GFLOPS (*giga floating point operations
per second*[1]). Les GPU (*graphical processing units*) que nos
ordinateurs utilisent pour les rendus graphiques effectuent
quelques dizaines de TFLOPS. Des unités gigantesques aux
petits noms charmants.

On ne les arrête plus ! Les superordinateurs récents
regroupent des dizaines de milliers de ces GPU, et atteignent
des centaines de milliers de TFLOPS, d'énormes séries de
calculs pour toutes sortes de simulations : prédire le temps,
modéliser le climat, calculer l'écoulement de l'air autour d'un
avion ou la conformation d'une protéine, simuler des événements aussi vertigineux que les premiers instants de l'Univers,
la mort d'une étoile, l'évolution des galaxies, des collisions de
particules élémentaires, ou même une explosion nucléaire.

Ces simulations consistent à résoudre numériquement
des équations différentielles, ou équations aux dérivées partielles, tâche qui, dans le passé, était réservée aux mathématiciens. Pour autant, ces nouveaux champions du calcul

---

1. Unité de mesure des opérations par seconde d'un processeur. 1 MFLOPS
(*mega floating point operations per second*, on prononce « mégaflops ») représente 1 million d'opérations numériques par seconde (additions ou de multiplications en « virgule flottante »). 1 GFLOPS (« gigaflopse ») représente 1 milliard
d'opérations par seconde, soit 1 000 MFLOPS. Et 1 TFLOPS (« téraflopse »)
représente 1 000 milliards d'opérations par seconde, soit 1 000 GFLOPS, 1 million de MFLOPS, ou encore $10**12$ opérations par seconde.

sont-ils aussi intelligents que les mathématiciens d'antan ? Non, bien sûr... En tout cas pas encore. Un des enjeux de l'intelligence artificielle est de pouvoir un jour exploiter cette puissance de calcul pour les tâches intelligentes qu'on attribue généralement aux animaux et aux humains.

Il faut toujours se méfier des apparences. Des programmes d'intelligence artificielle sont de bons élèves... jusqu'à un certain point. En 2017, celui de Noriko Arai, spécialiste à l'Université de Tokyo de l'impact de l'informatique sur la société, a passé avec succès l'examen d'entrée de l'université. Ce programme, baptisé Todai – le surnom de l'université –, a même fait mieux que 80 % des candidats aux épreuves de dissertation, de mathématiques et d'anglais. Mais ce système était juste sot. Il ne comprenait rien de ce qu'il écrivait ! Son succès en dit autant sur la superficialité des tests d'entrée dans l'enseignement supérieur au Japon que sur l'intelligence de la machine. On est quand même heureux d'apprendre que Todai a finalement été recalé.

L'IA artiste

L'intelligence artificielle est une artiste... de la copie. Elle produit des œuvres « à la manière de... » avec maestria. Elle transforme une quelconque photo en un tableau de Monet, change un paysage d'hiver en scène printanière[2], ou remplace dans une vidéo un cheval par un zèbre. Gare aux fausses vidéos... Plus fort encore : en 2017, l'équipe d'Ahmed Elgammal de l'Université Rutgers (États-Unis) a entraîné un système qui crée de toutes pièces des tableaux originaux, au point de duper des experts[3].

---

2. https://github.com/junyanz/pytorch-CycleGAN-and-pix2pix.
3. https://arxiv.org/abs/1706.07068.

La musique n'est pas en reste. De nombreux chercheurs utilisent des techniques d'IA pour la synthèse de son
et la composition musicale. Le projet Magenta de Google[4]
s'est illustré avec son Google Doodle[5] du 21 mars 2019, en
l'honneur de l'anniversaire de Jean-Sébastien Bach : il permet à n'importe qui de composer et d'harmoniser une mélo-
die dans le style du célèbre compositeur. Et comment ne
pas rappeler ce 4 février 2019, lors d'un concert au Cadogan
Hall de Londres, quand les 66 musiciens de l'English Session
Orchestra ont joué en public une version très spéciale de la
Symphonie n° 8 de Schubert, dite « inachevée ». Ce soir-là,
elle ne l'était plus. Après avoir analysé les deux mouvements
existants, le système d'intelligence artificielle sorti des labos
de la société Huawei avait produit les mélodies des deux mouvements manquants. Il a quand même fallu que le compositeur Lucas Cantor écrive la partition d'orchestre.

Humanoïdes ? Du bluff !

Sophia, une belle femme chauve au sourire énigmatique
et aux yeux de verre, est une star des plateaux en 2017. Avec
son visage mobile doté de dizaines d'expressions différentes,
ses blagues – « Vous regardez trop de films de Hollywood ! »
raille-t-elle, en réponse à un journaliste qui s'inquiète d'une
Terre peuplée de robots –, elle est si troublante d'humanité
que, cette année-là, l'Arabie saoudite lui accorde la nationalité
saoudienne. En réalité, elle n'est qu'une marionnette pour
laquelle des ingénieurs ont écrit des batteries de réponses
standard. Quand on lui parle, ce qu'on lui dit est traité par

---

4. https://ai.google/research/teams/brain/magenta/.
5. https://www.google.com/doodles/celebrating-johann-sebastian-bach.

un système d'appariement qui choisit, dans un catalogue de réponses possibles, une des plus appropriées.

Sophia trompe son public. Elle n'est pas plus maligne que Todai, à Tokyo. Elle a juste une plastique plus avantageuse, et nous, humains, émus par cet objet animé, lui prêtons une certaine intelligence.

Des GOFAI...

Le monde de l'IA est mouvant. Ses limites sont sans cesse repoussées. Quand un problème est résolu, il sort du domaine de l'intelligence artificielle et entre progressivement dans la boîte à outils classique.

La transformation de formules mathématiques en instructions exécutables par un ordinateur, par exemple, relevait de l'intelligence artificielle dans les années 1950, quand l'informatique en était à ses balbutiements. Aujourd'hui, elle est une simple fonctionnalité des compilateurs – ces logiciels qui transforment les programmes écrits par les ingénieurs en suites d'instructions directement exécutables par la machine. Et la compilation est enseignée à tous les étudiants en informatique.

Prenez la recherche d'itinéraires. Dans les années 1960, elle appartenait clairement à l'IA. Aujourd'hui, elle fait partie des meubles. Il existe des algorithmes efficaces pour la recherche du plus court chemin dans un graphe (réseau de nœuds reliés entre eux), tels que l'algorithme de Dijkstra de 1959[6] ou l'algorithme A* (« A star ») de Hart, Nilsson et Raphael en 1969[7]. Couplée à nos GPS, elle n'a plus rien d'une pionnière.

---

6. https://fr.wikipedia.org/wiki/Algorithme_de_Dijkstra.
7. https://fr.wikipedia.org/wiki/Algorithme_A*.

Le noyau dur de l'intelligence artificielle dans les années 1970 et 1980 était une collection de techniques de raisonnement automatique basées sur la logique et la manipulation de symboles. Avec une certaine autodérision, les tenants anglo-saxons de cette tradition la désignent par l'expression GOFAI, acronyme de *good old-fashioned artificial intelligence* (« bonne vieille intelligence artificielle »)…

Ainsi les systèmes experts : un moteur d'inférence applique des règles aux faits et en déduit de nouveaux faits. En 1975, MYCIN, par exemple, devait aider le médecin à identifier les infections aiguës, comme les méningites, et recommander des traitements antibiotiques. Il était doté d'environ 600 règles du type : « SI l'organisme infectieux est à Gram négatif ET l'organisme est en forme de bâtonnet ET l'organisme est anaérobie, ALORS l'organisme est un bactéroïde (avec une probabilité de 60 %). »

MYCIN était innovant. Ses règles comportaient des facteurs de certitude que le système combinait pour produire un score de confiance sur le résultat. Il était doté d'un moteur d'inférence, dit « à chaînage arrière », par lequel le système faisait une ou plusieurs hypothèses de diagnostic et questionnait le praticien sur les symptômes du patient. Le système changeait d'hypothèse au fur et à mesure des réponses et émettait un diagnostic, puis proposait un antibiotique et une posologie, avec un certain indice de confiance.

Pour construire un tel système, un ingénieur de la connaissance avait dû s'asseoir à côté du médecin – l'expert – et lui faire détailler son raisonnement : comment diagnostiquait-il une appendicite ou une méningite ? Quels étaient les symptômes ? Des règles émergeaient. Si le patient présentait tel et tel symptôme, il y avait telle probabilité d'appendicite, telle probabilité d'occlusion intestinale ou telle probabilité de colique néphrétique. L'ingénieur écrivait à la main ces règles dans une base de connaissances.

La fiabilité de MYCIN et de ses successeurs était très bonne. Mais ils n'ont pas dépassé le stade expérimental. L'informatisation en médecine commençait à peine, et la saisie de données était fastidieuse. Elle l'est toujours, d'ailleurs. Au final, tous ces systèmes experts fondés sur la logique et la recherche arborescente se sont révélés lourds et compliqués à développer. Ils sont tombés en désuétude, mais ils restent une référence et continuent d'être décrits dans les manuels d'intelligence artificielle.

Les travaux sur la logique ont quand même conduit à quelques applications incontournables : la résolution symbolique d'équations et le calcul d'intégrales en mathématiques, et la vérification automatique de programme. Avec elle, Airbus, par exemple, vérifie l'exactitude et la fiabilité de ses logiciels de contrôle d'avions de ligne.

Une partie de la communauté des chercheurs en IA continue de travailler sur ces sujets. L'autre partie, à laquelle j'appartiens, se consacre à des approches très différentes basées sur l'apprentissage-machine.

... *au* machine learning

Le raisonnement ne représente qu'une part réduite de l'intelligence humaine. Nous pensons souvent par analogie, nous agissons par intuition, en nous adossant à des représentations du monde acquises progressivement par l'expérience. Perception, intuition, expérience... autant de capacités apprises. En tout cas entraînées.

Dans ces conditions, si l'on veut construire une machine dont l'intelligence se rapproche de celle de l'homme, il faut la rendre capable d'apprendre. Le cerveau de l'être humain est formé d'un réseau de 86 milliards de neurones (ou cellules nerveuses) interconnectés, dont 16 milliards dans le cortex. Chaque neurone est connecté en moyenne à près de 2 000 autres par des connexions appelées synapses. L'apprentissage procède par création de synapses, suppression de synapses ou modification de leur efficacité. Dans l'approche la plus en vogue de l'apprentissage-machine, on construit donc des réseaux de neurones artificiels dont la procédure d'apprentissage modifie les connexions entre ces derniers.

Donnons-en quelques principes généraux.

Le *machine learning* comporte une première phase d'apprentissage ou d'entraînement, durant laquelle la machine « apprend » progressivement à accomplir une tâche, et une deuxième phase, la mise en œuvre, où la machine n'apprend plus.

Pour entraîner une machine à dire si une image contient une voiture ou un avion, nous devons commencer par lui présenter des milliers d'images contenant un avion ou une voiture. À chaque fois, la machine capte l'image, son réseau intérieur composé de neurones artificiels connectés entre eux – en réalité, des fonctions mathématiques calculées par l'ordinateur – traite cette image et donne une réponse en sortie. Si la réponse est correcte, on ne fait rien et on passe à l'image suivante. Si elle n'est pas correcte, on ajuste légèrement les paramètres internes de la machine, c'est-à-dire la force des connexions entre les neurones, pour que sa sortie se rapproche de la réponse désirée. À la longue, le système s'ajuste et finit par reconnaître n'importe quel objet, que ce soit une image qu'il a déjà vue ou une autre. C'est ce qu'on appelle la capacité de généralisation.

Le processus s'inspire du fonctionnement du cerveau, on va le voir, mais les machines en sont encore à des années-lumière. Quelques chiffres : le cerveau comporte

86×10^9 neurones, interconnectés par environ $1,5 \times 10^{14}$ synapses. Chaque synapse peut effectuer un « calcul » une centaine de fois par seconde. Ce calcul synaptique représente l'équivalent d'une centaine d'opérations numériques sur un ordinateur (multiplication, addition, etc.), soit $1,5 \times 10^{18}$ opérations par seconde pour le cerveau complet. En réalité, seule une partie des neurones est activée à chaque instant. À titre de comparaison, une carte GPU peut effectuer 10^{13} opérations par seconde. Il en faudrait 100 000 pour approcher la puissance du cerveau. Et il y a un hic : le cerveau humain consomme l'équivalent de 25 watts de puissance. Une seule carte GPU en consomme dix fois plus, soit 250 watts ! L'électronique est un million de fois moins efficace que la biologie.

Cocktail d'ancien et de moderne

Aujourd'hui, les applications sont généralement un tricotage d'apprentissage-machine, de GOFAI et d'informatique classique. Considérons la voiture capable de se conduire toute seule. Le système de reconnaissance visuelle embarqué, entraîné à détecter, localiser et reconnaître les objets et indices visuels présents sur la route, utilise une architecture particulière de réseau de neurones appelé « réseau convolutif ». Mais la décision que prend la voiture une fois qu'elle a « vu » le marquage des voies, le trottoir, la voiture en stationnement ou la bicyclette dépend, elle, de systèmes classiques de planification de trajectoire, écrits à la main, ou même de systèmes à base de règles, que l'on pourrait qualifier de GOFAI.

Ces véhicules complètement autonomes en sont au stade des essais, mais des voitures dans le commerce, comme les modèles électriques Tesla depuis 2015, disposent déjà de systèmes d'aide à la conduite qui recourent aux réseaux convolutifs. Des régulateurs de vitesse équipés de systèmes de vision mettent la voiture en conduite autonome sur l'autoroute, la maintiennent sur la même voie, la font déboîter automatiquement quand le conducteur met le clignotant, tout en détectant s'il y a des voitures derrière elle.

Essai de définition

Nous poursuivrons ce tour du propriétaire tout au long de ce livre, mais il est temps de prendre un peu de recul. Comment définir les caractéristiques communes de tous ces systèmes d'intelligence artificielle ?

Je dirais que l'intelligence artificielle est la capacité, pour une machine, d'accomplir des tâches généralement assurées par les animaux et les humains : percevoir, raisonner et agir. Elle est inséparable de la capacité à apprendre, telle qu'on l'observe chez les êtres vivants. Les systèmes d'intelligence artificielle ne sont que des circuits électroniques et des programmes informatiques très sophistiqués. Mais les capacités de stockage et d'accès mémoire, la vitesse de calcul et les capacités d'apprentissage leur permettent d'« abstraire » les informations contenues dans des quantités énormes de données.

Percevoir, raisonner et agir. Alan Turing, le mathématicien anglais pionnier de l'informatique, décrypteur d'Enigma, le système de codage des messages de l'armée allemande pendant la Seconde Guerre mondiale, était un visionnaire. Il avait déjà eu l'intuition de l'importance de l'apprentissage quand il écrivait : « *Instead of trying to produce a programme to simulate the adult mind, why not try to produce one which simulates the child's. If this were then subjected to an appropriate course of education, one would obtain the adult brain* » (« Au lieu de chercher à produire un programme qui simule l'esprit d'un adulte, pourquoi ne pas essayer d'en produire un qui simule celui d'un enfant ? En le soumettant à un entraînement approprié, nous obtiendrions le cerveau d'un adulte »)[8].

Le nom d'Alan Turing reste attaché au test fameux qui consiste à faire dialoguer par écrit une personne et deux interlocuteurs qu'elle ne voit pas : un ordinateur et un autre être humain[9]. Si la personne ne décèle pas au bout d'un temps déterminé lequel des deux est une machine, cette dernière a passé le test avec succès. Mais les progrès de l'IA sont tels aujourd'hui que cette épreuve n'est plus jugée pertinente par les chercheurs. La capacité à dialoguer s'avère n'être qu'une forme très particulière d'intelligence. Et un système d'IA peut facilement donner le change. Il suffit qu'il se fasse passer pour un adolescent d'Europe de l'Est, distrait et légèrement autiste, qui ne parle pas bien anglais, pour excuser ses contresens et ses maladresses syntaxiques...

Mise au point

Je suis convaincu que le *deep learning* fait partie de l'avenir de l'intelligence artificielle. Aujourd'hui pourtant, un système de *deep learning* n'est pas capable de raisonnement logique. Et la logique, dans sa forme actuelle, est incompatible avec l'apprentissage. Le défi des années à venir est de les rendre compatibles.

Le *deep learning* reste donc encore très puissant... et très borné à la fois. Pas question de faire jouer au go la

---

8. Alan Turing, « Computing machinery and intelligence », *Mind*, octobre 1950, vol. 59, n° 236.
9. *Idem*.

machine entraînée pour jouer aux échecs, et *vice versa*. Elle exécute sans avoir la moindre idée de ce qu'elle fait, possède aujourd'hui moins de sens commun qu'un chat de gouttière. S'il fallait placer les systèmes d'intelligence artificielle sur le fabuleux curseur de la capacité intellectuelle où l'homme est à 100, et la souris à 1, ils seraient plus proches du petit rongeur. Et ce, même si la performance de l'IA sur des tâches précises et étroites s'avère surhumaine.

Le grand air de l'algorithme

Un algorithme est une séquence d'instructions. Un point, c'est tout. Rien de magique là-dedans. Rien d'obscur. Donnons un exemple. Soit une liste de nombres que je veux ordonner par ordre croissant. J'écris un programme informatique qui lit le premier nombre, le compare à celui qui suit, et inverse leur position si le premier est plus grand que le second. Je compare ensuite le second et le troisième, et je refais la même opération jusqu'au dernier nombre de la liste. Puis je repasse sur la liste autant de fois que nécessaire jusqu'à ce qu'aucune paire ne soit plus inversée.

Cet algorithme de tri d'une liste de nombres s'appelle le « tri à bulles ». Je peux le traduire en une suite d'instructions précises dans un langage de programmation fictif[10].

```
tri_à_bulles(Tableau T)
        pour i allant de (taille de T) -1 à 1
                pour j allant de 0 à i-1
                        si T[j+1] < T[j]
                                échanger (T,j+1,j)
```

---

10. https://fr.wikipedia.org/wiki/Tri_à_bulles.

Prendre une valeur, la comparer à une autre, l'ajouter à une troisième, faire des opérations mathématiques, des boucles, tester si une condition est vraie ou fausse etc. Un algorithme n'est rien de plus qu'une recette de cuisine.

On parle couramment de l'« algorithme » de Facebook, de l'« algorithme » de Google. C'est un abus de langage. Pour le site de recherche de Google, il faut plutôt parler d'une « collection d'algorithmes » qui produit une liste de tous les sites contenant le texte recherché. Des centaines, voire des milliers ! À chacun de ces sites est ensuite attribuée une série de scores produits par d'autres algorithmes soit écrits à la main, soit entraînés. Ces scores évaluent la popularité du site, sa fiabilité, l'intérêt de son contenu, la présence de la réponse si la phrase recherchée est une question, et l'adéquation du contenu aux intérêts de l'utilisateur. Une affaire passablement complexe.

Mais, en ce qui concerne les systèmes entraînés, le code qui les fait tourner et qui calcule les scores est simplissime dans son principe, et pourrait tenir en quelques lignes si on ne se préoccupait pas de sa vitesse (en réalité, la nécessité de le faire tourner vite le rend un peu compliqué). La vraie complexité du système réside dans les connexions entre les neurones du réseau, qui dépendent de l'architecture de ce réseau et de son entraînement, et non dans le code qui en calcule les sorties.

Avant d'explorer les rouages de la machine intelligente, je veux retracer à grands traits l'histoire de l'IA depuis le milieu du XXe siècle. Une aventure passionnante dans laquelle j'ai été tôt embarqué, faite de querelles et de visions, d'à-coups et de temps morts, où se croisent les scientifiques qui ne jurent que par la logique des machines, et ceux qui, s'inspirant des neurosciences et de la cybernétique, travaillent comme moi à développer leurs capacités d'apprentissage.

## CHAPITRE 2

Brève histoire de l'IA...
et de ma carrière

L'éternelle quête

L'histoire de l'intelligence artificielle commence avec « le vieux souhait de jouer à Dieu », comme l'écrit l'auteure américaine Pamela McCorduck. Depuis longtemps, l'homme tente de créer des automates donnant l'illusion de la vie. Au XXᵉ siècle, les progrès des sciences et des neurosciences ont même laissé espérer que le processus de la pensée pourrait être mécanisé : avec les premiers robots et ordinateurs dans les années 1950, certains utopistes ont prédit qu'une machine développerait rapidement une intelligence humaine. La science-fiction donnait corps à tous ces rêves. À ce jour, nous en sommes loin.

Dans cette aventure au long cours, les progrès sont tributaires des innovations techniques : ordinateurs plus rapides, stockage de toujours plus de données dans des volumes toujours plus petits. En 1977, le superordinateur Cray-1 avait une capacité de calcul de 160 MFLOPS[1], pesait 5 tonnes, consommait 115 kilowatts et coûtait 8 millions de dollars. Aujourd'hui, une carte de rendu graphique à 300 euros, présente dans de nombreux PC dédiés aux jeux, est capable de 10 TFLOPS[2], soit 60 000 fois plus. Bientôt, tout smartphone disposera d'une puissance similaire.

S'il faut un début à l'histoire, commençons par la conférence de Dartmouth où surgit le terme désormais consacré d'« intelligence artificielle ». Elle est organisée durant l'été 1956 au Dartmouth College, près de Hanover (New Hampshire), par Marvin Minsky et John McCarthy, les deux pionniers. Marvin Minsky se passionne pour les machines capables d'apprendre. En 1951, il a construit, avec un étudiant de Princeton comme lui, une des premières machines neuronales, le SNARC, un petit circuit électronique réseau de neurones, avec 40 « synapses » capables d'apprentissage rudimentaire. John McCarthy, lui, invente LISP, un langage de programmation largement utilisé en IA. On lui attribue aussi un algorithme d'exploration arborescente pour les programmes de jeux d'échecs. Une vingtaine de chercheurs répondent à l'appel, dont Claude Shannon, un ingénieur en génie électrique et mathématicien de Bell Labs (les laboratoires du New Jersey de la compagnie géante de téléphone AT&T), Nathan Rochester, d'IBM, et Ray Solomonoff, pionnier de la théorie de l'apprentissage automatique. Ils échangent sur des domaines en pleine effervescence, portés par l'informatique naissante et par la cybernétique : l'étude

---

1. *Cf.* note p. 14.
2. *Idem.*

des régulations dans les systèmes naturels et artificiels, le traitement complexe de l'information, les réseaux de neurones artificiels, la théorie des automates... Ce colloque très restreint rédige une déclaration de principes qui constitue l'acte de naissance de l'intelligence artificielle, terme proposé par John McCarthy.

La logique avant toute chose

À cette période, une partie des scientifiques n'imaginent de machines intelligentes que basées sur la logique : les systèmes fondés sur l'exploration arborescente et les systèmes experts. L'ingénieur leur donne des faits vrais et des règles, et les systèmes en déduisent d'autres faits. L'objectif est de fabriquer une machine qui remplace l'homme pour des raisonnements complexes. Allan Newell et Herbert Simon, de l'Université de Carnegie-Mellon à Pittsburgh, ont montré la voie avec leur programme Logic Theorist (le « théoricien logique ») qui pouvait démontrer des théorèmes simples de mathématiques en explorant des arbres constitués de transformations de formules mathématiques. C'était le temps de toutes les espérances.

Puis l'IA connaît un premier « hiver ». L'agence américaine du Département de la Défense, l'ARPA[3], coupe les budgets de recherche fondamentale en IA en 1970. Trois ans plus tard, le Royaume-Uni en fait autant, à la suite du rapport Lighthill qui douche les enthousiasmes scientifiques. Plus d'argent, plus de recherche...

---

3. Advanced Research Project Agency, devenue DARPA (Defense Advanced Research Project Agency) en 1972, est l'agence du Département de la Défense pour le financement de projets de recherche et développement (R&D).

La roue tourne au début des années 1980. Les systèmes experts donnent de grands espoirs, et le Japon lance son ambitieux projet d'ordinateur de « cinquième génération », censé intégrer les capacités de raisonnement logique dans sa construction même. Il doit pouvoir tenir une conversation, traduire des textes, interpréter des images, et peut-être même raisonner comme un humain. Las, c'est un fiasco. Le développement et la commercialisation des systèmes experts, tel MYCIN, que nous avons déjà décrit, s'avèrent plus difficiles que prévu. Le principe d'avoir des « ingénieurs de la connaissance » qui s'assoient auprès de médecins ou d'ingénieurs et essaient de consigner leur cheminement intellectuel quand ils tentent d'identifier une maladie ou de diagnostiquer une panne ne fonctionne pas bien. Il est plus compliqué, plus cher et moins fiable que prévu de réduire à un ensemble de règles l'ensemble des connaissances mobilisées par le spécialiste.

À cette intelligence classique, si malaisée à reproduire, se rattache la recherche arborescente qui, elle, connaît quelques retentissants succès.

Le monde du jeu

En 1997, le champion du monde d'échecs Garry Kasparov était engagé à New York dans une revanche en six parties contre Deep Blue, le supercalculateur programmé par la multinationale IBM, un monstre qui mesurait près de 2 mètres et pesait 1,4 tonne. À la sixième partie, dont trois nulles, Garry Kasparov a quitté le jeu après seulement 19 coups, dans un geste d'impuissance qui a marqué des millions de fondus des échecs. Il s'avouait vaincu par la puissance d'exploration de la machine.

Arrêtons-nous un instant sur Deep Blue ! Il comportait 30 processeurs augmentés de 480 circuits spécialement conçus pour examiner des positions de l'échiquier. Grâce à cette capacité de calcul, la machine pouvait évaluer la qualité d'environ 200 millions de positions de l'échiquier par seconde, en utilisant une technique relativement classique de recherche arborescente.

Quelques années plus tard, les 14, 15 et 16 février 2011, l'ordinateur Watson d'IBM réussit à gagner au jeu télévisé américain – le *Jeopardy !* – à l'issue de trois manches. L'avatar de l'ordinateur, posté entre les deux champions, était représenté par un globe terrestre coiffé de rayons lumineux. Le programme, écrit par des informaticiens, éliminait les termes inutiles de la question (articles, prépositions...), identifiait les mots significatifs puis, pour sélectionner la bonne réponse, recherchait ces mots dans une quantité phénoménale de textes, de l'ordre de 200 millions de pages, en identifiant les phrases où la réponse pouvait se trouver. Ces textes, à savoir la totalité de Wikipédia, des encyclopédies, des dictionnaires, des thesaurus, des dépêches d'agences de presse, des œuvres de littérature, étaient stockés dans sa mémoire RAM de 16 téraoctets[4] (les disques durs étant trop lents pour cette application). Les centaines de milliers d'entités et de noms propres formaient une grande liste d'entrées dont chacune renvoyait à tel article de Wikipédia, telle page web, tel texte où elle apparaissait... Le système Watson vérifiait s'il existait un document dans lequel une partie des termes clés de la question était présente. Le problème était ensuite de trouver la bonne réponse dans l'article.

Par exemple, si la question était : « Où est né Barack Obama ? », Watson savait que la réponse allait être un nom de lieu. Dans sa base de données, il avait la liste de tous les documents qui mentionnaient Barack Obama. Il y avait donc

---

4. Le téraoctet est une unité de mesure de quantité d'information numérique, autrement dit d'unité de taille de mémoire. Il représente 1 000 milliards d'octets. Un octet permet de coder jusqu'à 256 valeurs différentes.

nécessairement quelque part un article où se trouvaient les mots « Obama », « né » et « Hawaii ». Il suffisait ensuite que la machine choisisse le mot « Hawaii » qui correspond à la réponse. Watson était essentiellement constitué d'un système rapide de recherche d'information couplé avec une bonne indexation des données. Mais ce système ne comprenait pas le sens de la question. Il se comportait comme l'écolier qui fait un devoir à livre ouvert (ou à Wikipédia ouverte !). Pour une question posée, il peut trouver dans le manuel la bonne réponse et la recopier, sans rien comprendre à ce qu'il écrit.

En 2016 nouvel exploit ! À Séoul, le champion de go sud-coréen s'incline devant son adversaire informatique, AlphaGo, imposant système conçu par DeepMind, une filiale de Google. Lee Sedol, dix-huit fois champion du monde, a perdu quatre parties sur cinq contre le programme. À la différence de Deep Blue, AlphaGo avait été « entraîné ». Il s'était formé en jouant contre lui-même, en intégrant plusieurs techniques déjà connues : les réseaux convolutifs, l'apprentissage par renforcement et le Monte-Carlo Tree Search, une méthode de recherche arborescente aléatoire. Mais n'anticipons pas !...

Neurosciences et perceptron

Dans les années 1950, tandis que les hérauts de l'intelligence artificielle classique, basée sur la logique et l'exploration arborescente, en repoussent les limites, les pionniers de l'apprentissage commencent à donner de la voix. Ils défendent l'idée que, si l'on veut rendre les systèmes informatiques capables de tâches complexes, à la manière de l'animal et de l'homme, la logique ne suffit pas. Il faut se rapprocher du fonctionnement du cerveau, et donc rendre les systèmes capables de se programmer eux-mêmes, en s'inspirant de ses mécanismes d'apprentissage. Cette partie de la recherche fondée sur l'apprentissage profond (*deep learning*) et les réseaux de neurones (artificiels) est celle à laquelle je me consacre. Elle est à l'œuvre dans toutes les applications spectaculaires actuelles, à commencer par la voiture autonome.

Son origine remonte au milieu du siècle dernier. Dès les années 1950, des utopistes en intelligence artificielle embrassent des théories développées par Donald Hebb, psychologue et neurobiologiste canadien, qui a notamment spéculé sur les rôles des connexions neuronales dans l'apprentissage. Plutôt que de reproduire les enchaînements logiques du raisonnement humain, pourquoi ne pas explorer leur support, ce formidable processeur biologique qu'est le cerveau ?

Les chercheurs en informatique regroupés dans le courant neuronal (par opposition au courant logique, ou « séquentiel », précédent) visent donc une modélisation des circuits neuronaux biologiques. L'apprentissage-machine vers lequel tendent leurs efforts se fonde sur une architecture originale, un réseau de fonctions mathématiques qu'on appelle par analogie « neurones artificiels ». Celui-ci capte le signal d'entrée, et les neurones du réseau le traitent de telle manière qu'à la sortie, ce signal est identifié. La complexité – la reconnaissance d'une forme – naît de l'action combinée d'éléments très simples, les neurones artificiels. Comme dans le cerveau, où l'interaction d'unités fonctionnelles de base, les neurones, crée la pensée.

L'acte fondateur de ce courant date de 1957 : cette année-là, à l'Université Cornell, le psychologue Frank Rosenblatt construit le perceptron, la première machine apprenante inspirée par la théorie cognitive de Donald Hebb. Nous l'examinerons dans le prochain chapitre, car il reste un modèle de référence de l'apprentissage-machine. Le perceptron peut reconnaître des formes après avoir subi une phase d'entraînement.

Dans les années 1970, deux Américains, Richard Duda, alors professeur de génie électrique à l'Université de San José (Californie), et Peter Hart, informaticien au SRI (Stanford Research Institute) à Menlo Park (Californie), font le point sur toutes ces méthodes dites de « reconnaissance des formes statistiques[5] » dont le perceptron n'est qu'un exemple. D'emblée, leur manuel devient une référence dans le monde de la reconnaissance des formes. Une bible pour tous les étudiants... et pour moi.

Mais le perceptron n'est pas la panacée. Le système, composé d'une seule couche de neurones artificiels, a des capacités restreintes. Les chercheurs essaient d'améliorer son efficacité en introduisant plusieurs couches de neurones au lieu d'une. Sans réussir à trouver l'algorithme (la fameuse suite d'instructions) qui permettrait de toutes les entraîner... de sorte que la machine reste très limitée.

L'hiver général

On en est toujours là quand, en 1969, Seymour Papert et Marvin Minsky – celui-là même qui s'était enthousiasmé dans les années 1950 pour les réseaux de neurones artificiels, avant de s'en détourner – publient le livre *Perceptrons : An Introduction to Computational Geometry*[6]. Ils y montrent les limites de la machine apprenante, dont certaines sont rédhibitoires. Pour eux, l'aventure va dans le mur. Or ces deux professeurs du MIT jouissent d'une grande autorité. Leur ouvrage fait du bruit. Les agences de financement de la recherche cessent de soutenir les travaux dans ce domaine.

5. Richard O. Duda, Peter E. Hart, *Pattern Classification and Scene Analysis*, Wiley, 1973.
6. Marvin L. Minsky, Seymour A. Papert, *Perceptrons : An Introduction to Computational Geometry*, The MIT Press, 1969.

La recherche en réseaux de neurones connaît elle aussi, comme la recherche en GOFAI, un premier « hiver ».

La plupart des scientifiques cessent alors de parler de construire des machines intelligentes capables d'apprentissage. Ils préfèrent réduire leur ambition à des projets plus terre à terre. Avec des méthodes héritées des réseaux de neurones, ils créent par exemple le « filtrage adaptatif », procédé à l'origine de beaucoup de technologies de communication du monde moderne. Avant, lorsqu'on voulait que deux ordinateurs échangent des données à travers une ligne téléphonique, les propriétés de la ligne étaient telles que si on envoyait un signal binaire à l'entrée, un voltage passant de 0 à 48 volts, il était pourri quand il arrivait à destination, quelques kilomètres plus loin. On le restaure désormais grâce à un filtre adaptatif. L'algorithme utilisé s'appelle l'algorithme de Lucky, du nom de son inventeur, Bob Lucky, qui dirigeait la division à Bell Labs – quelque 300 personnes – où je travaillais à la fin des années 1980.

Sans ce filtrage adaptatif, nous n'aurions pas de téléphone avec haut-parleur, qui permet de parler dans le micro sans qu'il enregistre en même temps ce que dit notre interlocuteur (ce qui arrive parfois : on s'entend parler...). Les annulateurs d'écho utilisent des algorithmes très similaires à l'algorithme du perceptron.

Nous n'aurions pas de modem non plus[7]. Le modem a permis à un ordinateur de parler à un autre ordinateur en passant par une ligne téléphonique ou une ligne de communication quelconque.

---

7. Appareil comprenant un modulateur et un démodulateur, utilisé pour transmettre des données numériques par le téléphone ou par un câble coaxial.

Lunatic fringe

Pendant ce grand hiver des années 1970 et 1980, quelques-uns s'entêtent pourtant à travailler sur les réseaux neuronaux, et la communauté scientifique les traite de fous furieux (*lunatic fringe*). Je pense à Teuvo Kohonen, un Finlandais, qui écrit sur les « mémoires associatives », sujet proche des réseaux de neurones. Je pense aussi à une palanquée de Japonais – les Japonais ont un écosystème des sciences de l'ingénieur isolé, à l'écart de celui des Occidentaux – et parmi eux un mathématicien, Sun-Ichi Amari, et un certain Kunihiko Fukushima. Ce dernier travaille sur une machine qu'il appelle le Cognitron, en jouant sur le terme de *perceptron*. Il en a fait deux versions : le Cognitron des années 1970, et le Néocognitron des années 1980. Comme Rosenblatt en son temps, Fukushima s'est inspiré des progrès des neurosciences, notamment les découvertes de l'Américain David H. Hubel et du Suédois Torsten N. Wiesel.

Ces deux neurobiologistes avaient décroché le prix Nobel de physiologie en 1981 pour leurs travaux sur le système visuel du chat. Ils avaient révélé que la vision résulte du passage du signal visuel à travers plusieurs couches de neurones, de la rétine au cortex visuel primaire, de celui-ci à d'autres aires du cortex visuel, puis au cortex inféro-temporal. Dans ces couches, en outre, des neurones ont des fonctions très particulières. Dans le cortex visuel primaire, chaque neurone n'est connecté qu'à une petite zone du champ visuel, son champ récepteur. Ces neurones sont appelés *simple cells* (« cellules simples »). Dans la couche suivante, d'autres unités intègrent les activations de la couche précédente, ce qui permet de maintenir la représentation de l'image si l'objet bouge un peu dans le champ visuel. Ces unités sont appelées *complex cells* (« cellules complexes »).

Fukushima s'est donc inspiré de cette idée d'une première couche de *simple cells* qui détectent des motifs simples dans des petits champs récepteurs qui tapissent l'image, et de *complex cells* dans la couche suivante. Le Néocognitron possédait cinq couches au total : *simple cells, complex cells, simple cells, complex cells*, puis une couche de classification assimilable à un perceptron. Il utilisait une sorte d'algorithme d'apprentissage pour les quatre premières couches, mais cet algorithme était « non supervisé », c'est-à-dire qu'il ne prenait pas en considération la tâche finale à effectuer. Ces couches étaient entraînées « à l'aveugle ». Seule la dernière couche était entraînée de manière supervisée, comme un perceptron. Il manquait à Fukushima un algorithme d'apprentissage qui aurait permis d'ajuster les paramètres de toutes les couches de son Néocognitron. Son réseau permettait cependant de reconnaître des formes assez simples, comme des chiffres.

Au début des années 1980, Fukushima n'est pas tout à fait seul dans ce champ d'exploration. Quelques équipes nord-américaines y travaillent aussi : des psychologues comme Jay McClelland et David Rumelhart, des biophysiciens comme John Hopfield et Terry Sejnowski, et des informaticiens comme Geoffrey Hinton. Celui-là même avec qui je vais partager le prix Turing décerné en 2019.

Entrée en scène

Je commence à m'intéresser à tous ces sujets dans les années 1970. Peut-être la curiosité m'est-elle venue en observant mon père, ingénieur en aéronautique et bricoleur de génie, qui faisait de l'électronique à ses heures perdues. Il construisait des modèles réduits d'avions télécommandés. Je me souviens qu'il a fabriqué sa première télécommande pour contrôler une petite voiture et un bateau pendant les grèves de Mai 68, parce qu'il était coincé à la maison. Je ne suis pas le seul de la famille à qui il a transmis la flamme. Mon frère, qui a six ans de moins que moi, est lui aussi devenu informaticien. Après une carrière d'universitaire, il est maintenant chercheur chez Google.

Très tôt, la technologie, la conquête spatiale, les débuts de l'informatique me passionnent. Je rêve de devenir paléonto-logue, parce que l'apparition de l'intelligence humaine et son évolution me captivent. Aujourd'hui encore, je pense toujours que les performances de notre cerveau restent ce qu'il y a de plus mystérieux dans le monde vivant. Je me souviens d'avoir vu à Paris, sur grand écran, *2001 : l'Odyssée de l'espace* avec mes parents, et un oncle et une tante fanas de science-fiction. J'avais 8 ans. Le film touchait à tout ce que j'aimais : les voyages dans l'espace, le futur de l'humanité, et la révolte de HAL, le superordinateur. HAL prêt à tuer pour assurer sa propre survie et le succès de la mission ? Déjà, la question de savoir comment reproduire l'intelligence humaine dans une machine me fascine.

Tout naturellement, après le lycée, j'ai envie de travailler à des projets concrets. En 1978, j'intègre l'ESIEE, une école d'ingénieur en électronique parisienne à laquelle on postule directement après le bac, sans passer par les classes prépa-ratoires. Qu'on se le dise, celles-ci ne sont pas la seule voie pour réussir en science. Je peux l'attester ! Et comme mes études à l'ESIEE me laissent une grande autonomie, je vais la mettre à profit !

Fructueuses lectures

Parmi mes premiers enchantements, je me souviens du compte rendu d'un débat au colloque de Cerisy sur l'inné et l'acquis[8], que je découvre en 1980. Le linguiste Noam Chomsky y affirmait qu'il existe dans le cerveau des structures préétablies qui permettent d'apprendre à parler. Le psychologue du développement Jean Piaget défendait, lui, l'idée que tout s'apprend, y compris une partie des structures, et que l'acquisition du langage se fait par étapes, au fur et à mesure de la construction de l'intelligence. L'intelligence serait donc le résultat d'un apprentissage fondé sur les échanges avec l'extérieur. L'idée me séduit, et je me demande comment elle peut être appliquée à la machine. D'éminents scientifiques participent à ce débat, notamment Seymour Papert. Dans cet ouvrage, il chante les louanges du perceptron, qu'il décrit comme une machine simple capable d'apprendre des tâches complexes.

Je découvre l'existence de cette machine apprenante. Le sujet me fascine ! Comme nous n'avons pas cours le mercredi après-midi, j'écume les rayons spécialisés de la bibliothèque de l'Inria (Institut national de recherche en informatique et automatique) à Rocquencourt. Cette institution possède le fonds en informatique le plus riche d'Île-de-France. Je découvre vite que, dans le monde occidental, plus personne ne travaille sur les réseaux de neurones. Et je réalise avec stupeur que le livre qui a mis un coup d'arrêt aux recherches sur le perceptron est celui du même Seymour Papert !

La théorie des systèmes, celle qu'on appelait cybernétique dans les années 1950, qui étudie des systèmes artificiels et

---

8. *Théories du langage, théories de l'apprentissage : le débat entre Jean Piaget et Noam Chomsky*, débat recueilli par Maximo Piatelli-Palmarini, Centre Royaumont pour une science de l'homme, Seuil, « Points », 1979.

des systèmes biologiques naturels, est une autre de mes passions... Par exemple, le système de régulation de la température du corps : le corps maintient sa température à 37 °C grâce à une sorte de thermostat qui assure une correction d'écart entre sa température et celle de l'extérieur.

L'auto-organisation me captive. Comment se fait-il que, spontanément, des molécules ou des objets relativement simples puissent s'organiser en structures complexes ? Comment l'intelligence peut-elle émerger d'une grande collection d'éléments simples en interaction, à savoir les neurones ?

J'explore des travaux en mathématiques sur la théorie de la complexité algorithmique de Kolmogorov, Solomonoff et Chaitin. Le livre de Duda et Hart[9], dont j'ai déjà parlé, devient mon livre de chevet. J'épluche *Biological Cybernetics*, revue qui traite des modèles mathématiques informatiques du fonctionnement du cerveau ou des systèmes vivants.

Toutes ces questions, délaissées pendant l'hiver de l'IA, me parlent, et ma conviction se forme peu à peu : si nous voulons construire des machines intelligentes, il ne suffit pas qu'elles fonctionnent de manière logique, il faut les rendre capables d'apprendre, de se construire à partir de l'expérience.

Au cours de mes lectures, je prends conscience qu'une partie de la communauté scientifique partage cette intuition. Je découvre à mon tour les travaux de Fukushima et réfléchis aux moyens d'améliorer l'efficacité des réseaux de neurones du Néocognitron. Par chance, l'ESIEE met à disposition des étudiants des ordinateurs qui sont, pour l'époque, très puissants. Nous écrivons des programmes avec Philippe Metsu, ami de l'école, fondu d'IA comme moi, qui s'intéresse plutôt à la psychologie de l'apprentissage chez les enfants. Des professeurs de maths de l'école acceptent de nous coacher.

---

9. Richard O. Duda, Peter E. Hart, *Pattern Classification and Scene Analysis*, *op. cit.*, p. 6.

Ensemble, nous essayons de simuler des réseaux de neurones. Mais les expériences sont laborieuses : les ordinateurs se traînent, et écrire les programmes est un casse-tête.

En quatrième année d'école, obsédé par ces recherches, j'ai l'intuition d'une règle d'apprentissage, pas vraiment justifiée mathématiquement, pour entraîner des réseaux de neurones à plusieurs couches. J'imagine un algorithme qui propagerait des signaux à l'envers dans le réseau, depuis sa sortie, pour l'entraîner de bout en bout. J'appelle cet algorithme HLM (pour Hierarchical Learning Machine)[10]. Je ne suis pas peu fier de mon jeu de mots... HLM est un précurseur de l'algorithme de « rétropropagation de gradient », universellement utilisé aujourd'hui pour entraîner les systèmes de *deep learning*. Au lieu de propager des gradients à l'envers dans le réseau, comme c'est le cas aujourd'hui, HLM propage des états désirés pour chaque neurone. Cela permet d'utiliser des neurones binaires, un atout vu la lenteur des ordinateurs de l'époque pour effectuer des multiplications. HLM est un premier pas pour entraîner les réseaux multicouches.

Modèles connexionnistes de l'apprentissage

À l'été 1983, je viens d'obtenir mon diplôme d'ingénieur. Je tombe sur un autre livre qui rend compte des travaux d'un petit groupe de Français qui s'intéresse aux systèmes auto-organisateurs et aux réseaux d'automates. Il loge dans les anciens locaux de l'École polytechnique sur la Montagne-Sainte-Geneviève, à Paris. Ce Laboratoire de dynamique des réseaux (LDR) est indépendant. Ses membres,

---

10. *Cf.* chapitre 5, « Mon HLM ! », p. 174.

des universitaires, ont tous un poste ailleurs dans l'enseignement supérieur. Ils ont peu de moyens, pas de budget et un ordinateur de récupération. C'est dire si la recherche sur l'apprentissage-machine est au point mort en France ! Je vais les voir. Ces scientifiques n'ont pas exploré, comme moi, les anciennes publications sur les réseaux de neurones. Ils en connaissent d'autres.

Je leur explique que le sujet m'intéresse, que je dispose de matériel dans mon école d'ingénieur, et je rejoins leur groupe, tout en poursuivant mes études de troisième cycle à l'université Pierre-et-Marie-Curie. En 1984, je dois m'inscrire en thèse de doctorat. J'ai une bourse de chercheur associé de l'ESIEE, mais je dois trouver un directeur de thèse. Je travaille beaucoup avec Françoise Fogelman-Soulié (devenue depuis Soulié-Fogelman) qui est alors maître de conférences en informatique à l'université Paris-V. Logiquement, elle devrait diriger ma thèse, mais elle n'est pas habilitée à le faire parce qu'elle n'a pas encore sa thèse d'État (l'habilitation est une particularité du système éducatif européen).

Je m'adresse donc au seul membre du labo pouvant diriger une thèse d'informatique : Maurice Milgram, professeur d'informatique et de sciences de l'ingénieur à l'Université de technologie de Compiègne. Il accepte, tout en m'expliquant qu'il ne pourra pas beaucoup m'aider parce qu'il ne connaît rien aux réseaux de neurones. Je lui voue une reconnaissance éternelle pour sa bienveillance à mon égard. Je partage alors mon temps entre l'ESIEE (et ses puissants ordinateurs) et le LDR (et son environnement intellectuel).

Je suis en terre inconnue. C'est excitant.

À l'étranger, des recherches proches des miennes décollent. Durant l'été 1984, j'accompagne Françoise Fogelman en Californie où je fais un stage d'un mois au mythique laboratoire Xerox PARC.

À cette époque, je me souviens qu'il y a deux personnes au monde que je désire ardemment rencontrer : Terry Sejnowski, biophysicien et neurobiologiste, de l'Université Johns Hopkins à Baltimore, et Geoffrey Hinton, de l'Université Carnegie-Mellon à Pittsburgh, celui-là même qui partage avec Yoshua Bengio et moi le prix Turing 2018. Hinton et Sejnowski ont publié en 1983 un article sur les machines de Boltzmann (« Boltzmann Machines ») qui contient une procédure d'apprentissage pour les réseaux avec « unités cachées », c'est-à-dire avec des neurones dans des couches intermédiaires entre l'entrée et la sortie. Cet article me passionne, précisément parce qu'on y parle d'entraîner les réseaux de neurones multicouches. « La » question au centre de mon travail ! Voilà des gens de valeur !

Les Houches

Ma vie professionnelle bascule réellement en février 1985 lors d'un symposium aux Houches, dans les Alpes. Je rencontre là-bas la fine fleur de la recherche internationale qui s'intéresse aux réseaux de neurones : physiciens, ingénieurs, mathématiciens, neurobiologistes, psychologues, et notamment des membres d'un tout nouveau groupe de recherche en réseaux de neurones qui s'est formé aux Bell Labs, un lieu mythique pour la communauté scientifique. Grâce aux liens que je noue aux Houches, je finirai par être embauché dans ce groupe trois ans plus tard.

Le séminaire est organisé par des chercheurs français du LDR avec qui je travaille : Françoise, son époux de l'époque Gérard Weisbuch, professeur de physique à l'ENS, et Élie Bienenstock, neurobiologiste théoricien qui est alors au CNRS. Ce symposium réunit des physiciens qui s'intéressent aux « verres de spins », ainsi que des sommités de la physique et des neurosciences.

Le spin est une propriété des particules élémentaires et des atomes, qui les assimile à des petits aimants orientés vers le haut ou vers le bas. On peut rapprocher ces deux valeurs du spin de celles du neurone artificiel : il est soit actif, soit inactif. Il obéit aux mêmes équations. Ces verres de spins sont une espèce de cristal dans lequel des atomes d'impuretés possèdent ces spins. Chaque spin interagit avec d'autres spins en fonction de pondérations de couplage. Si la pondération est positive, ils tendent à s'aligner dans la même direction. Si la pondération est négative, ils tendent à s'opposer. On associe les valeurs +1 à un spin vers le haut, et –1 à un spin vers le bas. Chaque atome d'impureté prend une orientation qui est fonction de la somme pondérée des atomes d'impureté voisins. En d'autres termes, la fonction qui détermine si un spin va s'orienter vers le haut ou vers le bas ressemble à celle qui fait qu'un neurone est actif ou inactif. À la suite d'un article fondateur de John Hopfield[11], qui identifie les analogies entre les verres de spins et les réseaux de neurones, de nombreux physiciens commencent à s'intéresser aux réseaux de neurones artificiels et à l'apprentissage, sujets toujours tabous pour leurs collègues ingénieurs et informaticiens.

Aux Houches, je suis un des plus jeunes. Or je suis censé faire une communication en anglais sur les réseaux multi-couches et l'algorithme HLM, mon précurseur de la rétropropagation. Je viens juste de démarrer ma thèse, et j'ai le trac à l'idée de prendre la parole devant ce parterre prestigieux.

Deux personnages me stressent particulièrement : un certain Larry Jackel, chef du département à Bell Labs que je rejoindrai par la suite, charmant au demeurant, et John Denker, son numéro 2, un vrai cow-boy de l'Arizona : costume en

11. John J. Hopfield, « Neural networks and physical systems with emergent collective computational abilities », *Proceedings of the National Academy of Sciences*, 1982, 79 (8), p. 2554-2558, DOI:10.1073/pnas.79.8.2554.

jean, grosses rouflaquettes, santiags... Ce chercheur atypique, qui vient à peine de finir sa thèse, a un aplomb incroyable ! Après l'intervention d'une sommité, il peut très bien prendre la parole et pulvériser sa communication. Sans agressivité, et souvent de manière fondée. Françoise Fogelman me met au parfum : « Les gars de Bell Labs ont un énorme complexe de supériorité. Quand tu fais quelque chose, soit cela a déjà été fait à Bell Labs il y a dix ans, soit cela ne marche pas. » Bigre !

Je fais donc mon speech sur les réseaux multicouches auquel personne ne comprend rien (déjà ! !). À la fin, John Denker lève sa main. Je me liquéfie. Mais il se contente de dire : « Ah, c'est vraiment bien ! Grâce à toi, j'ai compris plein de choses... » Devant tout ce public ! Lui et son directeur Larry Jackel ne vont pas m'oublier. Un an plus tard, ils m'invitent à faire une conférence dans leur labo. Deux plus tard, je passe un entretien d'embauche, et trois ans plus tard je rejoins l'équipe !

C'est aussi aux Houches que je rencontre Terry Sejnowski, le coauteur avec Geoff Hinton de l'article sur les machines de Boltzmann. Il n'arrive qu'après mon exposé, mais je le coince à la pause de l'après-midi et lui explique mes travaux sur les réseaux multicouches. Je me doutais qu'il serait intéressé. Il écoute patiemment, sans me dire que Geoff Hinton et lui travaillent aussi sur la rétropropagation. Geoff a déjà réussi à la faire marcher mais le monde ne le sait pas encore, et moi non plus.

Les plus belles inventions sont affaire de contagion. Geoff tient l'idée de Dave Rumelhart de l'Université de Californie à San Diego, avec qui il a fait son postdoc quelques années plus tôt. En 1982, Dave avait imaginé et programmé la méthode, mais n'avait pas réussi à la faire fonctionner. Il était venu voir Geoff qui lui avait répondu : « Ça ne peut pas marcher à cause du problème des minima locaux[12]. » Du coup, Dave avait

---

12. *Cf.* chapitre 4, « Vallées suspendues », p. 141.

abandonné. Mais, au cours de ses travaux sur la Boltzmann Machine, Geoff réalise que cette affaire des minima locaux n'est pas aussi grave qu'il le pensait. Il programme donc la méthode de Dave Rumelhart en langage Lisp sur sa machine Lisp de la compagnie Symbolics. Et ça marche !

Donc durant notre discussion aux Houches, Terry s'aperçoit vite que ma méthode HLM ressemble fort à la rétropropagation. Lui-même est déjà en train de plancher sur une application de cette même rétropropagation qui va faire fureur quelques mois plus tard. Il ne m'en parle pas. Mais de retour aux États-Unis, il confie à Geoff : « *There is a kid in France who is working on the same thing we are !* » (« Il y a un gamin en France qui travaille sur les mêmes choses que nous ! »)

Au printemps de la même année, j'écris mon premier article (un peu loin des canons de la littérature scientifique, je l'avoue) sur ma trouvaille. Je parviens à le rendre public au congrès Cognitiva en juin 1985, le premier congrès en France mêlant IA, réseaux de neurones, sciences cognitives et neurosciences. Geoff Hinton est l'orateur vedette. Il fait la conférence d'introduction où il parle des machines de Boltzmann. À la fin, une grappe de 50 personnes s'agglutine autour de lui. Je voudrais l'approcher, mais il n'y a pas moyen. Je le vois se tourner vers Daniel Andler, un des organisateurs de la conférence, et je l'entends lui demander : « *Do you know someone named Yann LeCun ?* » (« Connais-tu un certain Yann Le Cun ? »). Daniel regarde autour de lui. Je crie : « *I'm here !* » En fait, Geoff a vu mon article dans les actes et a utilisé ses rudiments de français pour le déchiffrer. Il réalise que je suis le « kid » dont lui avait parlé Terry.

Geoff et moi nous rencontrons le lendemain pour déjeuner autour d'un couscous. Il m'explique la rétropropagation. Mais il sait que je sais ! Il me dit qu'il est en train d'écrire un article, et qu'il citera le mien. Je suis sur un petit nuage. Nous comprenons vite que nos intérêts, nos approches, nos manières de penser sont similaires. Geoff m'invite à participer l'année suivante à une école d'été sur les modèles connexionnistes à Carnegie-Mellon. J'accepte, évidemment. L'expression « modèles connexionnistes » est alors celle préférée par les chercheurs en sciences cognitives pour désigner les réseaux de neurones, un domaine encore tabou.

De l'usage de la rétropropagation de gradient

Les inventions ne surgissent pas *ex nihilo*. Elles sont l'aboutissement d'essais, d'erreurs, de découragements et d'échanges, et mettent souvent du temps à s'imposer. La « frontière » de l'intelligence artificielle progresse ainsi, par découvertes successives. La popularisation dans les années 1980 de la rétropropagation de gradient va permettre l'entraînement de réseaux de neurones multicouches, constitués de milliers de neurones organisés en couches, avec des centaines de milliers de connexions. Chaque couche de neurones combine, traite et transforme les informations de la couche précédente, et passe le résultat à la couche suivante, jusqu'à produire une réponse sur la couche finale. Cette architecture en millefeuille confère une capacité étonnante à ces réseaux multicouches. On parlera plus tard à leur sujet de *deep learning*.

Mais, en 1985, l'idée qu'une procédure d'apprentissage puisse exister pour un réseau multicouche a encore du mal à passer. Les physiciens sont intéressés par l'analogie entre les réseaux de neurones complètement connectés (« réseaux de Hopfield ») et les verres de spins. Ils voient en eux un modèle de mémoire associative dans le cerveau. La madeleine de Proust, par la forme, l'odeur et le goût, renvoie aux images et aux sentiments associés, c'est-à-dire aux souvenirs. Alors que les réseaux multicouches, eux, fonctionnent davantage sur le mode de la perception : par quels mécanismes identifier la madeleine à partir de sa forme seule ? Les physiciens n'en comprennent pas tout de suite l'intérêt.

Tout change en 1986. Terry Sejnowski publie un rapport technique sur NetTalk, un réseau multicouche entraîné par rétropropagation qui « apprend à lire ». Le système transcrit un texte anglais en une suite de phonèmes (des sons vocaux élémentaires) transmis à un synthétiseur vocal. La transformation de texte en parole est simple en français, mais extrêmement difficile en anglais. Au début de l'apprentissage, le système balbutie comme un bébé qui apprend à parler. Puis, au fur et à mesure, sa prononciation s'améliore. Terry Sejnowski vient faire une conférence à l'École normale supérieure devant une audience médusée. D'un seul coup, tout le monde veut me parler. Les réseaux multicouches sont soudainement devenus intéressants, et j'en suis l'expert !

L'année précédente, j'ai découvert que la rétropropagation peut être formulée mathématiquement en utilisant un formalisme lagrangien (du nom du mathématicien et astronome franco-italien du XVIII siècle Joseph-Louis Lagrange). C'est le type de formalisme sur lequel la mécanique classique, la mécanique quantique et la théorie de la « commande optimale » sont basées. Je réalise qu'une méthode similaire à l'algorithme de rétropropagation avait déjà été proposée par les théoriciens de la commande optimale au début des années 1960. Elle est connue sous le nom d'algorithme de Kelly-Bryson ou encore « méthode de l'état adjoint » détaillée dans l'ouvrage de référence *Applied Optimal Control* d'Arthur Bryson et Yu-Chi Ho, publié en 1969.

Ces chercheurs étaient très loin de penser à utiliser la méthode pour l'apprentissage automatique ou pour les réseaux de neurones. Ils s'intéressaient à la planification et la commande de systèmes. Par exemple comment contrôler la trajectoire d'une fusée pour qu'elle arrive sur une orbite précise et réussisse un rendez-vous avec un autre vaisseau spatial, tout en consommant le moins d'énergie possible. Or, mathématiquement, le problème est très similaire à la question de l'ajustement des poids synaptiques d'un réseau de neurones multicouche pour que la sortie de la dernière couche soit celle que l'on désire.

Par la suite, j'apprendrai que plusieurs chercheurs sont passés tout près de découvrir la rétropropagation. Dans les années 1960 et 1970, certains avaient découvert la « différentiation automatique rétrograde » (*reverse-mode automatic differentiation*), la brique de base de calcul des gradients dans la rétropropagation. Mais ils l'utilisaient pour faciliter la résolution numérique d'équations différentielles ou l'optimisation de fonction. Personne n'y avait songé pour l'apprentissage dans les réseaux multicouches. Personne, sauf peut-être Paul Werbos, étudiant à Harvard, qui avait suivi les cours de Yu-Chi Ho et qui avait proposé, dans sa thèse de 1974, d'utiliser ce qu'il appelait les « dérivées ordonnées » pour l'apprentissage. Il n'a pu tester sa méthode en pratique que beaucoup plus tard.

En juillet 1986, je passe donc deux semaines à Pittsburgh à l'école d'été sur les modèles connexionnistes à l'Université Carnegie-Mellon où Geoff Hinton m'a invité. J'ai des scrupules à m'envoler pour les États-Unis : mon épouse est enceinte de notre premier bébé, et la naissance est prévue quatre semaines après mon retour...

Je me souviens de ce séjour estival comme de l'événement fondateur de la communauté de recherche en réseaux de neurones. Je me lie d'amitié avec Geoff et avec un certain Michael Jordan qui venait de finir sa thèse. Pourquoi Michael ? Il est francophile et parle mieux le français que je ne parle l'anglais ! Aux pique-niques de l'école d'été, il chante du Georges Brassens en s'accompagnant à la guitare.

Figure 2.1. Les participants à l'école d'été de 1986 sur les modèles connexionnistes à l'Université Carnegie-Mellon (Pittsburgh, États-Unis).

Sont indiqués Stanislas Dehaene (SD), Michael Jordan (MJ), Jay McClelland (JMcC), Geoffrey Hinton (GH), Terry Sejnowski (TS) et moi-même (YLC). En plus de ceux-ci, de nombreux participants présents sur la photo deviendront des personnalités importantes de l'apprentissage-machine, de l'IA et des sciences cognitives : Andy Barto, Dave Touretzky, Gerry Tesauro, Jordan Pollack, Jim Hendler, Michael Mozer, Richard Durbin et bien d'autres (© les organisateurs de l'école d'été).

Bien que je sois encore étudiant, Geoff m'invite à faire un speech, expliquant que j'avais inventé la rétropropagation de mon côté. Lors d'un dîner, arrosé d'une bonne bouteille de bordeaux que j'avais apportée dans mes bagages, il m'annonce qu'il prévoit de quitter Carnegie-Mellon dans un an et de rejoindre l'Université de Toronto. « Veux-tu me rejoindre comme chercheur associé ? » Bien sûr ! Cela me laisse un an pour finir mon doctorat...

La révolution est en marche. La publication de l'article de Rumelhart-Hinton-Williams sur la rétropropagation fait l'effet d'une bombe[13]. Le succès de NetTalk se répand comme une traînée de poudre. La communauté de recherche en réseaux de neurones grossit à toute vitesse. Mon logiciel de simulation de réseaux de neurones et d'apprentissage par rétropropagation – toujours appelé HLM – intéresse certains industriels français. Thomson-CSF (devenu Thales aujourd'hui) en achète une copie.

Je termine mon doctorat en juin 1987 et je soutiens ma thèse à l'université Pierre-et-Marie-Curie (aujourd'hui rebaptisée Sorbonne Université) sur des béquilles : je me suis cassé la cheville en avril en expérimentant un nouveau mode de propulsion à voile sur sable ! Geoff Hinton est dans mon jury, ainsi que Maurice Milgram, Françoise Fogelman-Soulié, Jacques Pitrat (un des piliers de la recherche en IA symbolique en France) et Bernard Angéniol (directeur d'un groupe de recherche à Thomson-CSF). Un mois plus tard, je rejoins Geoff à Toronto, avec ma femme et notre bébé qui a maintenant 1 an. Mon épouse accepte de mettre sa carrière de pharmacienne entre parenthèses et d'élever notre fils pendant notre séjour outre-Atlantique qui, pensons-nous, ne doit pas durer plus d'un an...

J'ai entraîné avec moi un ami, Léon Bottou, un étudiant rencontré début 1987 alors qu'il était en dernière année de l'École polytechnique. Il s'était pris d'intérêt pour les réseaux de neurones et avait décidé de faire son stage de fin d'études avec moi, se gardant bien de dire à la direction de l'école que je n'étais pas encore docteur ! J'avais déjà le projet d'écrire un nouveau logiciel pour créer et entraîner des réseaux de neurones. Il s'agit d'un simulateur piloté par un interprète Lisp (un langage de

---

13. D. E. Rumelhart, G. E. Hinton, R. J. Williams, « Learning internal representations by error propagation », *in* D. E. Rumelhart, J. L. McClelland, PDP Research Group, *Parallel Distributed Processing : Explorations in the Microstructure of Cognition*, MIT Press, 1986, vol. 1, p. 318-362.

programmation particulièrement flexible et interactif). Je
demande à Léon de réaliser cet interprète Lisp, ce qu'il fait
en trois semaines ! Notre collaboration est facilitée par le
fait que nous possédons le même type d'ordinateur person-
nel : un Amiga de la société Commodore. À la différence
des PC et Mac de l'époque, les Amiga ont des propriétés
similaires aux stations de travail Unix répandues dans les
départements d'informatique outre-Atlantique : on les programme en langage C avec le compilateur gcc et l'éditeur
de texte Emacs. J'écris ma thèse sur mon Amiga avec le
système de traitement de texte pour informaticiens LaTeX.
Nous échangeons nos bouts de programmes à distance en
connectant nos Minitel à nos Amiga...

Nous nommons notre programme SN, pour « Simulateur
Neuronal ». Cela marquera le début d'une collaboration et
d'une amitié qui durent toujours : le bureau de Léon est voisin
du mien dans les locaux de FAIR[14], à New York.

À Toronto, je termine SN et le modifie pour pouvoir réaliser une idée d'architecture de réseau de neurones adaptée à
la reconnaissance d'images que j'ai en tête : le réseau convolutif. Il est inspiré du Néocognitron de Fukushima, mais il
utilise des neurones plus classiques et est entraîné par rétropropagation. Au même moment, Geoffrey Hinton développe
de son côté un autre type de réseau convolutif plus simple
qu'il utilise pour la reconnaissance de la parole. Il l'appelle
TDNN (Time Delay Neural Network, ou « réseau neuronal à
délais temporels »).

Fin 1987, je suis invité à donner une conférence au
Centre de recherche en informatique de Montréal, institut lié à l'Université McGill. À la fin de ma présentation,
un jeune étudiant en master pose une série de questions
qui révèlent qu'il a travaillé sérieusement sur les réseaux

---

14. Facebook Artificial Intelligence Research.

de neurones multicouches. Le domaine compte très peu de chercheurs à cette époque. Il se demande comment adapter l'architecture des réseaux de neurones pour qu'ils puissent traiter des signaux temporels, tels que la parole ou le texte. Je retiens son nom : Yoshua Bengio. Ses questions sont tellement pertinentes que je me promets de ne pas le perdre de vue, pour collaborer avec lui après ses études. Je le ferai embaucher plus tard à Bell Labs, après son doctorat et un court passage au MIT.

Le Saint des saints

Le symposium des Houches a d'autres retombées. En 1986, pendant l'école d'été, Larry Jackel et les membres de l'Adaptive Systems Research Department de Bell Labs apprennent que je suis à Pittsburgh. Ils m'invitent à m'arrêter au retour à Bell Labs dans le New Jersey pour y donner une conférence. Je me souviens de ma première visite dans cet impressionnant temple de la recherche – il l'était en tout cas dans les années 1980 – où les technologies du monde moderne avaient été inventées. Toutes les sommités de la physique, de la chimie, des mathématiques, de l'informatique et du génie électrique sont réunies là. Le laboratoire de Larry Jackel jouxte celui d'Arthur Ashkin, futur prix Nobel de physique en 2018 pour ses travaux sur les pièges d'atomes par laser ! Il a à ses côtés un certain Steven Chu, qui recevra le Nobel de physique en 1997 pour ses découvertes sur le refroidissement et la capture d'atomes par laser. La division « recherche » de Bell Labs, qui compte 1 200 personnes réparties sur plusieurs sites, est dirigée par Arno Penzias, lui aussi lauréat du prix Nobel pour la découverte

du rayonnement cosmique prouvant la théorie du Big Bang !
La tête me tourne.

Le bâtiment lui-même, situé à Holmdel, à 60 kilomètres
au sud de New York, est à couper le souffle. Il a été dessiné
par Eero Saarinen, le célèbre architecte finlandais. Imaginez
un parallélépipède de verre de 8 étages, de 300 mètres de long
sur 100 mètres de large, abritant une communauté de plus
de 6 000 personnes, principalement des ingénieurs. La partie
recherche regroupe environ 300 personnes.

Au printemps 1987, Larry m'invite de nouveau à Bell
Labs, cette fois-ci pour un entretien d'embauche. Je lui dis :
« Invitez mon épouse. C'est elle qu'il faut convaincre ! »
Pendant que je discute avec les membres du labo, Larry
emmène Isabelle, avec Kévin, notre bébé de 18 mois, faire
un tour en voiture. Il lui vante les mérites de la région : les
espaces verts, les grandes maisons à l'américaine et l'océan
à proximité. Le New Jersey mérite son surnom de Garden
State (État-jardin). Le soir, au restaurant italien, Kévin se
met à pleurer de fatigue. John Denker, l'homme aux rouflaquettes, le prend dans ses bras et le promène dans le
restaurant. Kévin se calme instantanément. J'apprendrai
plus tard que le chercheur est l'aîné de quatre enfants et
qu'il a l'habitude de s'occuper des petits. En plus d'être un
physicien et ingénieur exceptionnel, il lit le français et cite
Voltaire et Zola. Pas mal pour un cow-boy de l'Arizona ! Le
lendemain, Larry et deux de ses collègues nous emmènent
visiter Manhattan. Nous voulons monter en haut du World
Trade Center, mais le temps est exécrable et le gardien nous
en dissuade. Nous prenons quand même l'ascenseur d'une
des tours jumelles. Quand nous arrivons en haut, la purée
de pois est telle que nous ne voyons même pas l'autre !
Mais l'accueil formidable qu'on a reçu nous a convaincus...
Isabelle et moi convenons de rester dans le New Jersey un
an ou deux.

Je suis donc embauché à Bell Labs en octobre 1988. Le département de Larry fait partie de la division de Bob Lucky, ingénieur génial, inventeur de l'algorithme du filtre adaptatif. Il gère la division « BL113 » qui regroupe les 300 chercheurs de Holmdel et de Crawford Hill, voisin de Holmdel. C'est lui qui a validé la création du groupe de recherche en réseau de neurones. Je le rencontre plusieurs fois : un personnage haut en couleur, grand, mince, qui s'intéresse à tout, et bien sûr aux technologies de télécommunication. Je côtoie aussi John Hopfield, autre figure de Bell Labs, qui a fait la connexion entre les verres de spins et les réseaux de neurones, que j'avais rencontré aux Houches quatre ans auparavant...

Quant aux conditions de travail, elles sont à des années-lumière de celles que j'ai connues en France. Nous avons des moyens extraordinaires, une complète liberté de sujet de recherche, et mes collègues sont les champions dans leur domaine. À mon arrivée, j'ai à ma disposition un ordinateur Sun4 pour moi tout seul. À Toronto, nous nous partagions un ordinateur du même type à 40 ! « Chez Bell Labs, on ne devient pas célèbre en faisant des économies ! » m'explique-t-on. Une phrase à méditer...

Les années Bell Labs

À Toronto, je n'avais pu tester mes premiers réseaux convolutifs que sur un tout petit ensemble de chiffres manuscrits que j'avais collectés moi-même en les dessinant à l'aide d'une souris. Mais le groupe de Bell Labs a récupéré un ensemble de 9 298 images de « vrais » chiffres manuscrits, collectés par l'USPS, la poste américaine, à partir de codes postaux sur des enveloppes. Le module de réseau convolutif

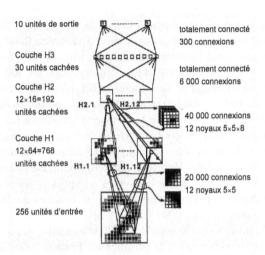

10 unités de sortie · totalement connecté / 300 connexions

Couche H3 / 30 unités cachées · totalement connecté / 6 000 connexions

Couche H2 / 12×16=192 unités cachées · H2.1 · H2.12 · 40 000 connexions / 12 noyaux 5×5×8

Couche H1 / 12×64=768 unités cachées · H1.1 · H1.12 · 20 000 connexions / 12 noyaux 5×5

256 unités d'entrée

Figure 2.2. Le premier réseau convolutif pour la reconnaissance de caractères manuscrits.

J'ai créé ce premier réseau convolutif en arrivant à Bell Labs fin 1988. C'est un réseau de neurones dont l'architecture, inspirée du cortex visuel, comprend quatre couches. Les neurones des deux premières couches sont connectés à des petites zones de la couche précédente, appelées champs récepteurs (*cf.* chapitre 6 sur les réseaux convolutifs). Les couches successives extraient des caractéristiques de l'image de plus en plus abstraites et globales.

dans mon logiciel SN est déjà prêt à l'emploi. Je décide de construire un « grand » réseau convolutif avec une entrée de 16 × 16 pixels, et quatre couches. Au total, le réseau a 1 256 unités, 64 660 connexions et 9 760 paramètres ajustables (plusieurs connexions partagent le même paramètre dans un réseau convolutif). Un monstre ! Il me faut trois jours sur mon Sun4 pour l'entraîner sur les 7 291 exemples d'apprentissage. Mais il ne fait que 5 % d'erreurs sur les 2 007 exemples de test, pulvérisant les précédents records.

Ces résultats sont obtenus moins de deux mois après mon arrivée, Larry est très content, et il baptise mon réseau LeNet (comme Le Cun !). Nous parvenons bientôt à le faire tourner sur une petite carte accélératrice qui peut reconnaître

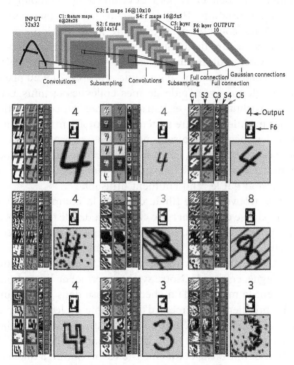

Figure 2.3. LeNet5. Un réseau convolutif déployé commercialement pour la reconnaissance de caractères manuscrits.

L'architecture de ce réseau de seconde génération comprend sept couches. Il est beaucoup plus gros que le précédent et utilise des couches séparées pour la convolution et le *pooling* (*cf.* chapitre 6). Il peut reconnaître des chiffres biscornus.

30 caractères par seconde. Les progrès sont rapides, et nous développons une nouvelle architecture de réseau convolutif, LeNet1, avec plus de 4 600 unités, et près de 100 000 connexions. Le taux d'erreur baisse.

Bientôt, Larry recherche des partenaires dans la partie ingénierie de Bell Labs pour développer la technologie et en tirer des produits. Un groupe d'ingénieurs s'intéresse au projet. Nous collaborons, et très vite nous développons un système de lecture de montant sur les chèques bancaires.

Le système utilise un « gros » réseau convolutif LeNet5 avec 340 000 connexions, doté d'une rétine de 20 × 20 pixels. Je le développe avec l'aide de mes collègues et amis Léon Bottou, Yoshua Bengio et Patrick Haffner, en collaboration avec les ingénieurs. Notre système lit le montant d'environ la moitié des chèques en faisant moins de 1 % d'erreurs. L'autre moitié est rejetée par la machine, et doit être traitée manuellement. C'est la première fois qu'un système atteint un niveau de précision qui le rend vraiment utilisable.

Il se trouve qu'une filiale d'AT&T, la compagnie NCR, commercialise des scanners de chèques et des distributeurs de billets pour les banques. Nous les équipons de notre système de lecture automatique. La mise sur le marché s'effectue en 1994 dans les distributeurs de billets NCR du Crédit mutuel de Bretagne, en France. Notre système permet de lire automatiquement le montant d'un chèque déposé dans la machine.

Le premier déploiement d'un système de lecture rapide a lieu en 1995. Nous fêtons cela dans un restaurant italien de la charmante petite ville de Red Bank, ville natale du jazzman Count Basie et du cinéaste Kevin Smith, à quelques kilomètres du labo.

Mais, en rentrant, nous apprenons que la direction d'AT&T vient de décider de scinder la compagnie en plusieurs sociétés indépendantes. En quelques mois, NCR part de son côté en emportant le groupe qui développe et commercialise les produits. La nouvelle entreprise Lucent Technologies se sépare à son tour, emportant la marque « Bell Labs », ainsi qu'une grande partie des labos, dont le groupe d'ingénieurs avec qui nous travaillons. Notre équipe de recherche, quant à elle, reste avec AT&T et dépend maintenant d'une nouvelle organisation : AT&T Labs Research. À mon grand dam, le projet doit s'arrêter.

NCR et Lucent continueront de commercialiser le produit. À la fin des années 1990, notre système lit entre 10 et 20 % de tous les chèques émis aux États-Unis. C'est l'un des plus spectaculaires succès des réseaux de neurones de cette décennie.

En revanche, le nouvel AT&T, une entreprise de services de télécommunications, n'est pas intéressée par ce genre de technologie. Nous sommes en 1996, en plein boom de l'Internet. Je suis promu chef de département et je dois trouver un nouveau projet pour mon groupe. Nous décidons de nous lancer dans la compression d'images pour scanner des documents papier à haute résolution et les distribuer par Internet. J'ai l'espoir que les bibliothèques du monde scanneront leurs collections et les mettront à disposition sur Internet. Mais il faut une technique adaptée. Elle sera introduite en 1998 sous le nom de DjVu (à prononcer « déjà vu » à la française). DjVu peut compresser une page scannée en couleur à haute résolution en une cinquantaine de kilo-octets, dix fois moins que JPEG ou PDF.

Malheureusement, AT&T rate la commercialisation de DjVu. Le fait que les grosses sociétés commercialisent mal les innovations sorties de leurs labos est presque un cliché. Rappelez-vous le loupé monumental de Xerox, dont le laboratoire californien PARC a inventé la bureautique moderne : la station de travail individuelle, les réseaux d'ordinateurs, les systèmes d'affichages graphiques multifenêtres, la souris et l'imprimante laser. Xerox n'a pas su les vendre, laissant à Steve Jobs et à Apple le loisir de copier le concept avec le Lisa et le Macintosh.

AT&T aussi est coutumière du fait. Les inventions de Bell Labs, sa division de R&D ont certes eu un certain impact en interne. Mais d'autres entreprises se sont chargées de gagner des fortunes avec le transistor, les cellules solaires, les caméras CCD, le système d'exploitation Unix, les langages de programmation C et C++... AT&T n'a donc que faire d'une technologie comme DjVu et décide d'en vendre la licence, pour une douzaine de millions de dollars, à une compagnie de Seattle déjà engagée sur le marché de l'image : LizardTech... qui en ratera aussi la commercialisation. Nous conseillons à LizardTech de distribuer le code de base en *open source*. Nous savons que le seul moyen de faire accepter un nouveau format est de le rendre accessible à tous. Las ! Leur souci de contrôle et de profit les conduit à garder le code secret. Ils finiront par changer d'avis, trop tard. Leur choix les aura tués. Mais c'est une autre histoire...

Un tabou ?

À partir de 1995, nouvelles années noires. Nos idées de réseaux convolutifs n'ont pas été reprises et encore moins appliquées à d'autres domaines. Avec Yoshua Bengio, retourné à Montréal mais resté affilié à mon labo à temps partiel, Geoff Hinton, qui a quitté Toronto pour fonder un laboratoire de neurosciences théoriques à Londres, et quelques autres, nous restons seuls à y croire. Pourquoi cette baisse d'intérêt pour les réseaux de neurones au sein de la communauté du *machine learning* ? C'est un mystère, que je charge les historiens et sociologues de la science d'éclaircir. Les réseaux de neurones redeviennent pratiquement tabous. Les réseaux convolutifs sont un sujet de plaisanterie. On les dit si compliqués qu'il n'y aurait que Yann Le Cun pour les faire marcher ! Une ânerie !

Des obstacles techniques empêchent sans doute leur diffusion : les réseaux convolutifs sont très gourmands en calculs, or à l'époque les ordinateurs sont lents et coûteux ; les jeux de données sont trop petits – nous sommes avant l'explosion d'Internet. Il faut donc les collecter soi-même, ce qui a un prix et limite les applications ; enfin, les logiciels pour les réseaux de neurones, comme SN, doivent être écrits à la main de A à Z par les chercheurs eux-mêmes. Un énorme investissement en temps. De plus, AT&T ne nous autorise pas à distribuer notre simulateur de réseau de neurones SN en *open source*, ce qui aurait peut-être permis aux réseaux convolutifs d'être adoptés plus vite. À l'époque, on l'a vu, les entreprises pratiquent le chacun-pour-soi.

En 1991, Léon Bottou, venant de finir son doctorat, nous rejoint à Bell Labs. Mais il ne se plaît pas aux États-Unis et retourne en France au bout d'un an pour reprendre une start-up qu'il avait préalablement fondée avec quelques amis : Neuristique. Cette société commercialise une version de SN et offre des services aux entreprises voulant mettre en œuvre les réseaux de neurones. Leurs systèmes marchent si bien qu'ils se heurtent souvent à l'incrédulité de leurs clients potentiels. Les experts conseillant ces clients leur disent que ce que fait Neuristique est « impossible », malgré les résultats indiscutables ! Après quelques années de ce régime, Léon veut revenir à la recherche. Il passe la main et nous rejoint de nouveau à Bell Labs, cette fois-ci avec l'idée de rester aux États-Unis.

Les chercheurs en apprentissage-machine délaissent donc les réseaux de neurones. Ils leur préfèrent les SVM (*support vector machines*) et les « méthodes à noyaux ». Ironie du sort, cette technique a été inventée par des collègues et amis de notre propre labo : Isabelle Guyon, Vladimir Vapnik et Bernhard Boser, entre 1992 et 1995. Les méthodes à noyaux deviennent les approches phares du *machine learning* entre 1995 et 2010. La communauté se prend aussi d'intérêt pour un autre ensemble de techniques, le *boosting*, mis au point par Rob Schapire et Yoav Freund, des collègues d'un autre département de Bell Labs. Nous sommes tous bons amis. Cela vous donne une idée des débats intellectuels à l'intérieur même de nos murs. Éclipsés, les réseaux de neurones connaissent donc un nouvel hiver qui va durer près de quinze ans.

En 1995, Larry Jackel croit toujours à l'avenir des réseaux convolutifs et se désole qu'on leur préfère les SVM. Vladimir Vapnik est un mathématicien. Il aime bien les méthodes dont on peut garantir le fonctionnement par des théorèmes mathématiques. Les réseaux de neurones ne lui plaisent pas parce qu'ils sont trop compliqués pour être expliqués par une belle théorie. Larry décide donc de faire un double pari avec lui. Premièrement, il parie qu'avant le 14 mars 2000 il y aura une théorie mathématique expliquant pourquoi les réseaux de neurones fonctionnent si bien. Vapnik parie le contraire... en acceptant un codicille ! Si la personne qui découvre la théorie s'avère être Vapnik lui-même, Vapnik aura gagné son pari ! Larry n'a pas trouvé de meilleur moyen pour inciter Vladimir à développer cette théorie.

Deuxièmement, Vladimir parie qu'après le 14 mars 2005 plus personne n'utilisera les réseaux de neurones. Larry parie l'inverse. Ils signent leur pari et je le signe aussi, en tant que témoin. L'enjeu de chaque pari est un dîner dans un bon restaurant.

Il y aura deux dîners. Larry perdra le premier pari, et Vladimir perdra le second. Quant à moi, j'aurai profité de deux dîners gratuits !

Léon Bottou et moi terminons le projet DjVu en 2001. Pendant plus de cinq ans, nous n'avons pratiquement pas travaillé sur l'apprentissage-machine, mais nous avons écrit de longs articles donnant moult détails sur nos travaux de la première moitié de la décennie. Pour moi, ces articles représentent une sorte de chant du cygne temporaire : la communauté ne

1. Jackel bets (one fancy dinner) that by March 14, 2000, people will understand
quantitatively why big neural nets working on large databases are not so bad.
(Understanding means that there will be clear conditions and bounds)

Vapnik bets (one fancy dinner) that Jackel is wrong.

But .. If Vapnik figures out the bounds and conditions, Vapnik still wins the bet.
****
2. Vapnik bets (one fancy dinner) that by March 14, 2005, no one in his right mind will use neural nets that are essentially like those used in 1995.

Jackel bets (one fancy dinner) that Vapnik is wrong

_____ 3/14/95
V. Vapnik

_____ 3/14//95
L. Jackel

_____ 3/14/95
Witnessed by Y. LeCun

Figure 2.4. Le pari de 1995 entre Larry Jackel et Vladimir Vapnik.

1. Jackel fait le pari (dont l'enjeu est un bon dîner) qu'au plus tard le 14 mars 2000 les chercheurs comprendront pourquoi un gros réseau de neurones entraînés sur une grande base de données ne marche pas si mal (par « comprendre » nous entendons qu'il y aura des conditions et des bornes claires). Mais, si Vapnik est celui qui trouve la solution, il gagne quand même. Vapnik fait le pari que Jackel a tort.
2. Vapnik fait le pari (dont l'enjeu est un bon dîner) qu'au plus tard le 14 mars 2005, aucune personne saine d'esprit n'utilisera des réseaux de neurones essentiellement identiques à ceux de 1995. Jackel fait le pari que Vapnik a tort.
Vapnik a gagné le premier pari, mais Jackel a gagné le second.

s'intéresse plus aux réseaux de neurones, mais nous lui montrons comment les faire fonctionner. Nous faisons un nouvel essai qui se veut didactique et exhaustif. En 1998, nous publions, dans la prestigieuse revue *Proceedings of the IEEE*, un article devenu célèbre, intitulé « Gradient-based learning applied to document recognition » par LeCun, Bottou, Bengio et Haffner[15].

Cet article explique en détail comment faire fonctionner les réseaux convolutifs. Il développe l'idée de construire un système d'apprentissage en assemblant des modules paramétrés différentiables. Il décrit aussi une nouvelle technique, les « réseaux transformateurs de graphes » (*graph transformer networks*), permettant d'entraîner des systèmes dont les modules manipulent des graphes, alors que les réseaux de neurones classiques ne manipulent que des tableaux de nombres. Nous montrons aussi comment construire et entraîner un système de reconnaissance de caractères. Entre 1998 et 2008, l'article a un succès mitigé, ne recueillant que quelques dizaines de citations par an. Mais, à partir de 2013, la croissance est exponentielle. En 2018, il a récolté 5 400 citations. Beaucoup le voient maintenant comme l'article fondateur des réseaux convolutifs, même si les premiers articles ont été publiés dix ans plus tôt. En 2019, il est mon article vedette, avec plus de 20 000 citations.

Fin 2001, la bulle de l'Internet vient d'éclater. Le plan d'AT&T de fournir l'Internet et la télévision à tous les logements par des fibres optiques et des câbles coaxiaux ne convainc pas Wall Street. L'action dégringole. Cela ne nous arrange pas : les stock-options que nous avons reçues à la suite de la vente de DjVu ne valent plus un clou ! Le vice-président d'AT&T Labs

---

15. Yann LeCun, Léon Bottou, Yoshua Bengio, Patrick Haffner, « Gradient-based learning applied to document recognition », *Proceedings of the IEEE*, 1998, 86 (11), p. 2278-2324.

Figure 2.5. Photo de départ du département de recherche en traitement d'image d'AT&T Labs Research.

Je dirige ce laboratoire entre 1996 et début 2002. *De gauche à droite, debout :* Vladimir Vapnik, Léon Bottou, Yann Le Cun, Jörn Ostermann, Hans-Peter Graf. *Assis devant :* Eric Cosatto, Patricia Green, Fu-Jie Huang et Patrick Haffner. Vapnik, Bottou, Graf, Cosatto et Huang me rejoindront à NEC début 2002.

Research, Larry Rabiner, un pionnier de la reconnaissance de la parole, annonce qu'il partira à la retraite dans trois mois, alors qu'il n'est pas si vieux. Connaissant son dévouement pour la recherche et pour le labo où il a passé toute sa carrière, j'interprète cette nouvelle comme un présage de la fin du monde. Je cherche discrètement un autre poste de chercheur.

Le couperet tombe en décembre. L'entreprise annonce qu'elle va se scinder une nouvelle fois en plusieurs morceaux. Elle décide de mettre à la porte la moitié des effectifs de la recherche. J'ai déjà une offre en poche de la compagnie japonaise NEC. Je cherche donc à faire partie de la charrette des suppliciés ! Je dis à mon directeur : « Je me fiche de ce qui intéresse la compagnie. Je vais travailler sur la vision,

la robotique et les neurosciences. » L'affirmation est exacte,
mais je cherche surtout à ce qu'il me vire ! Ce qu'il fait, et
je lui en suis reconnaissant. Léon, Vladimir Vapnik et moi
quittons AT&T début 2002 pour rejoindre le NEC Research
Institute à Princeton, le prestigieux laboratoire de l'entreprise
japonaise Nippon Electric Company. Et nous reprenons nos
recherches en réseaux de neurones.

Avant de quitter AT&T, je prends quelques photos des
membres de mon labo.

À ce moment, Vladimir Vapnik est au pic de sa célébrité
et de son influence. Je veux faire une photo mémorable, mais
je veux lui faire une blague. J'écris sur un tableau blanc la formule de la théorie de l'apprentissage qui porte son nom, et pour
laquelle il est devenu célèbre. Je lui demande de poser devant le
tableau. Il est très heureux que je prenne sa photo devant son
chef-d'œuvre. Mais sous la formule, j'ai écrit la phrase « *All
your bayes are belong to us* ». C'est un très mauvais jeu de mots
que je me dois d'expliquer. À l'époque circule sur Internet un
« mème[16] » se moquant gentiment du jeu vidéo japonais Zero
Wing. La traduction des dialogues du japonais en anglais est
plutôt approximative. Un des personnages, une sorte d'empereur galactique conquérant, dit en mauvais anglais « *How are
you gentlemen ! ! All your base are belong to us. You are on
the way to destruction* », voulant probablement dire avec une
syntaxe approximative « toutes vos bases nous appartiennent ».
La phrase fait tellement rire qu'elle en devient célèbre. Il faut
savoir qu'une approche de la théorie de l'apprentissage, rivale
de celle de Vapnik, se base sur le théorème de Bayes, une formule liant les probabilités jointes et conditionnelles, attachée au

---

16. Un mème est une idée qui se reproduit parce que des gens la diffusent.
L'expression inventée par le biologiste Richard Dawkins, spécialiste de l'évolution, est calquée sur le mot « gène », par analogie avec son mode de
reproduction.

Figure 2.6. Vladimir Vapnik en 2002.

Il est photographié devant la formule de la théorie de l'apprentissage qui l'a rendu célèbre. La phrase est un mauvais jeu de mots inspiré d'un mème Internet circulant à l'époque.

nom de son inventeur, le mathématicien et pasteur britannique du XVIIIe siècle Thomas Bayes. Vapnik n'aime pas les théories bayésiennes. Il les qualifie de « *vrong* », de fausses, avec son accent russe inimitable. J'ai donc corrompu le célèbre mème en remplaçant BASE par BAYES, faisant ainsi de Vapnik l'empereur conquérant de la galaxie du *machine learning* ! Je poste cette photo sur mon site Internet en 2002. Elle devient bientôt la photo « officielle » de Vapnik, référencée dans sa page Wikipédia. C'est amusant, parce que je ne pense pas que Vladimir réalise la subtilité de la blague, ni d'ailleurs son inexactitude syntaxique.

Deux semaines après avoir rejoint NEC, je reçois un coup de téléphone de Larry Page, le P-DG de Google, la start-up de 600 employés dont tout le monde parle, et dont tout le monde utilise déjà le service. Il veut recruter un directeur de la recherche. Larry me connaissait car il était un admirateur de DjVu. Je passe un entretien. Google m'offre le poste, mais finalement je ne l'accepte pas. D'une part, ma famille ne veut pas déménager en Californie. D'autre part, même si l'offre est alléchante, après six ans de direction d'un département et d'un projet de recherche appliqué (DjVu), je veux retourner à la recherche fondamentale et retravailler sur l'apprentissage, les réseaux de neurones, les neurosciences et la robotique. Je sais que je ne pourrai pas poursuivre cet objectif dans une start-up de 600 personnes qui n'a pas encore de revenus, surtout si je suis à un poste de direction.

Las ! Moins d'un an après, NEC rencontre des difficultés financières et met la pression sur le labo de Princeton pour qu'il produise des applications plus directement utiles à l'entreprise. Les meilleurs profils lâchent les uns après les autres : les physiciens, les biologistes, les chercheurs en vision. La direction de NEC nous fait savoir que l'apprentissage-machine ne l'intéresse pas. Elle limoge le directeur du labo et le remplace par un administrateur qui n'a pas de passé de chercheur. Le moyen le plus sûr de tuer notre organisme !

Je resterai à NEC dix-huit mois, avant de rejoindre New York University (NYU) comme professeur en 2003. J'avais déposé des dossiers de candidature dans plusieurs universités, et j'avais reçu des offres de l'Université d'Illinois à Urbana-Champaign et de l'Institut Toyota de l'Université de Chicago. Mais je n'avais pas reçu de réponse de NYU et cela m'inquiétait.

Je prends contact avec celui qui m'avait suggéré de candidater. Il est surpris : « Tu as candidaté ? Nous n'avons rien reçu ! » En fait, l'ordinateur de l'administrateur gérant les candidatures a eu un pépin et la moitié des candidatures se sont perdues. NYU m'organise un entretien d'embauche de dernière minute. La journée commence par un exposé de mes travaux. La présidente du département d'informatique est bien sûr dans le public. Elle s'appelle Margaret Wright, une sommité de la recherche opérationnelle. Je la connais, car elle est, elle aussi, une ancienne de Bell Labs. Je m'étais un peu accroché avec elle lors d'un atelier à l'Université de Berkeley quelques années auparavant. Elle pensait que certains résultats bien connus de recherche opérationnelle s'appliqueraient à l'apprentissage-machine et je n'étais pas d'accord. J'espère qu'elle aura oublié cet épisode... Pas du tout. À la fin de ma conférence, elle pose une question en faisant précisément référence à ce débat ! J'en conclus que mes chances d'obtenir le poste sont nulles. Mais non ! Elle se souvient d'avoir appris quelque chose ce jour-là ! Je suis embauché à NYU comme professeur en septembre 2003, avec la ferme intention de redémarrer un programme de recherche sur les réseaux de neurones et de démontrer qu'ils marchent.

Depuis la fin des années 1990, j'étais convaincu que le prochain succès des réseaux convolutifs serait dans le domaine de la reconnaissance d'objets dans les images. J'avais donc publié un article au CVPR (Computer Vision and Pattern Recognition) de 1997. Il n'avait pas intéressé grand-monde ! Mais certains ténors du domaine, tels que David Forsyth de l'Université de l'Illinois, savent que l'apprentissage-machine va jouer un rôle important dans la vision. Il me convie à un workshop en Sicile en compagnie des chefs de file mondiaux. J'y rencontre Jean Ponce, alors à l'Université de l'Illinois (et qui enseigne aujourd'hui à l'École normale supérieure), Martial Hébert de Carnegie-Mellon, Jitendra Malik de l'Université de Californie à Berkeley, Andrew Zisserman d'Oxford, Pietro Perona de Caltech, et bien d'autres. À ma grande surprise, ils sont tous impressionnés par les capacités des réseaux convolutifs. En 2000, je suis invité à faire une conférence plénière à CVPR.

Ma place est faite dans la communauté, et je tisse des liens qui s'avéreront fructueux par la suite. Au cours de la décennie suivante, l'apprentissage-machine prend une importance grandissante dans la vision. Mais il faudra attendre 2014 pour que les réseaux convolutifs deviennent la méthode dominante en vision. Si les chefs de file du domaine sont ouverts aux nouvelles idées, leurs collègues juniors, qui évaluent nos articles, sont bien moins indulgents...

La conspiration du deep learning

Avec Geoffrey Hinton et Yoshua Bengio, mes collègues et amis, nous décidons alors de raviver l'intérêt de la communauté scientifique pour les réseaux de neurones. Nous sommes toujours convaincus qu'ils marchent bien et qu'ils peuvent améliorer significativement la reconnaissance d'image et de parole. Par bonheur, une institution s'intéresse à nous : la fondation canadienne CIFAR (Canadian Institute for Advanced Research) la bien nommée, puisque *see far* veut dire « voir loin » en anglais. Elle lance en 2004 un programme sur cinq ans, Neural Computation and Adaptive Perception, ou NCAP, dont Geoffrey Hinton est alors directeur et moi le conseiller scientifique. NCAP nous permet de nous réunir, d'organiser des ateliers, de faire venir nos étudiants... et de créer une petite communauté scientifique *ad hoc*.

Le reste des chercheurs juge toujours ridicule la recherche en réseaux de neurones. Nous trouvons alors un nouveau nom pour la désigner : le *deep learning*, ou apprentissage profond. Je qualifie notre trio de conspiration du *deep learning*, « *the deep learning conspiracy* » ! Une plaisanterie sur fond de vérité.

On nous empêche de publier. Les articles que nous proposons sur le sujet dans les années 2004-2006 se font quasiment tous refuser dans les grands congrès d'apprentissage-machine, NIPS (Neural Information Processing Systems)[17], ICML (International Conference on Machine Learning). L'apprentissage-machine, à cette époque, parle surtout de méthodes à noyaux, de *boosting* et de méthodes probabilistes « bayésiennes ». Les réseaux de neurones en ont pratiquement disparu. Les congrès sur les domaines d'applications, comme CVPR (Conference on Computer Vision and Pattern Recognition) et ICCV (International Conference on Computer Vision), sont aussi réticents.

Il faut avoir la foi ! Parfois, elle fait défaut. Je me souviens de Geoff Hinton arrivant au labo, à Toronto, complètement déprimé, un 6 décembre 1987. Il est maussade, ce qui ne lui ressemble pas. Geoff a beaucoup d'humour, comme tout Anglais qui se respecte. Mais ce jour-là, ses blagues sont amères. Un collègue qui entre dans son bureau se fait sécher ! Geoff finit par avouer ce qui lui pèse : « Aujourd'hui, j'ai 40 ans, ma carrière est finie. Je n'arriverai plus jamais à rien. » 40 ans est un cap au-delà duquel l'esprit, croit-il, est moins alerte. Il est convaincu qu'il ne découvrira plus rien sur le fonctionnement du cerveau. Vingt ans plus tard, nous avons des idées neuves, mais nous nous heurtons à la morgue de la majorité.

Petit à petit pourtant, grâce au programme du CIFAR, notre cercle s'élargit. À partir de 2006, il atteint la taille critique qui nous permet, quand nous soumettons un article à un congrès,

---

17. Pour la petite histoire, NIPS a changé de nom en 2018. Il s'appelle maintenant NeurIPS, sous prétexte que NIPS avait une connotation sexiste (*nips* en anglais est le diminutif de *nipples* qui se traduit en français par « tétons »). Personne n'y avait pensé jusque-là ! Une des retombées de #MeeToo, ce mouvement mondial né en octobre 2017 aux États-Unis, qui dénonce les violences sexuelles et sexistes dont les femmes sont victimes.

d'être relus par l'un ou l'autre des experts ralliés à notre cause. Nos idées circulent. Nous commençons à être reconnus.

En 2007, nouveau camouflet à NIPS, le grand congrès sur l'apprentissage-machine. En 2018, il a accueilli 9 000 participants, mais à l'époque il peine à atteindre le millier. Geoffrey Hinton, Yoshua Bengio et moi nous y rendons tous les ans, car c'est là que se passent les échanges les plus intéressants sur l'apprentissage-machine. Une semaine de rencontres, avec trois jours de séances plénières et deux jours d'ateliers où les discussions sont plus libres.

Les ateliers ont lieu dans une station de sports d'hiver, tout près de Vancouver, ville où se tient alors le congrès. Les participants y montent le jeudi après-midi en bus. Cette année-là, nous proposons un atelier sur l'apprentissage profond, mais les organisateurs le retoquent sans explication. Qu'à cela ne tienne ! Avec l'argent du CIFAR, nous organisons notre atelier « pirate » et nous louons nos propres bus pour acheminer les participants. Nous avons 300 participants : un record ! Notre atelier est le plus couru de NIPS ! L'événement marque l'adoption du terme *deep learning* dans la littérature spécialisée.

L'efficacité des réseaux convolutifs se confirme

Figure 2.7. Détection de visages par réseau convolutif.

L'image de gauche est le résultat du premier réseau convolutif appliqué à la détection d'objets dans les images, produit en 1991-1992. Les articles paraissent en 1993 et 1994. À droite : un système très performant développé à NEC en 2003-2004. Ce système peut détecter des visages inhabituels, tels que les extraterrestres de *Star Trek*, et peut aussi estimer la pose du visage.

Sur le plan méthodologique, certains lecteurs peu familiers du deep learning *peuvent attendre d'avoir lu les chapitres suivants avant de poursuivre la lecture de celui-ci, car nous y faisons référence à des notions de base que nous allons développer en détail par la suite.*

Entre 2003 et 2013, mon laboratoire de NYU multiplie les applications des réseaux convolutifs. En 2003, la reconnaissance d'objets simples indépendamment de l'orientation et de l'illumination et la détection de visage (voir figures 2.7 et 2.8)[18]. J'avais produit un système de détection de visages en 1991, lors d'une visite de six mois au laboratoire central de Thomson-CSF à Palaiseau. Ce travail avait été publié en 1993, mais il était resté ignoré de la communauté.

---

18. Voir l'explication détaillée chapitre 6 p. 218 (photo du mariage des grands-parents de Yann Le Cun).

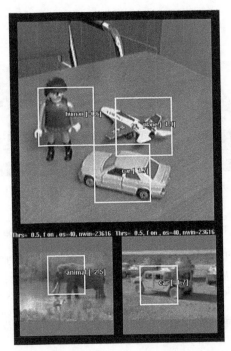

Figure 2.8. Reconnaissance d'objet indépendamment de la pose et de l'orientation.

Le réseau convolutif est entraîné sur des images de jouets appartenant à cinq catégories : personne, animal, avion, voiture, camion. Mais il s'avère être capable de reconnaître de vrais objets dans des images naturelles, dont l'aspect est différent des jouets.

En 2003-2004, notre projet DAVE nous donne beaucoup de satisfaction. Ce petit camion-robot équipé de deux caméras se déplace tout seul dans la nature. Il faut d'abord l'entraîner, bien sûr. Un pilote humain le conduit pendant une heure ou deux dans

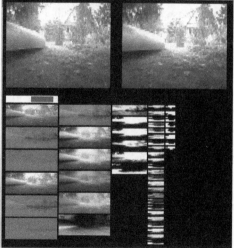

Figure 2.9. Le robot DAVE (2003).

Ce petit engin radiocommandé est muni de deux caméras. Un réseau convolutif (*à droite*) entraîné à imiter les actions d'un pilote humain lui permet de se conduire de manière autonome en évitant les obstacles. L'entrée du réseau est constituée des images des deux caméras (*en haut*). La sortie du réseau est un angle de volant (*ici à droite, représenté par la barre claire sous les images*). Les vignettes représentent les activations des unités dans les couches successives du réseau.

différents environnements, parcs, jardins, forêts... Le système enregistre à la fois les images des deux caméras et les
positions du volant. Puis un réseau convolutif est entraîné à
prédire l'angle du volant à partir des images d'entrée, pour
qu'il se comporte comme le pilote humain qui tourne le
volant pour éviter l'obstacle qui se présente. Après la phase
d'apprentissage, qui mouline quelques jours sur un ordinateur, le système peut piloter le robot.

Cette démonstration de la puissance de l'apprentissage
par imitation peine pourtant à convaincre la communauté
de la recherche. L'article ne sera accepté pour publication
qu'en 2006. En revanche, il convainc des représentants de
la DARPA (Defense Advanced Research Projects Agency)
de démarrer le projet LAGR (Learning Applied to Ground
Robots), vaste programme de recherche sur l'application de
l'apprentissage-machine au pilotage de robots mobiles qui
dure de 2005 à 2009. Nous en reparlerons au chapitre 6. Les
résultats inspireront bon nombre de projets de pilotage de
voitures autonomes.

Revenons en 2005, année fructueuse à NYU. Nous montrons que l'on peut utiliser les réseaux convolutifs pour la
segmentation sémantique, c'est-à-dire pour l'étiquetage de
chaque pixel d'une image avec la catégorie de l'objet auquel
le pixel appartient. Nous appliquons cette technique à l'analyse d'images biologiques obtenues par microscopie (voir
figure 2.10). Cette technique va s'avérer très utile par la suite
pour le pilotage de robots et de voitures autonomes : elle nous
permettra d'étiqueter chaque pixel d'une image en tant que
zone carrossable ou en tant qu'obstacle.

Nous entraînons aussi un réseau convolutif à comparer
des images. Cet « apprentissage métrique » est basé sur l'idée
de « réseaux siamois » que j'avais proposée en 1994 pour la
vérification de signature. Elle permet de dire si deux portraits

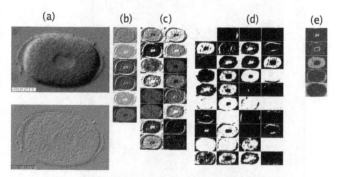

Figure 2.10. Réseau convolutif pour la segmentation sémantique d'image biologique.

Chaque pixel de l'image d'entrée est identifié comme appartenant à une catégorie parmi cinq : noyau de la cellule, membrane nucléaire, cytoplasme, membrane cellulaire et environnement extérieur. (a) L'image d'une cellule d'embryon de vers nématode est présentée à l'entrée du réseau. (b, c et d) les couches successives du réseau convolutif extraient des caractéristiques dans l'image. (e) la sortie est constituée de cinq vignettes, une pour chacune des cinq catégories de région. Dans chaque vignette de sortie, un pixel clair indique que le pixel correspondant dans l'image d'entrée a été reconnu comme appartenant à la catégorie associée à la vignette.

sont des photos de la même personne ou de deux personnes différentes. L'idée sera reprise bien plus tard dans les systèmes de reconnaissance de visage par réseau convolutif[19].

En 2007, nous attaquons la reconnaissance d'objets dans les images naturelles. Nous avions travaillé avec des images de jouets. Il nous faut maintenant traiter des photos ordinaires et reconnaître l'objet principal présent dans la photo. Malheureusement, les bases de données d'images utilisées par la communauté de vision par ordinateur sont très petites. La base Caltech-101 contient une centaine de catégories d'objets, mais seulement 30 exemples par catégorie.

---

19. *Cf.* chapitre 7, « Enchâssement de contenu et mesure de similarité », p. 230.

Figure 2.11. Segmentation sémantique d'images urbaines.

Chaque pixel est étiqueté par un réseau convolutif dans la catégorie de l'objet à laquelle il appartient : voiture, chaussée, trottoir, bâtiment, arbre, ciel, piéton, etc.

C'est beaucoup trop peu pour entraîner un réseau convolutif. Les méthodes plus « classiques » utilisant des extracteurs de caractéristiques faits à la main, suivis d'un classifieur à base de SVM, sont avantagées. Le manque d'exemples nous conduit à nous concentrer sur l'apprentissage non supervisé. L'idée est de préentraîner les couches d'un réseau convolutif à extraire des motifs génériques, sans qu'ils soient liés à une tâche particulière. Il s'agit d'entraîner une couche du réseau à produire une représentation à partir de laquelle l'entrée de la couche peut être reconstruite. C'est ce qu'on appelle un auto-encodeur. Mais il a la particularité de minimiser le nombre de neurones allumés. Avec cette idée, nous arrivons péniblement à égaler les performances des systèmes classiques. Il y a cependant une application pour laquelle la méthode bat une sorte de record : la détection de piétons, très utile pour les voitures autonomes – la détection de piétons étant une des seules applications pour lesquelles nous disposions de données suffisantes. L'article paraît en juin 2013. Ces méthodes redeviennent d'actualité. Nous y reviendrons au chapitre 9.

À la suite du projet LAGR, mon labo s'implique dans un projet sur le *deep learning* financé par la DARPA. Pour la première fois, en voilà un qui semble idéalement aligné sur nos intérêts ! Mais nous sommes début 2009, l'administration américaine vient de changer, et la direction de la DARPA est dans l'expectative. Le financement du projet est successivement approuvé, retardé, puis réduit. À peine a-t-il démarré que, de guerre lasse, le directeur du programme démissionne. Son successeur tente de tout stopper. Nous argumentons auprès de lui et obtenons gain de cause à condition de travailler sur des sujets secondaires à nos yeux. Nous produisons tout de même un système de segmentation sémantique d'images naturelles qui bat des records de précision et de vitesse.

La communauté de la vision par ordinateur, toujours sceptique, rejette notre article du congrès CVPR de 2012, malgré les bons résultats. Les *reviewers* qui jugent notre texte ne comprennent pas que les réseaux convolutifs, dont ils n'ont jamais entendu parler, puissent fonctionner aussi bien. L'événement me rappelle la vieille blague : « Certes, cela marche bien en pratique. Mais est-ce que cela marche en théorie ? » Les *reviewers* ne voient pas l'intérêt d'entraîner un système de vision de bout en bout, avec si peu de conception à la main. L'un d'eux objecte que si la machine apprend tout, la communauté scientifique ne gagne pas en compréhension du problème de la vision ! Heureusement, l'article sera accepté quelques mois plus tard à ICML, un grand congrès de *machine learning*.

Entre-temps, la reconnaissance de l'apprentissage profond a progressé. De nouvelles bases de données d'images apparaissent, dont la taille devient suffisante pour entraîner de grands réseaux de neurones profonds.

Vers 2010, les premiers résultats de l'apprentissage profond en reconnaissance de la parole tombent. Ce ne sont pas encore des réseaux convolutifs, mais cela viendra très vite. Les trois sociétés les plus avancées dans le domaine sont Google, Microsoft et IBM. Geoff Hinton a une idée de génie : en stage pendant l'été, il place trois de ses étudiants en doctorat dans chacune des sociétés, avec instruction de substituer le module central de leur système par un réseau de neurones profond. C'est un essai ! Mais il est couronné de succès. Les performances s'améliorent nettement. Moins de dix-huit mois plus tard, les trois sociétés déploient de nouveaux systèmes de reconnaissance de la parole basés sur le *deep learning*. Désormais, lorsqu'on parle à son assistant virtuel, c'est un réseau convolutif qui transcrit notre parole en texte. Les progrès sont tellement fulgurants qu'ils permettent l'apparition de nouveaux produits grand public activés par la parole.

Le matériel informatique n'est pas en reste. Le développement des processeurs graphiques, les GPU, démultiplie la puissance de calcul des ordinateurs. En 2006, mon ami et ancien collègue de Bell Labs Patrice Simard, de Microsoft Research, avait fait les premières expériences d'utilisation des GPU pour les réseaux de neurones. D'autres chercheurs à l'Université de Stanford, à l'IDSIA[20] (un institut suisse de recherche en IA), à Montréal et Toronto avaient continué ces travaux. En 2011, il est clair que l'avenir appartient à ceux qui pourront entraîner des réseaux de neurones de grande taille sur des GPU. Ils vont être le véhicule de la nouvelle révolution du *deep learning*...

2012 marque une étape décisive[21]. Une nouvelle ère s'ouvre alors, consacrant l'efficacité de ces réseaux convolutifs. Ils feront l'objet d'un chapitre dédié.

---

20. En italien : Istituto Dalle Molle di Studi sull'Intelligenza Artificiale, IDSIA (Institut Dalle Molle de recherche en intelligence artificielle). Cette institution est située à Manno, en Suisse. Elle a été fondée en 1988 par Angelo Dalle Molle *via* la fondation qui porte son nom.
21. Yann LeCun, Yoshua Bengio, Geoffrey Hinton, « Deep learning », *Nature*, 2015, 521, p. 436-444.

Machines apprenantes simples

Une machine peut être entraînée à accomplir une tâche simple, comme définir un angle de rotation d'un volant ou reconnaître une lettre. À mi-chemin entre l'informatique et les mathématiques, l'entraînement consiste à paramétrer une fonction f(x) dans la machine pour que les signaux d'entrée (une image, un son, un texte) produisent en sortie les réponses attendues (l'identification de l'image, du son ou du texte).

Inspirante aplysie

Voici un mollusque qui a été le chouchou des neuroscientifiques. Dans ses réactions très élémentaires, en effet, l'aplysie témoigne d'une adaptation de ses connexions synaptiques qui sert de modèle aux machines apprenantes.

Son système de réseau de neurones, rudimentaire, commande des branchies qu'elle peut sortir pour respirer. Quand on touche du doigt ses branchies, elle les rétracte.

Si on répète le geste, elle se rétracte encore, puis les ressort au bout d'un moment. Si on recommence, elle se rétracte à nouveau, mais un peu moins. À la longue, elle ne réagit qu'à peine et ses branchies ressortent *illico*. La petite bestiole s'habitue à ce qu'on l'embête. Elle se dit que finalement l'événement n'est pas trop grave, et qu'elle peut donc l'ignorer.

Le psychiatre et neurobiologiste Eric Kandel s'est penché sur le réseau de neurones qui pilote le changement de comportement de l'aplysie. La rétraction des branchies résulte de la modification d'efficacité des synapses connectant les neurones détectant un toucher et des neurones contrôlant la rétraction. Plus on stimule l'animal, plus la synapse diminue son efficacité, et moins les branchies se rétractent. Il a décortiqué les mécanismes biochimiques qui font que ces synapses changent de valeur, et finalement modifient le comportement de ce mollusque. En bref, il a expliqué comment l'aplysie s'adapte. Ses travaux lui ont valu le prix Nobel de physiologie en 2000.

Ce mécanisme d'adaptation ou d'apprentissage par modification des efficacités synaptiques est présent chez presque tous les animaux possédant un système nerveux. Pour mémoire, le cerveau est un réseau de neurones interconnectés par des synapses dont la plupart sont modifiables par apprentissage. Ce rappel vaut pour toute la chaîne des êtres vivants, du modeste *Caenorhabditis elegans*, un petit ver de 1 millimètre de long muni d'exactement 302 neurones, à l'aplysie et ses 18 000 neurones, à la mouche drosophile et ses 250 000 neurones et 10 millions de synapses, à la souris aux 71 millions de neurones et 1 milliard de synapses, au lapin et au poulpe avec leur demi-milliard de neurones, au chat et à la pie avec leurs 800 millions de neurones, au chien et au cochon avec leurs 2,2 milliards, à l'orang-outan et au gorille avec leurs 32 milliards, et à l'homme avec ses 86 milliards de neurones et quelque 150 000 milliards de synapses. Tel est l'un des grands mystères de l'intelligence : des comportements intelligents émergent d'un réseau d'unités toutes simples en interaction, par modification des connexions entre elles.

Reproduire ce phénomène est le but des recherches en apprentissage-machine basées sur les réseaux de neurones artificiels. Cet apprentissage par ajustement des efficacités synaptiques est un exemple de ce que les statisticiens appellent, depuis le milieu du XXe siècle, l'« identification de paramètres d'un modèle ».

L'apprentissage et la minimisation de l'erreur : un exemple

Imaginons que l'on veuille construire une voiture qui se conduise toute seule, en imitant un conducteur humain. Comment procéder ?

Il faut d'abord collecter les données recueillies auprès d'un bon conducteur, c'est-à-dire noter la position de la voiture sur l'autoroute, et comment le pilote corrige cette position en tournant le volant pour maintenir la voiture au milieu de la voie.

On peut imaginer mesurer la position de la voiture dans la voie en analysant l'image d'une caméra qui détecte les lignes blanches. Tous les dixièmes de seconde, la position de la voiture par rapport aux marquages de la chaussée et l'angle que fait le volant sont enregistrés. On obtient ainsi une

grande quantité de données. En une heure, 36 000 positions
de la voiture et angles de volant !

Reportons ces données sur un graphe : la position de
la voiture représente la variable x en abscisse. C'est l'entrée
du système. Si la voie d'autoroute fait 4 mètres de large, x
vaudra 0 si la voiture est bien au milieu, 2 mètres si elle est
à cheval sur la ligne blanche de droite, et –2 mètres si elle
est à cheval sur la ligne de gauche. De la même façon, l'angle
du volant est la variable y, en ordonnée sur le graphe. C'est
la sortie du système. Elle mesure l'angle du volant en degrés,
par exemple 5 degrés pour tourner un peu à gauche, 0 degré
pour aller tout droit, et –5 degrés pour tourner un peu à
droite.

En enregistrant le conducteur au volant, on récolte donc
des milliers de paires (x, y) composées d'une position sur
la route et de l'angle de volant associé. Nous allons collecter
de nombreux exemples et les rassembler dans deux tables
de nombres X et Y, dont les éléments sont numérotés. Pour
désigner un exemple particulier dans cette liste, on donne son
numéro entre crochets, par exemple X[3] et Y[3] constituent
l'exemple numéro 3 (c'est une notation dont les informaticiens sont friands). On va collecter p exemples (par exemple
p = 36 000) qui vont constituer ce qu'on appelle un ensemble
d'apprentissage :

A = {(X[0],Y[0]),(X[1],Y[1]),(X[2],Y[2]),…,
               (X[p-1],Y[p-1])}

En utilisant ces exemples, l'objectif est d'entraîner la
machine à prédire l'angle de volant à choisir en fonction de
la position de la voiture sur la route. Autrement dit, nous
voulons que la machine « imite » le conducteur humain en
reproduisant son comportement le mieux possible.

Pour ce faire, nous allons rechercher une fonction f(x)
qui, pour chaque x de l'ensemble d'apprentissage, produit

le y correspondant dans cet ensemble, soit Y[0] pour X[0], Y[1] pour X[1], etc. Une fois la fonction f(x) trouvée, on pourra l'utiliser pour interpoler et calculer le y correspondant à n'importe quel x, même pour des valeurs de x qui ne sont pas présentes dans notre ensemble d'apprentissage. C'est ainsi que l'on définit l'apprentissage supervisé.

Trouver f(x)
qui prédit les y en fonction des x

Imaginons un conducteur parfait, tel que les exemples d'apprentissage soient placés sur une droite, comme sur la figure 3.1. Comme les points ont l'air d'être alignés, on décide de trouver une droite qui passe par ces points. Nous venons de faire un choix un peu arbitraire de fonction : décider *a priori* qu'il s'agit d'une droite dont il faut simplement trouver la pente.

Cette fonction s'écrit :

$$f(x) = w*x$$

J'utilise une notation d'informaticien où le symbole * représente la multiplication. Cette fonction est une droite qui passe par 0 et dont la pente est le nombre w. Il est plus commode pour la suite de voir f comme une fonction à deux variables, x et w. Pour programmer cette fonction sur un ordinateur avec le langage Python[1], nous écrirons :

```
def f(x,w) : return w*x
```

Les symboles w et x sont des variables dont la fonction calcule le produit noté w*x. La variable est une sorte

---

1. Python est un langage de programmation très souple et simple à employer, le plus utilisé par les praticiens de l'apprentissage-machine (www.python.org).

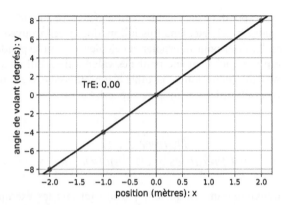

Figure 3.1. Relation entre l'écart de position d'une voiture sur la voie et l'angle de volant pour la ramener au milieu.

L'abscisse représente la position d'une voiture par rapport au centre de la voie sur l'autoroute (en mètres) et l'ordonnée l'angle de volant nécessaire pour ramener la voiture au centre (en degrés). Pour une valeur négative de la position (à gauche du centre de la voie), il faut appliquer un angle négatif au volant (dans le sens des aiguilles d'une montre). Ici, une déviation de 1 mètre se corrige par un angle de 4°.

de « tiroir », ou de case dans la mémoire de l'ordinateur, où nous pouvons stocker un nombre. Par exemple, nous pouvons créer une variable w et placer dedans la valeur 4, puis créer une variable x ayant la valeur 2 :

$$w = 4$$
$$x = 2$$

Les symboles w et x représentent simplement les noms des cases mémoire correspondantes. Pour calculer la fonction avec ces valeurs de x et w, on écrit :

$$yp = f(x, w)$$

où le symbole yp désigne la prédiction de y que produit notre modèle.

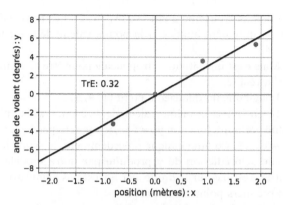

Figure 3.2. Une droite qui passe au plus près de points qui ne sont pas exactement alignés.

Trois des quatre points sont alignés. La droite de pente 4 passe par ces trois points, mais pas par le quatrième. Notre problème est de trouver un compromis : une droite qui passe « au plus près » des quatre points. Elle ne passera exactement par aucun des points.

Après cette instruction, la variable yp contiendra la valeur 8 (4 fois 2).

Pour appliquer la fonction à l'exemple d'apprentissage numéro 3, il suffit de faire :

```
x = X[3]
y = Y[3]
yp = f(x,w)
```

Trouver la droite qui passe par les points revient à trouver la bonne valeur du paramètre w de cette fonction. Imaginons que nous n'ayons que deux points d'entraînement, A = [[0.0,0.0],[0.9,3.6]][2].

Une seule droite passe par ces deux points. Dans ce cas, la bonne valeur de w est 4, puisque 4*0.9 = 3.6.

---

2. Nous écrivons les chiffres à l'anglo-saxonne, avec un point décimal au lieu d'une virgule, comme il est d'usage dans les langages de programmation.

Ajoutons un troisième point $(-0.8, -3.2)$. Les trois points sont parfaitement alignés et la bonne valeur de w est toujours 4.

Mais c'est une situation trop idéale pour être rencontrée dans la réalité.

Imaginons un quatrième point $(1.9, 5.4)$.

Si on utilise la même valeur de 4.0 pour w, la valeur prédite par notre fonction yp = f(x, w) ne sera pas 5.4, mais 7.6 = 4*1.9. Comme indiqué précédemment, le symbole yp désigne la prédiction de y produite par notre modèle. Ce point-là n'est pas sur la droite, car il n'est pas aligné avec les trois premiers points. Que faire ?

Il n'est plus possible de trouver une droite qui passe par tous les points. Il faut un compromis : choisir une droite qui passe « au plus près » de tous les points, moyennant quelques erreurs.

RÉDUIRE L'ERREUR

Avec la valeur de w = 4.0, la valeur prédite par la droite est 7.6. Mais la valeur observée dans l'exemple 4 est 5.4. Le quatrième point produit une erreur de $-2.2 = 5.4 - 7.6$. En modifiant w, on peut rapprocher la droite de ce quatrième point, mais on va s'éloigner des trois autres. Comme il est impossible de passer par tous les points, le meilleur compromis possible, dans notre exemple, est une droite dont la pente est d'environ 3.2.

Pour une valeur donnée de w, il y aura, pour chacun des points, une erreur entre le yp prédit par la fonction (sur la nouvelle droite) et le y observé (dans chaque exemple d'apprentissage).

On peut mesurer l'erreur moyenne sur l'ensemble de ces quatre points. Pour chaque point, l'erreur peut être positive ou négative ; l'important est la distance entre la valeur prédite yp et la valeur observée y, quel que soit son signe. Pour quantifier cette distance, nous utilisons le carré de cette erreur, mais nous aurions aussi pu utiliser sa valeur absolue (toujours positive).

Étant donné une valeur de w, l'erreur sur un exemple, disons (X[3],Y[3]), est égale à (Y[3] – w*X[3])**2 puisque la valeur prédite pour X[3] est yp=w*X[3]. Nous utilisons de nouveau une notation d'informaticien : **2 pour l'élévation au carré[3].

La mesure de l'inexactitude du système L(w) est la moyenne de toutes ces erreurs sur les exemples d'apprentissage :

```
L(w) =¼((Y[0]−w*X[0])**2+(Y[1]−w*X[1])**2+(Y[2]−
        w*X[2])**2+(Y[3]−w*X[3])**2)
```

Cette quantité dépend de w. En cela, elle est une fonction de w. On l'appelle la fonction de coût, et w est le seul paramètre modulable de cette fonction. Plus la valeur de L(w) est petite, plus l'erreur moyenne est petite, donc plus la machine donne de bons résultats. Il faut donc trouver la valeur de w, w̆, qui minimise cette fonction de coût L(w) (voir figure 3.3).

Avec p points d'apprentissage, la fonction de coût est notée de manière compacte en utilisant la lettre grecque sigma $\sum_{i=0}^{p-1}$ pour symboliser une somme de termes pour toutes les valeurs de l'indice i de 0 à p−1 :

$$L(w) = 1/p*\sum_{i=0}^{p-1}(Y[i] - w*X[i])**2$$

Cette formule fait intervenir le carré de w. C'est donc un polynôme de degré 2 ; en d'autres termes, une parabole.

---

3. Dans le langage Python, l'opérateur d'élévation à la puissance s'écrit **. Par exemple x au carré s'écrit x**2.

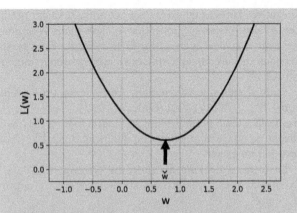

Figure 3.3. Une parabole, représentant une fonction de coût quadratique.

Lorsque la fonction de coût est un polynôme de degré 2 en fonction de w, elle prend la forme d'une parabole avec un minimum unique. La solution, c'est-à-dire la valeur de w qui produit la valeur minimum du coût est indiquée par w̌ sur le graphe.

Il existe une méthode pour le faire : la « descente de gradient stochastique » ou **SGD** (*stochastic gradient descent*). Un nom savant pour désigner une méthode très simple.

L'idée est de prendre un point d'apprentissage et d'ajuster un petit peu la droite pour qu'elle se rapproche du point en question. Puis on passe au point suivant dans l'ensemble d'apprentissage, et on ajuste un petit peu pour se rapprocher de ce nouveau point. On fera en sorte que l'ajustement soit d'autant plus petit que l'erreur est petite. Autrement dit, l'ajustement sera simplement proportionnel à l'erreur. Mettons que nous traitions l'exemple numéro 3, l'ajustement de w sera :

```
w = w + e*2*(Y[3] − w*X[3])*X[3]
```

Ceci n'est pas une formule de mathématicien mais une notation d'informaticien, qui veut dire qu'on remplace la variable w (à gauche du signe égal) par sa valeur actuelle (à droite du signe égal) plus la quantité à droite du signe plus.

Examinons cette formule. La variable e s'appelle le « pas de gradient ». Elle doit contenir un petit nombre positif qui va déterminer la taille de la mise à jour de w. Si X[3] est positif et que la droite est en dessous du point (X[3],Y[3]), c'est-à-dire que la différence (Y[3]−w*X[3]) est positive, il faut alors augmenter la valeur de w. C'est exactement ce que fait cette formule. Inversement, si la droite passe au-dessus du point, la différence sera négative et w sera diminué. La vitesse avec laquelle la droite se rapproche du point diminue à mesure que la droite se rapproche du point, pour s'arrêter lorsqu'elle passe par le point. Lorsque X[3] est négatif, la formule inverse la mise à jour : une pente trop petite produit une erreur positive et réciproquement.

À force de répéter les exemples un par un et d'ajuster la pente de la droite un peu à chaque fois, la droite finit par se stabiliser vers la valeur de w qui minimise L(w), à condition de diminuer progressivement la valeur de e. Cette technique dite « d'approximation stochastique » a été inventée en 1951 par les statisticiens américains Herbert Robbins et Sutton Monro.

Une parenthèse
pour les matheux...

Généralisons la méthode de descente de gradient stochastique.
Désignons par $C(x,y,w)$ la fonction de coût pour un exemple donné.
Dans notre exemple, $C(x,y,w) = (y-w*x)**2$ pour un point de donnée (x,y), alors la mise à jour de w selon la descente de gradient stochastique est :

$$w = w - e* dC(x,y,w)/dw$$

où e est le *pas de gradient*, et $dC(x,y,w)/dw$ est la dérivée (qu'on appelle aussi le gradient) de C par rapport à w.
La dérivée de $(y-w*x)**2$ par rapport à w est $-2*(y-w*x)*x$, et la formule de mise à jour devient :

$$w = w + 2*e*(y-w*x)*x$$

identique à ce que nous avons vu plus haut. Cela se conçoit intuitivement : si la pente (la dérivée) de $C(x,y,w)$ est positive, on diminue w. Si la pente est négative, on l'augmente. À force de répétition, w finira par tomber au fond de $C(x,y,w)$. Ce que nous voulons minimiser c'est $L(w)$ qui est la moyenne des $C(x,y,w)$ pour tous les points :

$$L(w) = 1/p*\sum_{i=0}^{p-1} C(X[i], Y[i], w)$$

Robbins et Monro ont démontré que la procédure converge vers le minimum de $L(w)$ si on l'applique répétitivement à tous les points, à condition de diminuer e petit à petit.
La descente de gradient stochastique est, de très loin, la méthode la plus utilisée pour entraîner des systèmes modernes d'apprentissage-machine. C'est pourquoi j'ai jugé utile de la décrire ici. Nous y reviendrons quand nous parlerons du perceptron, de l'Adaline et des réseaux de neurones multicouches.
Mais pour la question qui nous intéresse, à savoir faire passer une droite au plus près d'une collection de points, la descente de gradient stochastique est un peu lente et somme toute inutile. Notre fonction de coût parabolique peut être transformée en ceci :

$$L(w) = 1/p*\sum_{i=0}^{p-1} (Y[i]**2 + (w**2)*(X[i]**2) - 2*w*X[i]*Y[i])$$

Ou encore

$$L(w) = (\sum_{i=0}^{p-1} 1/p*X[i]**2)*w**2 - (\sum_{i=0}^{p-1} 2/p*X[i]*Y[i])*w + \sum_{i=0}^{p-1} 1/p*Y[i]**2$$

Nous savions que c'était un polynôme de degré 2 en w, nous en avons maintenant les coefficients. Le minimum de ce polynôme est la valeur de W pour laquelle sa dérivée s'annule :

$$(\sum_{i=0}^{p-1} 2/p*X[i]**2)*w - (\sum_{i=0}^{p-1} 2*X[i]*Y[i]) = 0$$

Ce qui nous donne la solution directement :

$$w = (\sum_{i=0}^{p-1} X[i]*Y[i]) / (\sum_{i=0}^{p-1} X[i]**2)$$

Pour résumer

Les principes de base de toute machine entraînée par apprentissage supervisé sont les suivants :

1. collecter un ensemble d'apprentissage

$$A = \{ (X[0], Y[0]), ..., (X[p-1], Y[p-1]) \}$$

2. proposer un modèle, c'est-à-dire une première fonction f(x,w) avec des paramètres w. Il peut y en avoir plusieurs, voire des millions. Dans ce cas, on les nomme individuellement w[0], w[1], w[2]... et collectivement : w.

3. proposer une deuxième fonction, la fonction de coût C(x,y,w) qui mesure l'erreur pour un exemple d'apprentissage, par exemple C(x,y,w) = (y-f(x,w))**2, et L(w), sa moyenne sur l'ensemble d'apprentissage.

4. trouver la valeur des paramètres de la fonction f(x,w) qui minimisent la fonction de coût L(w), généralement par gradient stochastique :

$$w = w - e* dC(X[i], Y[i], w)/dw$$

Galilée et la tour de Pise

Mais la fonction f(x,w) peut être autre chose qu'une droite. Si l'on fait tomber une pierre et qu'on mesure la distance parcourue en un temps donné, celle-ci croît avec le carré du temps de chute.

Imaginons Galilée grimpant dans la tour de Pise. Il s'arrête au premier étage. Il laisse tomber un caillou et mesure le temps que celui-ci met à toucher le sol. Il monte encore d'un étage. Il lâche à nouveau le caillou et mesure le temps de chute. Puis il réitère l'expérience plus haut.

Une loi unique lie x, le temps de chute, à y, la hauteur d'où est lâché le caillou.

On peut donc trouver, en fonction du temps qu'il a mis à tomber, la hauteur d'où il avait été lâché. Cette fonction est une parabole.

La formule qui lie x (le temps de chute) à y (la hauteur de la chute) est y = 0,5g*x**2, où g est l'accélération de la pesanteur, soit 9,81 mètres par seconde par seconde. Grâce à ses observations, Galilée a pu établir cette loi, qui permet de prédire la hauteur de chute à partir du temps de chute. Et de prédire le temps de chute en fonction de la hauteur en inversant la formule.

Galilée a ainsi jeté les bases de la méthode scientifique, qui essaie d'établir des lois qui relient une variable à une autre par une formule mathématique. Il a en somme posé les bases de la physique : il a induit des lois à partir d'observations... et prédit des phénomènes à partir de ces lois.

C'est ce que fait, ni plus ni moins, l'apprentissage automatique.

Reconnaître des images...
ou autre chose

Le principe de découvrir une règle sous-jacente s'applique aussi à la reconnaissance des formes. L'entrée x est une image. Or une image n'est autre qu'une grande collection de nombres. Une photo en noir et blanc de 1 000 pixels par 1 000 pixels, par exemple, s'exprime par 1 million de nombres, chacun d'eux indiquant la valeur de gris de chaque pixel. S'il s'agit d'une image couleur, chaque pixel est représenté par trois valeurs : rouge, vert, bleu.

La réponse de la machine y (la reconnaissance de l'image) peut être exprimée par un seul nombre ou une série de nombres. Je donne une image d'un chat à la machine (x), je lui indique qu'il faut répondre « C'est un chat » (y). On convient que y = 1 correspond à un chat, et y = -1 à autre chose qu'un chat. En fait, on demande à la fonction de classer en deux catégories les images présentées en entrée.

On peut aussi entraîner une voiture équipée d'une caméra à se conduire toute seule. La chose est un peu plus compliquée, parce que l'entrée x que l'on fournit au système est une image qui comprend des millions de nombres et à partir de laquelle il faut estimer la position de la voiture sur la route. La sortie yp est un angle de volant et une certaine pression sur les pédales.

Si une machine doit apprendre à distinguer une image de voiture d'une image d'avion, on collecte des milliers d'images de voitures et des milliers d'images d'avions. On entre une image de voiture. Si la machine sort la bonne réponse, on ne touche à rien. Si elle se trompe, on ajuste les paramètres du système pour que sa réponse se rapproche de la bonne. En d'autres termes, on ajuste les paramètres pour réduire l'erreur.

Tous les systèmes d'apprentissage supervisé fonctionnent sur ce même principe, à savoir :

- *Une entrée* x. Elle peut être une image (un tableau de nombres dans un programme informatique) ; un signal de parole (une séquence de nombres qui sort du convertisseur analogique numérique alimenté par le microphone) ; un texte à traduire (lui aussi représenté par une série de nombres)... On reverra le détail plus loin.
- *Une sortie désirée* y. Elle est la sortie idéale souhaitée pour le x d'entrée.
- *Une sortie* yp. Elle est la réponse produite par la machine.

Frank Rosenblatt, Bernie Widrow et le perceptron

Arrêtons-nous sur un type de machine très simple, le « classifieur linéaire », dont nous allons examiner un exemple : le perceptron.

Cet ancêtre des machines apprenantes a été conçu en 1957 par le psychologue américain Frank Rosenblatt au laboratoire d'aéronautique de l'Université Cornell, à Buffalo (États-Unis). Dans ces années-là, une partie des chercheurs en intelligence artificielle explore ce qui fait le propre de l'intelligence humaine et animale : l'apprentissage.

L'inventeur du perceptron s'inspire des découvertes en neurosciences de son temps. Les psychologues et les biologistes travaillent alors sur le fonctionnement du cerveau et la manière dont les neurones se connectent les uns aux autres. Ils représentent le neurone biologique comme une sorte d'étoile aux multiples branches. Toutes ces branches sauf une forment les entrées, ou dendrites, qui connectent ce neurone aux neurones en amont par une zone de contact, la synapse. La dernière branche, l'axone, est l'unique sortie vers les neurones en aval. Le neurone reçoit les signaux électriques émis en amont, les traite et transmet, le cas échéant, un signal unique vers l'aval. Cette sortie est constituée d'un train d'impulsions électriques, nommées les potentiels d'action ou *spikes*, dont la fréquence représente l'intensité de l'activité du neurone. Cette fréquence peut être exprimée par un nombre.

En 1943, Warren McCulloch et Walter Pitts, deux cybernéticiens et neuroscientifiques américains, proposent un modèle mathématique très simplifié du neurone biologique – une « caricature », selon certains : ce « neurone artificiel » calcule une somme pondérée des nombres représentant les activités des neurones amont. Si cette somme est inférieure à un certain seuil, le neurone reste inactif. Si, au contraire, elle est supérieure à ce seuil, le neurone s'active et produit un train de *spikes* se propageant le long de son axone vers les neurones aval, dont la fréquence s'exprime aussi par un nombre.

Dans ce modèle de McCulloch et Pitts, la sortie est binaire : actif ou inactif, 1 ou –1. Chaque neurone binaire calcule une somme pondérée des sorties des neurones amont auxquels il est connecté. Il produit 1 à la sortie si le total est supérieur à un seuil et –1 sinon. Dans notre exemple, ce seuil vaut 0.

Cela s'exprime à l'aide de la formule :

$$s = w[0]*x[0] + w[1]*x[1]....w[n-1]*x[n-1]$$

où s est la somme pondérée, les $x[0], x[1], x[2], ..., x[n-1]$ sont les entrées, et les $w[0], w[1], w[2], ..., w[n-1]$ sont les pondérations, c'est-à-dire les coefficients intervenant dans la somme pondérée. Une telle collection de n nombres est appelée un « vecteur à n dimensions ». Dans un vecteur, chaque nombre est numéroté. En notation mathématique, on écrit cette formule de manière plus compacte :

$$S = \sum_{i=0}^{n-1} w[i]*x[i]$$

Cette opération entre vecteurs s'appelle le produit scalaire. Sur un ordinateur, on peut écrire un programme (en langage Python) qui fait ce calcul :

```
def dot(w,x) :
    s = 0
    for i in range(len(w)) :
        s = s + w[i]*x[i]
    return s
```

Ce code définit une fonction dot(w,x) dont les arguments sont deux vecteurs w et x. La fonction calcule le produit scalaire (*dot product* en anglais) entre w et x et retourne le résultat. L'instruction for est une boucle qui exécute l'instruction suivante (la dimension de w), obtenue par len(w). L'instruction suivante accumule dans la variable s les produits des termes de w et x. La dernière instruction renvoie la valeur de s au programme appelant. On peut créer deux vecteurs à trois dimensions et appeler la fonction de la manière suivante :

```
w = [-2,3,4]
x = [1,0,1]
s = dot(w,x)
```

Ce qui placera le nombre 2 dans la variable s, c'est-à-dire le résultat de :

$$-2*1+3*0+4*1=2.$$

En supposant que le seuil est égal à 0, la sortie finale du neurone sera +1 si s est strictement au-dessus de 0 et -1 si s est en dessous de 0 ou égal à 0. Un petit programme en Python peut calculer cela :

```
def sign(s) :
    if s > 0 : return +1
    else : return -1
def neurone(w,x) :
    s = dot(w,x)
    return sign(s)
```

La fonction sign ainsi définie produit +1 lorsque son argument est supérieur à 0 et -1 dans le cas contraire.

Selon McCulloch et Pitts, ces neurones binaires font du calcul logique, et le cerveau peut être considéré comme une machine d'inférence logique[4].

---

4. Warren S. McCulloch, Walter Pitts, « A logical calculus of the ideas immanent in nervous activity », *The Bulletin of Mathematical Biophysics*, 1943, 5 (4), p. 115-133.

Cette hypothèse inspire le psychologue Frank Rosenblatt. Son perceptron utilise les neurones binaires à seuil de McCulloch et Pitts. Il reprend l'idée du signal transmis au neurone qui calcule une somme pondérée de ses entrées, et qui s'active quand cette somme est supérieure à 0. Mais Rosenblatt va plus loin dans la copie du neurone biologique. Il propose une procédure qui permet à la machine de s'adapter par correction d'erreur en modifiant les poids de la somme pondérée. Il s'inspire de l'idée que l'apprentissage dans le cerveau modifie les efficacités synaptiques, idée qui remonte aux travaux du neuroanatomiste espagnol Santiago Ramón y Cajal à la fin du XIXᵉ siècle.

Rosenblatt a aussi lu le psychologue canadien Donald Hebb qui, en 1949, dans son livre *L'Organisation du comportement*[5], propose l'idée qu'une synapse connectant deux neurones se renforce lorsque ces deux neurones s'activent simultanément. On parle d'apprentissage hebbien. L'hypothèse est validée dans les années 1960 et Eric Kandel, dans les années 1970, en explique les mécanismes biochimiques quand il planche sur notre fameuse aplysie.

Le perceptron, dans sa forme la plus simple, est donc un neurone de McCulloch et Pitts unique, qui apprend en modifiant ses poids. Dans la phase d'entraînement, l'opérateur montre à la machine l'image de la lettre C, par exemple, et lui indique la sortie attendue : +1 pour la lettre C (et –1 pour une autre lettre). La machine ajuste alors ses poids pour que sa sortie se rapproche de celle qu'on lui demande. Il faut répéter cette opération avec plusieurs images de C et d'autres lettres. À force d'ajustements, la configuration des poids devient capable de reconnaître n'importe quel C (ou presque).

---

5. Donald Olding Hebb, *The Organization of Behavior : A Neuropsychological Theory*, Wiley, 1949.

Pour vérifier que la machine est bien entraînée, on la teste en lui montrant des images de C et celles d'autres lettres qu'elle n'a pas vues durant l'apprentissage. Si elle donne satisfaction, on dit qu'elle est prête pour la phase de déploiement.

En 1957, à Buffalo, la machine de Frank Rosenblatt se présente comme une grosse armoire métallique d'où s'échappent des milliers de spaghettis électriques. Elle comporte une sorte de rétine artificielle, c'est-à-dire une grille de cellules photoélectriques qui captent l'image d'entrée, et des centaines de boutons motorisés, un peu à la manière des boutons de volume sur un amplificateur, qui représentent les poids. Chaque bouton est une résistance variable couplée à un petit moteur électrique. Le circuit électronique calcule la somme pondérée des tensions sortant de la rétine, pondérées par les résistances variables. Si cette somme pondérée dépasse un seuil, la lumière de sortie s'allume. Si elle ne dépasse pas ce seuil, la lumière ne s'allume pas.

L'innovation du perceptron est la procédure d'apprentissage : il ajuste automatiquement ses poids après chaque présentation d'une image et de la sortie désirée correspondante. Conceptuellement, l'idée d'ajuster les paramètres d'un modèle à partir de données existe en statistique depuis des siècles. La nouveauté est d'appliquer cette idée à la reconnaissance des formes.

Une grille de 25 pixels

Rappelons le principe : à l'entrée du perceptron, la rétine enregistre des images simples de faible résolution. À la sortie, la lampe s'allume ou ne s'allume pas, selon que la machine reconnaît ou ne reconnaît pas l'image.

-1	-1	-1	-1	-1
-1	+1	+1	+1	-1
-1	+1	-1	-1	-1
-1	+1	-1	-1	-1
-1	+1	+1	+1	-1

Figure 3.4. Une image de la lettre C sur une grille de 5 sur 5 pixels.

Une image est un tableau de pixels, et chaque pixel est un nombre indiquant la couleur du pixel : ici +1 pour noir, et -1 pour blanc. Une image est donc un tableau de nombres. En cela, cette image est différente des images naturelles en noir et blanc où le nombre associé représente l'intensité de gris. Dans une image en couleur, chaque pixel est associé à trois nombres représentant les intensités de rouge, vert, et bleu.

Prenons un exemple. On présente au perceptron une image de 5 pixels sur 5 pixels, soit 25 pixels. Cette image dessinée sur la grille de 25 pixels est transformée par la rétine en une série de 25 chiffres : +1 pour un pixel noir, –1 pour un pixel blanc. Le perceptron représentait ces chiffres par des voltages sur des fils. De nos jours, c'est un nombre dans une case mémoire de l'ordinateur. Pour l'image de la lettre C de la figure 3.4, voici le début de la série de 25 nombres correspondants :

```
x[0]=-1, x[1]=-1, x[2]=-1, x[3]=-1, x[4]=-1,
x[5]=-1, x[6]=+1, x[7]=+1, x[8]=+1, x[9]=-1,
...
```

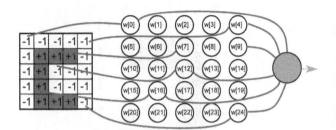

Figure 3.5. Un neurone connecté à une image.

Un neurone calcule une somme pondérée de ses entrées. Ici, le neurone possède 25 entrées qui sont les pixels d'une image, dont chacun a la valeur +1 ou –1. La valeur de chaque pixel est multipliée par un poids liant le pixel au neurone. Ces produits sont sommés pour produire la somme pondérée. Ce sont ces poids sur lesquels la machine peut jouer pour ajuster sa réponse. La somme pondérée est ensuite comparée à un seuil. Si la somme pondérée est supérieure au seuil, la sortie du neurone est +1, sinon, elle est –1. Les poids constituent la mémoire du système. (Seule une partie des connexions est représentée pour la clarté du diagramme.)

La série de nombres, c'est-à-dire le vecteur x[0], …, x[24] représente l'image d'entrée : le premier pixel est connecté à la première entrée x[0] du neurone, le deuxième pixel à la deuxième entrée x[1], etc.

La machine possède 25 poids, chacun connecté à un pixel. Ces 25 paramètres et leur schéma de connexion constituent l'architecture de la machine. Ce schéma de connexion est fixe : le même pixel est toujours connecté à la même entrée et au même poids.

Initialement, avant de commencer la phase d'apprentissage, tous les poids sont à 0. La somme pondérée sera donc 0, et la sortie –1, quelle que soit l'image.

Distinguer un C d'un D

La procédure d'apprentissage consiste pour la machine à ajuster ses poids. Nous allons l'entraîner à distinguer la lettre C de la lettre D. Nous sommes déjà familiarisés avec la méthode : on présente à la machine plusieurs exemples successifs de chaque lettre. À chaque fois, si la machine produit la bonne réponse, on ne fait rien. Si elle se trompe, on ajuste les poids (on « tourne les boutons de volume ») pour faire varier la somme pondérée, de telle manière qu'elle devienne positive pour un C et négative pour un D.

Détaillons ! Si l'exemple est un C et que la machine se trompe, cela signifie que les poids sont mal réglés et que la somme pondérée est en dessous de 0 (le seuil) au lieu d'être au-dessus. La machine, autrement dit l'algorithme d'apprentissage écrit par l'ingénieur, doit donc modifier les poids pour que cette somme pondérée augmente. Elle augmente alors la valeur de ceux dont l'entrée correspondante est +1, et elle diminue celle des poids dont l'entrée correspondante est –1.

À l'inverse, si l'exemple est un D et que la machine produit la mauvaise réponse (+1, « C'est un C »), cela signifie que la somme pondérée est au-dessus de 0 au lieu d'être en dessous. Dans ces conditions, l'algorithme d'apprentissage doit diminuer les poids dont l'entrée correspondante est +1, et augmenter les poids dont l'entrée correspondante est –1.

Les poids sont modifiés d'une petite quantité à chaque fois. La nouvelle valeur du poids, après ajustement, écrase la valeur précédente. Un seul ajustement ne suffit pas. La réponse correcte ne sera obtenue qu'après des mises à jour successives.

À force de répéter ce jeu de présentation/reconnaissance/réajustement des poids pour les C et les D, et avec un peu de chance, les configurations de poids déterminées par l'algorithme vont converger vers une situation stable où n'importe quel C et n'importe quel D seront reconnus.

Étant donné un exemple d'apprentissage, les 25 valeurs de pixel sont dans le vecteur x et les poids dans le vecteur w, la variable y contient la sortie désirée (+1 ou -1), et yp est la sortie calculée par le neurone (également +1 ou -1). La différence $(y - yp)$ vaudra 0 si la machine produit la réponse correcte, +2 si la réponse désirée est +1, mais la réponse produite est -1 et -2 si c'est le contraire. Avec la formule suivante, chaque poids w[i] est mis à jour de la manière décrite précédemment en utilisant l'entrée correspondante x[i] :

$$w[i] = w[i] + e*(y - yp)*x[i]$$

La variable e contient une constante positive qui détermine la taille de la mise à jour. La somme pondérée sera augmentée ou diminuée dans la bonne direction en conséquence de la modification des poids.
Cette procédure se résume en un programme de quelques lignes.
Imaginons que l'exemple est un C, et que donc la sortie désirée est +1.
On calcule la somme pondérée à l'aide de la fonction neurone(w,x) définie plus haut, puis on met à jour tous les poids, en passant sur chacun d'entre eux un par un de la manière suivante :

```
yp = neurone(w,x)
for i in range(len(w)) :
    w[i] = w[i] + e*(y - yp)*x[i]
```

Le perceptron de Rosenblatt était une machine électronique de plusieurs tonnes. La magie de la technologie moderne la remplace par ce petit programme de quelques lignes !

Dans l'exemple que nous avons pris, la machine apprend des sortes de différences de « pochoirs » du C et du D. Les pixels spécifiques au C ont des poids positifs, les pixels spécifiques au D des poids négatifs, et les autres pixels qui n'apparaissent ni dans le C ni dans le D ou ceux qui apparaissent dans les deux ont des poids nuls.

Mais on peut aussi voir la procédure d'apprentissage du perceptron comme la minimisation d'une fonction de coût dont les paramètres sont les poids ajustables du système. Comme celle décrite dans l'exemple de la voiture que nous avons développé plus haut. Nous y reviendrons en détail dans le chapitre 4.

J'ouvre une parenthèse : il existait déjà une technique triviale pour reconnaître des formes indépendamment de leurs variations, la méthode « du plus proche voisin ». Une méthode très différente du perceptron. Elle consiste simplement à comparer une image à une autre. L'ordinateur stocke toutes les images d'entraînement dans sa mémoire. Lorsqu'une image à reconnaître se présente, la machine la compare aux images de son catalogue. Elle trouve l'image la plus similaire, par exemple en comptant le nombre de pixels différents entre les deux images. Elle produit en sortie la catégorie de l'image la plus proche : si celle-ci est un D, la sortie sera « D ». Cette méthode fonctionne bien pour des images simples, telles que des caractères d'imprimerie dans un petit nombre de polices. Mais elle est moins performante pour les caractères manuscrits, et, de plus, elle est chère. Si nous voulions utiliser la méthode du plus proche voisin pour reconnaître un chien ou une chaise, il nous faudrait des millions de photos de chiens et de chaises dans des positions, des éclairages, des configurations et des environnements différents. C'est impraticable. Et, de toute façon, ça ne marcherait pas bien.

Apprentissage supervisé et généralisation

La propriété d'une machine apprenante est la généralisation, c'est-à-dire la capacité à donner la bonne réponse pour des exemples qu'elle n'a pas vus durant l'apprentissage.

Si l'ensemble d'apprentissage comporte suffisamment d'exemples de C et de D avec de petites variations de style, notre perceptron sera peut-être capable de reconnaître des C et des D qu'il n'a jamais vus auparavant... à condition qu'ils ne soient pas trop différents des exemples d'apprentissage.

Illustrons ce principe de la généralisation par une analogie. Pour trouver le résultat de 346 multiplié par 2067, l'homme n'a pas appris par cœur les résultats de toutes les multiplications possibles. Il a découvert un principe qui lui permet de faire n'importe quelle multiplication. De même, le perceptron fait quelque chose de plus subtil. Il ne stocke pas toutes les formes de C possibles pour pouvoir reconnaître celle-ci ou celle-là. Il élabore un modèle unique qui lui permet d'opérer les reconnaissances qu'on lui demande. Voyons comment.

L'opérateur qui entraîne le système collecte de nombreux exemples, peut-être des centaines, voire des milliers, de la lettre C, de plusieurs tailles, de différentes polices de caractères, positionnés en différents endroits sur la grille de 25 pixels. Il en fait autant avec les D.

Si l'on entraîne un perceptron à produire +1 pour les exemples de C et −1 pour les exemples de D, la procédure d'apprentissage d'un perceptron donnera un poids positif aux pixels qui sont noirs dans les C et blancs dans les D, et un poids négatif aux pixels qui sont blancs dans le C et noirs dans le D. Au total, les poids représentent l'information permettant de discriminer le C du D.

Magie de l'apprentissage : cette machine ainsi « entraînée » est capable d'aller au-delà de tout ce qu'on lui a déjà montré.

Limites du perceptron

La méthode que nous venons de décrire fonctionne lorsque les exemples de C et de D ne diffèrent pas trop. Si les variations de forme, de taille ou d'orientation sont trop importantes – ce C est minuscule, cet autre est dans un coin de l'image –, le perceptron ne parviendra pas à trouver une combinaison de poids qui puisse distinguer les exemples de C et de D. Il s'avère ainsi incapable de distinguer certains types de formes. Cette limitation est commune à tous les classifieurs linéaires, dont le perceptron est un exemple. Voyons pourquoi.

L'entrée d'un classifieur linéaire est une liste de n nombres, que l'on peut aussi représenter par un vecteur à n dimensions. Mathématiquement, un vecteur est un point dans un espace dont les coordonnées sont les nombres qui le composent. Pour un neurone à 2 entrées, l'espace des entrées est à deux dimensions (c'est un plan), et un vecteur d'entrée désigne un point dans le plan. Si le neurone a 3 entrées, un vecteur d'entrée désigne un point dans un espace à trois dimensions. Dans notre exemple de C et de D, l'espace d'entrée possède 25 dimensions (les 25 pixels de l'image sont reliés un à un aux 25 entrées du neurone). Une image est donc un vecteur constitué des valeurs des 25 pixels qui désignent un point dans cet espace à 25 dimensions. Un hyperespace, difficile à visualiser !

Un classifieur linéaire, c'est-à-dire un neurone à seuil de McCulloch et Pitts, sépare son espace d'entrée en deux moitiés : les images de C et les images de D, par exemple. Si l'espace est un plan (pour un neurone à 2 entrées), la frontière entre les deux moitiés est une ligne. Si l'espace a trois dimensions, la frontière est un plan entre les deux moitiés. Si l'espace a 25 dimensions, la frontière est un hyperplan à 24 dimensions. Plus généralement, si le nombre d'entrées est n, l'espace possède n dimensions, et la surface de séparation est un hyperplan à $n-1$ dimensions.

Pour se convaincre que cette frontière est bien un hyperplan, réécrivons la formule de la somme pondérée en dimension 2, c'est-à-dire le produit scalaire du vecteur w (les poids) et du vecteur x (les valeurs des pixels d'entrée) :

$$S = w[0]*x[0]+w[1]*x[1]$$

Lorsque cette somme pondérée est égale à zéro, on se trouve à cheval sur la frontière entre les deux moitiés de l'espace séparées par le classifieur linéaire. Les points de la frontière vérifient donc l'équation :

$$w[0]*x[0]+w[1]*x[1] = 0$$

que l'on peut aussi écrire :

$$x[1] = -w[0]/w[1]*x[0]$$

C'est l'équation d'une droite !

Quand on calcule le produit scalaire de deux vecteurs, si ces deux vecteurs sont orthogonaux, le produit scalaire est égal à zéro. Si les vecteurs font un angle de moins de 90° l'un avec l'autre, le produit scalaire est positif. Si les vecteurs font un angle de plus de 90°, le produit scalaire est négatif. Donc, l'ensemble des vecteurs x d'un plan dont le produit scalaire avec un vecteur w est zéro est l'ensemble des vecteurs qui sont orthogonaux au vecteur w. En dimension n, ils forment un hyperplan de dimension $n-1$.

Or c'est là que le bât blesse. Démonstration !

Imaginons un perceptron non pas à 25 entrées (la grille de 5 pixels sur 5 pixels) mais à 2 entrées. Il est donc doté d'un neurone à 2 entrées. On va ajouter une troisième entrée « virtuelle » à ce perceptron, dont la valeur sera toujours égale à –1. Sans ce paramètre supplémentaire, la droite de séparation doit passer par l'origine. Avec celui-ci, la ligne de séparation des classes ne passe plus nécessairement par l'origine du plan. En changeant le poids correspondant, on peut la déplacer librement.

Cette machine très élémentaire se révèle incapable de classer certaines images d'entrées entre elles. Les 4 exemples d'apprentissage (0,0), (1,0), (1,1) et (0,1) peuvent se représenter par 4 points. Plaçons-les sur un graphe (voir figure 3.6).

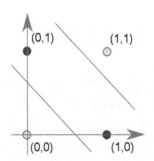

Figure 3.6. Perceptron à 2 entrées.

La fonction qui associe +1 aux points noirs (0,1) et (1,0) et -1 aux points gris (0,0) et (1,1) s'appelle le « OU exclusif ». Il n'existe pas de droite qui sépare les points noirs des points gris : autre manière de dire qu'un classifieur linéaire (par exemple un perceptron) ne peut pas calculer le OU exclusif. Les droites du diagramme représentent les fonctions ET [+1 pour (1,1), et -1 pour les autres] et OU [-1 pour (0,0) et +1 pour le reste]. En dimension 2, seules 2 fonctions booléennes sur 16 ne sont pas linéairement séparables. En haute dimension, seule une portion infime des fonctions sont linéairement séparables.

Les fonctions qu'un perceptron peut réaliser sont les fonctions – une configuration des poids – qui permettent de classer les points en deux ensembles, de les séparer pour les classer.

En observant le graphe, on voit qu'on peut tracer des droites qui séparent (0,0), (1,0) et (0,1) de (1,1).

On peut tracer des droites qui séparent (0,0) de (1,0), (1,1) et (0,1).

Mais on ne peut pas tracer une droite qui sépare (0,0) et (1,1) de (1,0) et (0,1).

La fonction qui produit 0 pour (0,0), 1 pour (1,1), 1 pour (1,0) et 0 pour (0,1) s'appelle le « OU exclusif ». On dit qu'elle n'est pas « linéairement séparable » : les points d'entrée dont la sortie est 1 ne sont pas séparables par une droite, un plan ou un hyperplan de ceux dont la sortie est 0.

Dans le tableau ci-dessous, chaque ligne est une des quatre configurations possibles de deux entrées binaires. Chaque colonne numérotée représente les sorties d'une fonction booléenne particulière pour chacune des quatre configurations d'entrées. Il y a 16 fonctions possibles (c'est-à-dire 2 à la puissance 4). 14 des 16 fonctions sont réalisables par un classifieur linéaire. Deux seulement ne le sont pas (indiquées par un N dans la dernière ligne) :

Entrée	0	1	2	3	4	5	6	7	8	9	10	11	12	13	14	15
00	0	1	0	1	0	1	0	1	0	1	0	1	0	1	0	1
01	0	0	1	1	0	0	1	1	0	0	1	1	0	0	1	1
10	0	0	0	0	1	1	1	1	0	0	0	0	1	1	1	1
11	0	0	0	0	0	0	0	0	1	1	1	1	1	1	1	1
Réalisable ?	O	O	O	O	O	O	N	O	O	N	O	O	O	O	O	O

Dans cet exemple, il s'agit de points dans un espace à 2 dimensions, correspondant aux 2 pixels de l'image qui constituent les 2 entrées de la fonction. C'est donc un plan. On peut visualiser un plan.

Or un vrai perceptron travaille dans un espace à dimensions multiples. Quand on veut que le perceptron distingue des formes un peu compliquées ou qui varient, en position, etc., on se retrouve souvent dans la situation que l'on vient de décrire, mais cette fois en « haute » dimension.

Pour le perceptron, si le vecteur d'entrée fait un angle aigu avec le vecteur de poids, la somme pondérée sera positive, et si l'angle est obtus, la somme pondérée sera négative. La frontière de séparation entre positif et négatif est l'ensemble des points x qui sont orthogonaux au vecteur de poids w, puisque le produit scalaire entre w et x est nul. En dimension n, l'équation de la frontière est :

$$w[0]*x[0]+w[1]*w[1]+w[2]*w[2]\ldots.w[n-1]*x[n-1] = 0$$

C'est celle d'un hyperplan de dimension $n-1$.

Le perceptron divise l'espace en deux moitiés par un hyperplan. D'un « côté » de l'hyperplan, on veut avoir tous les points qui rendent le détecteur de C actif, et de l'autre « côté », on veut avoir les points qui le rendent inactif. S'il est possible de trouver un tel hyperplan, la procédure d'apprentissage du perceptron finira par le trouver, à force de passer plusieurs fois sur les exemples d'apprentissage. Si un tel hyperplan n'existe pas, autrement dit si les points ne sont pas linéairement séparables, la procédure d'apprentissage du perceptron continuera indéfiniment de modifier les poids sans jamais converger vers une configuration des poids stable et unique.

Pourquoi cette démonstration ? Parce qu'elle explique le découragement qui s'est emparé des chercheurs en reconnaissance des formes au début des années 1960. Les spécialistes réalisent alors que les capacités de cette machine sont limitées et qu'ils ne pourront pas l'utiliser pour reconnaître des objets dans les images naturelles.

En effet, lorsque la dimension de l'entrée est élevée, et les exemples nombreux et complexes, par exemple des milliers de photos de chiens, de chats, de tables et de chaises, il y a de fortes chances pour que les catégories ne soient pas linéairement séparables, c'est-à-dire réalisables par un perceptron connecté directement aux pixels. Même dans le cas simple des C et des D, s'il y a d'importantes variations dans la forme, la position ou la taille des lettres, la classification des C et des D devient impossible à réaliser pour un perceptron.

Le livre de Seymour Papert et Marvin Minsky *Perceptrons*[6] qui enterre l'avenir du perceptron en 1969 achève de les décourager. Ce coup d'arrêt porté à la recherche en apprentissage-machine joue un rôle important dans l'histoire de l'intelligence artificielle. Il conduit à un de ces hivers que nous avons évoqués, qui émaillent histoire de l'IA, où la communauté

---

6. Marvin L. Minsky, Seymour A. Papert, *Perceptrons : An Introduction to Computational Geometry*, op. cit.

scientifique, bloquée dans sa progression, se détourne de la recherche.

L'autre intérêt de cette démonstration, cette fois pour le lecteur contemporain, est d'approcher le fonctionnement d'une machine apprenante.

Solutions :
extraire des caractéristiques

Le perceptron, dans sa version la plus simple, s'est donc révélé incapable de discriminer certaines formes. Dès ses débuts, une solution a été trouvée, qui a continué d'être utilisée jusqu'à aujourd'hui : elle consiste à placer un module intermédiaire entre l'image d'entrée et la couche de neurones, c'est-à-dire un « extracteur de caractéristiques » qui détecte la présence ou l'absence de motifs particuliers dans l'image d'entrée, puis construit un vecteur décrivant la présence, l'absence, ou l'intensité de ces motifs. Ce vecteur est alors traité par la couche du perceptron.

Reprenons notre démonstration !

Quand on connecte un perceptron directement sur les pixels de l'image, du C par exemple, le perceptron a donc du mal à dépasser le mode « pochoir amélioré », dans lequel l'image encodée par ses poids indique les pixels qui distinguent le C des autres catégories. Dès que les variations des exemples sont trop importantes, la machine de Rosenblatt « sature », et les poids ne peuvent plus effectuer la discrimination. Cela se produit quand le perceptron est entraîné avec des C très différents les uns des autres. Avec des images de résolution suffisante pour reconnaître tous les caractères, environ 20×20 pixels, les C peuvent être petits, grands, imprimés ou manuscrits, dans des polices de caractères ou des styles variés,

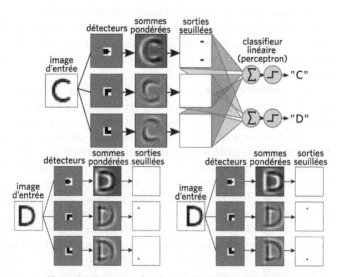

Figure 3.7. Extracteur de caractéristiques (*feature extractor*).

Un extracteur de caractéristiques détecte la présence de motifs distinctifs dans l'image d'entrée et envoie sa sortie vers un classifieur entraînable, par exemple un perceptron. Le premier pochoir détecte les terminaisons de trait vers la droite comme les extrémités des traits du « C ». Les deux autres détectent des coins, comme ceux du « D ». Cette carte constituent l'entrée d'un perceptron. Après entraînement, le perceptron pourra distinguer les C des D indépendamment de leur taille et de leur position, du moment que les caractéristiques sont présentes. Dans cet exemple, où l'on a un C et deux D positionnés différemment, l'extracteur peut être vu comme une couche de neurones binaires. Un pixel blanc représente une valeur de -1, un pixel gris 0, et un pixel noir +1. Les trois détecteurs sont des sortes de « pochoirs » de 5 × 5 pixels que l'on passe sur l'image d'entrée. Pour chaque position du pochoir, on calcule la somme pondérée des 25 pixels de la fenêtre d'entrée avec les 25 poids du pochoir. Les résultats sont des images dont chaque pixel est d'autant plus noir que le contenu de la fenêtre ressemble au pochoir. Les sommes pondérées sont ensuite comparées à un seuil et produisent des cartes de caractéristiques comportant la valeur +1 si le motif est détecté à l'endroit correspondant et 0 sinon.

positionnés dans un coin de l'image plutôt qu'au centre…
Si la forme, la position ou la taille sont trop dissemblables,
le perceptron ne parvient plus à les classer, parce qu'il n'y a
pas de pochoir amélioré unique qui convienne à toutes ces
variations.

Une manière de distinguer un C d'un D dans une image
de 20 × 20 pixels, quels que soient la police ou le style d'écriture, est de détecter la présence de coins et de terminaisons
de trait. Le D est une figure fermée avec deux coins, mais le
C est une courbe ouverte avec une terminaison à chaque bout
du trait. On pourrait construire un extracteur de caractéristiques qui indiquerait la présence de terminaisons et de coins,
quelle que soit leur position dans l'image. Pour ce faire, nous
pouvons concevoir une première couche constituée d'une
collection de neurones binaires dont les entrées seront des
petites fenêtres de 5 × 5 pixels sur l'image d'entrée et dont les
poids seront fixés « à la main » (et non déterminés par un
algorithme d'apprentissage). Nous obtiendrons trois types de
neurones détecteurs : un neurone détecteur de terminaison
et deux neurones détecteurs de coins. Chaque fenêtre 5 × 5
sur l'image d'entrée alimente trois neurones : un de chaque
type. La sortie de chaque neurone est +1 lorsque l'image 5 × 5
de son entrée ressemble à l'image formée par ses poids, et
0 sinon. Pour un C bien formé, le détecteur de terminaison
sera activé, et pour un D bien formé, les détecteurs de coins
seront activés. La dernière couche est un simple perceptron.
Il suffit à ce perceptron de compter le nombre de coins et
de terminaisons pour distinguer des C de D quels que soient
leur position, leur taille ou leur style.

On peut donc modifier l'architecture du perceptron pour
qu'il soit capable de faire des opérations plus compliquées.
Un « extracteur de caractéristiques » peut être placé avant la
couche du perceptron. Cet extracteur de caractéristiques n'est
pas entraîné, il est construit à la main (l'ingénieur conçoit un

programme pour cette fonction). Cette conception est à la fois compliquée et chronophage. De nombreuses méthodes ont été proposées pour construire des extracteurs de caractéristiques adaptés à chaque application. La littérature scientifique d'avant 2015 en est truffée.

Un type répandu d'extracteur de caractéristiques détecte ainsi des petits motifs simples dans l'image d'entrée. Pour des lettres, par exemple, il repère non seulement les terminaisons et les coins, mais aussi les barres verticales, les barres horizontales, les boucles, etc. La sortie de l'extracteur de caractéristiques est une série de nombres indiquant la présence ou l'absence de ces motifs et leurs positions. Au lieu d'être connecté directement aux pixels de l'image d'entrée, le perceptron est alimenté par ces caractéristiques plus abstraites.

Si le perceptron doit détecter une voiture, l'extracteur de caractéristiques peut être un assemblage de pochoirs qui décèlent l'un les roues, l'autre l'angle du pare-brise, un autre encore la calandre, etc. On passe ces pochoirs sur toute l'image, et ils s'allument quand ils passent sur l'un ou l'autre motif. Toutes ces caractéristiques sont ensuite entrées dans le perceptron. On procède de la même façon pour les visages. Il suffit de détecter les zones sombres que font les yeux, les deux petits points sombres des narines, une ligne un peu plus foncée de la bouche, pour construire, avec ces caractéristiques, un détecteur de visage convenable.

Dans le perceptron original, l'extracteur de caractéristiques était en fait une série de neurones binaires, connectés à des petits groupes de pixels de l'image d'entrée choisis au hasard (parce qu'on n'avait pas de meilleure idée !). Les poids de ces neurones n'étaient pas modifiables par apprentissage. Ils étaient fixes, avec des valeurs aléatoires. Les connexions étant aléatoires, on n'était jamais sûr que l'une ou l'autre serait utile. Pour que cette première couche joue son rôle, il fallait qu'il y ait beaucoup de ces neurones intermédiaires extracteurs de caractéristiques. Du coup, le nombre des entrées du neurone final (le seul neurone entraînable) enflait démesurément. Dans certains systèmes de classification et de reconnaissance des formes peu utilisés depuis 2013, le nombre de sorties de l'extracteur de caractéristiques se compte ainsi en millions. Plus nombreuses sont les caractéristiques, plus facile ensuite est le travail de classification du perceptron. Plus facile, mais plus cher !

L'organisation du cortex visuel en aires successives continue d'inspirer les chercheurs. Ils pensent à améliorer le perceptron en construisant des couches supplémentaires de neurones : les premiers étages du système extraient des caractéristiques très simples. La couche suivante essaie de détecter des assemblages ou des conjonctions de ces contours pour former des formes élémentaires comme des cercles ou des coins. Au niveau suivant, les combinaisons de ces motifs sont détectées pour des parties d'objets, etc.

Une autre méthode, plus maligne, pour construire cet extracteur de caractéristiques est la SVM (*support vector machine*, ou machine à vecteurs de support), l'invention d'Isabelle Guyon (professeur à Orsay depuis 2015), en collaboration avec Vladimir Vapnik et Bernhard Boser, tous alors membres de notre groupe à Bell Labs. La SVM a été la méthode dominante de classification entre 1995 et 2010. Avec tout le respect que je dois à mes amis et collègues, j'avoue que cette méthode ne m'intéressait pas particulièrement. Elle ne résolvait pas le problème crucial de l'entraînement automatique de cet extracteur de caractéristiques. Mais elle fascinait beaucoup de gens !

La SVM est un exemple de ce qu'on appelle les machines à noyaux, une sorte de réseau de neurones à deux couches en réalité, même si les tenants de ces méthodes n'apprécient pas qu'on fasse de tels rapprochements ! La première couche possède autant d'unités que l'ensemble d'apprentissage possède d'exemples, et la deuxième couche calcule des sommes pondérées, comme un vulgaire perceptron. Les unités de la première couche « comparent » l'entrée x avec chacun des exemples d'apprentissage X[0], X[1], X[2],..., X[p=1], à l'aide d'une fonction de noyau k(x,q) où x est le vecteur d'entrée et q un des exemples d'apprentissage. Par exemple, l'unité numéro 3 de cette première couche produira la sortie z[3]=k(x,X[3]).

Un exemple typique de fonction k est l'exponentielle de la distance entre les deux vecteurs : $k(x,q) = \exp(-v*\sum_{j=0}^{n-1} (x[j]-q[j])**2)$. Une unité de ce type produit une grande valeur de sortie quand x et q sont voisins et une petite valeur quand ils sont éloignés l'un de l'autre.

La deuxième couche combine ces sorties avec des poids appris de manière supervisée. Dans cette sorte de perceptron, seule la dernière couche est entraînée de manière supervisée. Mais la première couche est aussi entraînée, d'une certaine manière, puisqu'elle utilise les entrées (les x) des exemples d'apprentissage[7].

Ce modèle simplissime a fait l'objet de livres entiers de mathématiques de toute beauté. C'est en partie l'attirance naturelle des chercheurs pour ces belles mathématiques qui a fait le succès des SVM et des méthodes à noyaux. Elles leur masquaient les limitations de ces méthodes. Mes collaborateurs et moi avons eu le plus grand mal à convaincre la communauté que, malgré ces résultats, une machine à noyaux est à peine plus puissante qu'un perceptron. Certains d'entre eux ne sont toujours pas convaincus de l'utilité d'architectures à couches multiples, Vladimir Vapnik y compris...

---

7. Cet apprentissage est non supervisé, puisque les sorties désirées (les y) ne sont pas utilisées.

Reste que les SVM sont fiables et faciles à faire marcher quand on a peu d'exemples d'apprentissages, ce qui est souvent le cas au milieu des années 1990. En ces premiers temps d'Internet, les programmes de SVM sont en outre disponibles en *open source*. Sur l'air de « tout nouveau, tout beau », leur succès est rapide. Au cours des années 1990, les méthodes à noyaux en éclipsent les réseaux de neurones. L'utilité de disposer de plusieurs couches disparaît des esprits.

Or, rajouter une ou plusieurs couches de neurones artificiels permet de calculer des fonctions plus compliquées, que l'on ne pourrait pas calculer efficacement avec une seule sous-couche. Des théorèmes mathématiques montrent qu'avec seulement deux couches de neurones, on peut tout calculer. C'est un peu ce qui motive les SVM. Mais souvent, la couche du milieu doit être gigantesque : le nombre de neurones de la première couche est beaucoup plus grand que le nombre de pixels de l'image de départ, comme on l'a vu. Pour notre petite image à 25 pixels, on comptera peut-être des centaines ou des milliers de neurones.

Les chercheurs des années 1960 bloquent toujours sur l'entraînement de ces couches multiples. La procédure d'apprentissage du perceptron ne peut entraîner que la dernière couche. La première couche d'extracteur de caractéristiques n'est toujours pas entraînée et doit être fixée à la main.

Cette difficulté – comment ajuster à la main des milliers ou des millions de poids pour chaque image qui entre dans la machine ? – explique qu'à la fin des années 1960 la recherche ait abandonné l'idée d'une machine intelligente que l'on pouvait entraîner de bout en bout. Elle se concentre sur les applications, qui vont constituer le domaine de la reconnaissance des formes statistiques. L'architecture inspirée du perceptron, si imparfaite soit-elle, domine pourtant le monde de l'apprentissage-machine jusqu'au début des années 2010. Prendre un signal, le passer par un extracteur de caractéristiques conçu à la main, puis par un système de classification qui peut être un perceptron ou toute autre méthode d'apprentissage statistique : voilà le « percheron » de la reconnaissance de formes.

Conclusion

Le perceptron inaugure l'apprentissage automatique dit supervisé. Dans la machine, la procédure d'apprentissage ajuste les paramètres de manière que la sortie se rapproche de celle que l'on souhaite. Une fois entraînée, une machine bien construite peut aussi reconnaître des exemples qu'elle n'a jamais vus : c'est la propriété de généralisation.

Cette méthode a cependant ses limites. Pour les repousser, les chercheurs ont encodé les images pour en extraire les caractéristiques intéressantes à la réalisation de la tâche, avant de brancher dessus un classifieur classique, par exemple un perceptron. Entre les années 1960 et 2015, les chercheurs dépensent une énergie folle à concevoir des extracteurs de caractéristiques pour tel ou tel problème. Des milliers d'articles sont produits sur la question, et des milliers de carrières académiques se construisent sur ces travaux. Une de mes idées fixes a été de trouver des méthodes permettant d'entraîner les extracteurs de caractéristiques au lieu de les construire à la main. Mais la communauté, longtemps, n'y a pas cru. Tel est l'enjeu des réseaux de neurones multicouches et du *deep learning*.

## CHAPITRE 4

Apprentissage par minimisation, théorie de l'apprentissage

Introduction

Le principe de base de l'apprentissage supervisé est toujours le même : il consiste à ajuster les paramètres du système pour réduire une fonction de coût qui mesure l'erreur moyenne entre la sortie réelle du système et la sortie désirée, calculée sur un ensemble d'exemples d'apprentissage. Réduire cette fonction de coût et entraîner le système sont une seule et même action.

Ce principe s'applique non seulement aux modèles simples comme le perceptron, dont seule la dernière couche est entraînée, mais aussi à la quasi-totalité des méthodes d'apprentissage supervisé, en particulier aux réseaux de neurones multicouches entraînés de bout en bout dont nous parlerons au chapitre suivant.

L'apprentissage par minimisation de fonction de coût est donc un élément clé du fonctionnement de l'intelligence artificielle. En comprendre les contraintes conduit à réfléchir sur l'apprentissage humain.

Fonction de coût

Un rappel : l'entraînement est l'ajustement.

Reprenons : l'apprentissage consiste à réduire progressivement les erreurs que fait le système. Il essaie, il se trompe, il se réajuste. Chaque réajustement des paramètres écrase les valeurs précédentes de ces paramètres. Pour un exemple d'entraînement donné, par exemple une image x associée à la sortie y, l'erreur est un simple nombre qui mesure la distance entre la sortie produite par la machine $yp = f(x,w)$ et la sortie désirée y. Pour mémoire, w est le vecteur de paramètres. Pour chaque exemple d'apprentissage, chaque paire (x,y), l'erreur est mesurée par une fonction de coût $C(x,y,w)$. Une manière d'exprimer ce coût est de faire le carré de la différence entre la sortie produite par le système et la sortie désirée y :

$$c = (y-f(x,w))**2$$

Il existe de nombreux types de fonctions de coût. La formule précédente s'applique si la machine ne possède qu'une seule sortie, c'est-à-dire si yp et y sont juste des nombres.

Si l'on veut un système qui puisse reconnaître des images de chiens, de chats ou d'oiseaux, il nous faut trois sorties. La sortie s'exprime alors par un vecteur plutôt que par un nombre. Chacune de ces sorties donne un score pour chacune

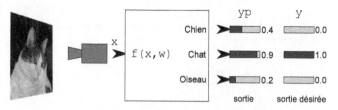

Figure 4.1. Classifieur à trois catégories.

La machine produit trois scores, un pour chaque catégorie, sous forme de vecteur à trois dimensions. Dans cet exemple, la machine produit le vecteur de scores [0.4, 0.9, 0.2], et classifie donc l'image en tant que « chat ». La sortie désirée pour la catégorie « chat » est le vecteur [0, 1, 0].

des trois catégories. Par exemple, si la première sortie correspond à la catégorie « chien », la seconde à « chat » et la troisième à « oiseau », un vecteur de sortie avec les valeurs [0.4, 0.9, 0.2] veut dire que le système a reconnu un chat, puisque la catégorie « chat » a obtenu le score le plus élevé. Durant l'entraînement, la sortie désirée pour la catégorie chien sera [1, 0, 0], pour un chat [0, 1, 0], et pour un oiseau [0, 0, 1]

Le coût doit mesurer la distance entre la sortie produite et la sortie désirée, par exemple la somme des carrés des erreurs pour les trois sorties :

```
yp=f(x,w) # yp est un vecteur de dimension 3
c=(y[0]-yp[0])**2+(y[1]-yp[1])**2+(y[2]-yp[2])**2
```

En pratique, pour la classification multiclasse, le modèle est souvent construit de manière à produire des scores assimilables à des probabilités (des scores entre 0 et 1 et dont la somme est 1), et on utilise une autre fonction de coût qu'on appelle l'« entropie croisée » qui pousse la sortie de la catégorie désirée à se rapprocher de 1 et les autres de 0. Mais le principe reste le même.

Cette fonction de coût C(x,y,w) peut être calculée par une petite fonction
en Python comme ceci :

```
# fonction de calcul du coût pour un exemple
# x : vecteur d'entrée
# y : vecteur de sortie désirée
# w : vecteur de paramètre
def C(x,y,w) :
    yp = f(x,w) # calcul de la sortie
    c = 0 # on va accumuler le coût dans c
    for j in range(len(y)) : # boucle sur les sorties
        c = c + (y[j]-yp[j])**2 # accumule le coût
    return c # renvoi de la somme du coût sur les sorties
```

Étant donné un ensemble d'apprentissage avec p exemples,
c'est-à-dire un vecteur X (dont chaque élément est lui-même
un vecteur d'entrée) :

$$[X[0], X[1], X[2],…, X[p-1]]$$

et un vecteur Y (dont chaque élément est lui-même un
vecteur de sortie désirée),

$$[Y[0], Y[1], Y[2],…, Y[p-1]]$$

on peut appeler cette fonction pour calculer le coût sur
un exemple d'apprentissage quelconque, ici le numéro 3 :

$$c = C(X[3],Y[3],w)$$

Il nous faut calculer le coût d'apprentissage, c'est-à-
dire la moyenne de cette fonction de coût sur l'ensemble
d'apprentissage :

$$L(X,Y,w) = 1/p*(C(X[0],Y[0],w)+C(X[1],Y[1],w)+…\\ C(X[p-1],Y[p-1],w))$$

Encore une fois, nous pouvons écrire un petit programme pour ce faire :

```
# fonction de calcul du coût moyen sur un ensemble d'exemples
# X : tableau des entrées de l'ensemble de données
# Y : tableau des sorties désirées
# w : vecteur de paramètres
def L(X,Y,w) :
    p = len(X)   # p est le nombre d'exemples
    s = 0       # une variable pour accumuler la somme des coûts
    for i in range(p)   # une boucle sur les exemples
        s = s + C(X[i],Y[i],w)   # accumuler le coût
    return s/p   # renvoyer le coût moyen
```

On peut calculer le coût d'apprentissage sur l'ensemble x, y en écrivant :

$$\text{cout} = L(X,Y,w)$$

Dans cette fonction, la boucle for passe sur tous les exemples d'apprentissage et accumule le coût (fait la somme) de chaque exemple dans la variable s. À la fin, la fonction retourne la somme accumulée divisée par le nombre d'exemples p. La valeur calculée par ce programme dépend du vecteur de paramètres w par l'intermédiaire de la fonction C(x,y,w), qui elle-même dépend de f(x,w) qui, elle-même, dépend de w.

La procédure d'apprentissage va tenter de minimiser ce coût en ajustant les paramètres w du système, c'est-à-dire en trouvant la valeur de w qui produit la plus petite valeur possible de L. Pour un ensemble d'exemples d'apprentissage donné, à chaque configuration des paramètres w, c'est-à-dire à chaque point, correspond une valeur du coût d'apprentissage.

Les systèmes entraînables modernes ont des millions, voire des milliards de paramètres ajustables. Autrement dit, le vecteur w peut avoir plusieurs millions ou plusieurs milliards de dimensions. Des chiffres somme toute modestes... par rapport aux nombres de synapses du cerveau humain.

Le fond de la vallée

Comment trouver le minimum de cette fonction de coût ? Imaginons, pour simplifier, une machine ne possédant que deux paramètres entraînables, w[0] et w[1]. Pour un ensemble d'apprentissage donné, à chaque point de coordonnées (w[0],w[1]) correspond une valeur du coût.

Au départ, les poids sont fixés au hasard. Avant le début de l'apprentissage, le coût est probablement élevé. Le réseau va ajuster ses paramètres pour réduire ce coût.

Étant donné un ensemble d'apprentissage stocké[8] dans X et Y, nous pouvons mettre les valeurs 6.0 dans w[0] et 5.0 dans w[1], et calculer le coût d'apprentissage correspondant de la manière suivante :

```
w[0] = 6.0
w[1] = 5.0
cout = L(X,Y,w)
```

On peut voir cette fonction de coût comme une sorte de paysage montagneux : un endroit particulier correspond à deux valeurs des paramètres, la longitude w[0] et la latitude w[1]. Ce sont les coordonnées de ce point dans le paysage. La hauteur – l'altitude – est la valeur du coût à ce point-là, pour cette combinaison de valeurs de paramètres. Dans ce paysage, les courbes de niveaux relient tous les points qui ont la même valeur de la fonction de coût.

Imaginons : nous sommes perdus. On n'y voir rien : il fait nuit noire et le temps est exécrable. Pour rentrer au village, au fond de la vallée, à défaut d'avoir un chemin, nous allons suivre la ligne de plus grande pente. Nous observons par où cela descend, nous faisons un pas dans cette direction et, de proche en proche, nous finissons par nous retrouver

---

8. Rappelons qu'une variable en programme informatique est le nom d'une zone de la mémoire pour enregistrer des données (voir p. 85-86).

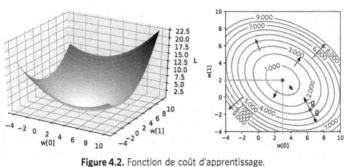

Figure 4.2. Fonction de coût d'apprentissage.

La fonction de coût est assimilable à un paysage montagneux (*à gauche*), dont les lignes de niveau sont représentées à droite. Entraîner une machine consiste à trouver le fond de la vallée, c'est-à-dire la valeur des paramètres entraînables qui produit la valeur la plus basse du coût. Dans cet exemple, la longitude et la latitude sont les deux paramètres entraînables w[0] et w[1], et le minimum se trouve aux coordonnées (3,2). Lorsqu'on commence à entraîner le système, on ne connaît pas la forme de ce paysage ni la position de son minimum. Mais, pour une valeur donnée des paramètres, on peut calculer son altitude : la valeur du coût. On peut aussi calculer le vecteur de gradient g qui pointe vers le haut dans la direction de la plus grande pente. Le gradient, représenté par des flèches, est différent en chaque point. En modifiant les paramètres dans la direction opposée au gradient –g, nous faisons un pas vers le fond de la vallée. Cette modification consiste à remplacer le vecteur w par sa valeur dont on soustrait le vecteur de gradient et qu'on multiplie par une constante e contrôlant la taille du pas. Le but est de trouver le point tout en bas de la vallée en testant le moins de configurations possible.

dans la vallée. La direction de la plus grande pente s'appelle le gradient de la fonction de coût. Le fond de la vallée est le minimum de la fonction de coût, et ses coordonnées sont les valeurs des paramètres qui minimisent le coût.

Le but est de trouver ce point le plus bas dans la vallée rapidement. Tester est assez long et coûteux en termes de ressources informatiques, surtout s'il y a des millions d'exemples dans la base d'apprentissage. On recourt donc à une méthode, la « minimisation de fonction par descente de gradient ». Elle est aujourd'hui universellement utilisée en intelligence artificielle comme mécanisme d'apprentissage.

Commençons par comprendre le principe. Pour trouver la ligne de plus grande pente, on calcule le gradient. La direction opposée au gradient est celle qui descend le plus à un endroit donné. Pour le trouver, nous imaginons une perturbation des paramètres, relativement petite, pour voir comment diminue ou augmente le coût. Si l'on reprend la métaphore de la montagne, nous faisons un petit pas dans une direction donnée pour savoir si ce pas fait descendre ou monter. Pour que cela fonctionne, il faut que de petites perturbations des paramètres correspondent à de petites perturbations de la fonction de coût, propriété que les mathématiciens appellent la « continuité », et qui interdit les fonctions qui dessinent des marches d'escalier et des falaises à pic.

Nous perturbons les deux paramètres l'un après l'autre. Nous nous tournons d'abord dans la direction w[0] (c'est-à-dire vers l'est). Nous pouvons évaluer la pente g[0] en effectuant un petit pas, en mesurant le changement d'altitude correspondant, et en divisant cette différence par la taille du pas. Si l'altitude décroît, on fait un pas dans cette direction. La taille de ce pas est proportionnelle à la pente. Plus la pente est forte, plus on a intérêt à faire un grand pas, puisqu'on est dans la bonne direction. Si la pente est faible, on fait plutôt un petit pas. Mais si l'altitude croît quand on a perturbé le paramètre, il faut faire un pas en sens inverse pour descendre.

Ensuite, nous nous tournons de 90 degrés pour nous diriger dans la direction de w[1] (c'est-à-dire vers le nord), et nous répétons l'opération : nous évaluons la pente g[1] et, en fonction du résultat, nous effectuons un pas de taille proportionnelle à la pente soit vers l'avant, soit vers l'arrière. La combinaison de ces deux pas nous rapproche du bas de la vallée. En réitérant l'opération autant de fois que nécessaire jusqu'à ce que nous ne descendions plus, nous finissons par atteindre ce point le plus bas.

Le vecteur g, dont les composantes sont les pentes [g[0],g[1]] s'appelle le gradient. La figure 4.2 représente ce vecteur de gradient. Selon cette définition, ce vecteur pointe vers le haut, selon la ligne de plus grande pente, et sa longueur est la pente dans cette direction. En faisant un pas dans la direction opposée à ce gradient, nous nous déplaçons vers le fond de la vallée. La direction opposée au vecteur g est le vecteur -g dont les composantes sont de signes opposés [-g[0],-g[1]].

Plus généralement, la descente de gradient se fait de la manière suivante :

1. Nous calculons le coût d'apprentissage pour la valeur actuelle du vecteur de paramètres (au point courant).
2. Nous mesurons les pentes dans chacun des axes et collectons les pentes dans un vecteur de gradient g.
3. Nous modifions le vecteur de paramètres dans la direction opposée au gradient. Pour ce faire, nous inversons les signes des composantes du gradient puis nous les multiplions par une constante e qu'on choisit, qui contrôle la taille du pas.
4. Enfin, nous ajoutons le vecteur résultant au vecteur de paramètres. En d'autres termes, nous remplaçons chaque composante du vecteur de paramètres par sa valeur courante moins la composante correspondante du vecteur de gradient multiplié par la taille du pas e.
5. Cette taille du pas de gradient est importante : s'il est trop petit, on finira par trouver le minimum, mais cela prendra du temps, parce qu'à chaque pas, on avancera peu. Si le pas est trop grand, on risque de passer au-dessus du minimum et remonter de l'autre côté. Il faut donc que la constante e soit telle que les paramètres ne rebondissent pas d'un flanc de montagne au flanc opposé.

6. Nous répétons les opérations jusqu'à tomber au fond de la vallée. Autrement dit, jusqu'à ce que la valeur de coût d'apprentissage cesse de diminuer.

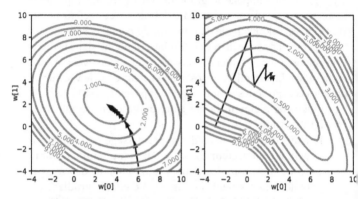

Figure 4.3. Chemin suivi par la méthode de descente de gradient.

La procédure de descente de gradient consiste à effectuer une série de pas dans la direction de la plus grande pente descendante, l'opposé du gradient, jusqu'à atteindre le fond de la vallée. La taille du pas est proportionnelle au pas de gradient e. *À droite*, e est un peu grand et cause des oscillations de la trajectoire. Un pas de gradient trop grand peut causer une non-convergence.

DÉMONSTRATION.

Nous sommes donc placés aux coordonnées [w[0],w[1]]. À cet endroit, l'altitude (le coût d'apprentissage) vaut h = L(X,Y,w). Nous allons décrire la procédure de descente de gradient par perturbation, simple mais assez inefficace. Commençons par créer un vecteur supplémentaire de paramètres wa obtenu en perturbant la valeur de w[0] d'une petite quantité (appelons la dw), de la manière suivante :

```
wa[0] = w[0] + dw
wa[1] = w[1]
```

Puis, on calcule l'altitude à la nouvelle position a = L(X,Y,wa). Le changement d'altitude dû à la perturbation est a-h. La pente dans la direction de perturbation est le rapport (a-h)/dw. Pourquoi ce rapport ? Parce que c'est la pente de la montagne qui nous intéresse, c'est-à-dire la quantité par laquelle il faut multiplier la taille de notre pas pour obtenir le changement d'altitude. De même, en perturbant w dans la direction de w[1] de la manière suivante :

```
wb[0] = w[0]
wb[1] = w[1] + dw
```

nous pouvons calculer l'altitude b = L(X, Y, wb). La pente dans la direction de w[1] est le rapport (b-h)/dw. Stockons les deux pentes dans un vecteur g :

```
g[0] = (a-h)/dw
g[1] = (b-h)/dw
```

Le vecteur g s'appelle le gradient de la fonction de coût. Il contient le vecteur composé des pentes dans chaque axe. Ce vecteur pointe vers la direction de plus grande pente, vers le haut. Pour reprendre la métaphore du paysage de montagne, si la pente dans la direction est-ouest (w[0]) est plus grande que dans la direction nord-sud (w[1]), la direction de plus grande pente sera plus proche de l'axe est-ouest que de l'axe nord-sud.

Voici une petite fonction qui calcule le gradient d'une fonction à deux paramètres par perturbation. Cette procédure est simple, mais inefficace. Nous verrons comment l'améliorer plus tard :

```
# fonction de calcul de gradient par perturbation
# X : tableau des entrées de l'ensemble de données
# Y : tableau des sorties désirées
# w : vecteur de paramètres
# dw : perturbation
def gradient(X, Y, w, dw) :
    h = L(X, Y, w) # calcul du coût
    wa = [0,0] # crée un vecteur wa
    wa[0] = w[0] + dw # perturbation de la 1re coordonnée
    wa[1] = w[1]
    a = L(X, Y, wa) # calcul du coût après perturbation
    wb = [0,0] # crée un vecteur wb
    wb[0] = w[0]
wb[1] = w[1] + dw # perturbation de la 2e coordonnée
b = L(X, Y, wb) # calcul du coût après perturbation
g = [0,0] # crée un vecteur g
g[0] = (a-h)/dw # pente dans la 1re coordonnée
g[1] = (b-h)/dw # pente dans la 2e coordonnée
return g # retourne le vecteur de gradient
```

En appelant cette fonction, nous récupérons une approximation du vecteur de gradient :

```
g = gradient(X,Y,w,dw)
```

Par définition, ce vecteur g pointe vers le haut, mais le vecteur -g, obtenu en inversant les signes de ses composantes, pointe vers le bas dans la direction opposée. Nous pouvons donc nous diriger vers le fond de la vallée dans la direction de plus grande pente en faisant un pas dans la direction opposée au gradient. Cela correspond à un pas de taille -e*g[0] dans la direction de w[0] (est-ouest) et de taille -e*g[1] dans la direction de w[1] (nord-sud), la variable e étant un petit nombre positif qui contrôle la taille du pas à effectuer.
Le tout est effectué par une fonction en quelques instructions :

```
# effectuer un pas de gradient
# X : tableau des entrées de l'ensemble de données
# Y : tableau des sorties désirées
# w : vecteur de paramètres
# e : pas de gradient
# dw : perturbation
def descend(X,Y,w,e,dw) :
    g = gradient(X,Y,w,dw) # calcul du vecteur de gradient
    w[0] = w[0] - e*g[0] # mise à jour de w[0]
    w[1] = w[1] - e*g[1] # mise à jour de w[1]
    return w # on renvoie le nouveau vecteur de paramètres
```

Les étapes de l'apprentissage par descente de gradient consistent à :

1. calculer le coût ;
2. calculer le gradient ;
3. mettre à jour les paramètres en soustrayant le gradient multiplié par une constante e, le pas de gradient.

À force de répéter cette procédure, et à condition que le pas de gradient soit suffisamment petit, la procédure convergera vers le fond de la vallée.

```
# procédure d'apprentissage
# n : nombre d'itérations de la descente de gradient
def learn(X,Y,w,e,dw,n) :
    for i in range(n) : # répétons n fois
        w = descend(X,Y,w,e,dw) # effectuons un pas
        print(L(X,Y,w)) # imprimons la valeur du coût
    return w # on renvoie le vecteur de poids
```

On pourrait faire en sorte que la fonction s'arrête toute seule lorsque la valeur du coût cesse de diminuer.

La descente de gradient en pratique

En réalité, le « paysage » n'a pas seulement deux dimensions ; il peut en avoir des millions, voire des milliards. Au lieu que le vecteur de paramètres soit composé de deux nombres, il en a des millions. Le gradient a aussi des millions de composantes, chacune indiquant la pente de la fonction de coût d'apprentissage dans chacun des axes de l'espace.

Dans ces conditions, calculer le gradient par perturbation est extrêmement inefficace. Cela prend trop de temps de perturber chaque paramètre et de calculer le coût d'apprentissage à chaque fois.

Pour le montrer, je vous propose le programme qui fait le calcul de gradient par perturbation en dimension quelconque :

```
def gradient(X,Y,w,dw) :
    h = L(X,Y,w)
    for i in range(len(w)) : # boucle sur les dimensions
        wa = w
        wa[i] = w[i]+dw
        a = L(X,Y,wa)
        g[i] = (a-h)/dw
    return g
```

Cette fonction doit recalculer la valeur de L après chaque perturbation. Si nous avons 10 millions de paramètres, il faudrait recalculer L 10 millions de fois... C'est irréaliste.

Une manière beaucoup plus efficace pour calculer le gradient sans avoir à faire de perturbation est la méthode analytique de calcul du gradient.

Elle revient à calculer des dérivées du coût dans la direction de chacun des axes sans perturbation.

Prenons un simple polynôme de degré 2 :

$$c(x,y,w) = (y - w*x)**2$$

La dérivée de ce polynôme par rapport à w, en considérant que x et y sont des constantes, est une droite :

$$dc\_dw(x,y,w) = -2*(y-w*x)*x$$
$$= 2*(x**2)*w - 2*y*x$$

Nul besoin de perturber w pour connaître la pente de $c(x,y,w)$ en tout point : elle nous est donnée par sa dérivée.

Maintenant, prenons un modèle linéaire à deux dimensions dont la fonction entrée-sortie est :

$$f(x,w) = w[0]*x[0] + w[1]+x[1]$$

et considérons une fonction de coût quadratique (c'est-à-dire une fonction avec un carré) :

$$C(x,y,w) = (y - f(x,w))**2$$
$$= (y - (w[0]*x[0]+w[1]*x[1]))**2$$

On peut calculer la dérivée de cette fonction par rapport à w[0], en considérant les autres symboles comme des constantes.
Cette dérivée sera notée : dc_dw[0]

$$dc\_dw[0] = -2*(y - (w[0]*x[0]+w[1]*x[1]))*x[0]$$

Nous pouvons faire de même pour la dérivée par rapport à w[1], qui est le calcul de la dérivée.

$$dc\_dw[1] = -2*(y - (w[0]*x[0]+w[1]*x[1]))*x[1]$$

> Le vecteur dont les composantes sont ces deux valeurs est le gradient de
> `C(x,y,w)` par rapport à `w`. C'est le vecteur de même dimension que le
> vecteur de paramètres dont chaque composante contient la dérivée par
> rapport au paramètre correspondant, c'est-à-dire la pente de la fonction
> lorsqu'on se déplace dans la dimension du paramètre en question.
>
> $$\text{dc\_dw} = [\text{dc\_dw}[0], [\text{dc\_dw}[1]]]$$

La dérivée d'une fonction de plusieurs variables par rapport à une de ces variables, en considérant les autres variables
comme des constantes, s'appelle une dérivée partielle. C'est la
pente de la fonction dans la direction de la variable considérée. Le vecteur formé par les dérivées partielles dans toutes
les directions est le gradient.

Voilà qui nous simplifie grandement la vie : si nous pouvons calculer les dérivées partielles d'une fonction à l'aide
d'une formule, nous pouvons calculer son vecteur gradient à
chacun des points sans recourir à la moindre perturbation !

> Prenons un modèle linéaire tel que le perceptron décrit au chapitre précé-
> dent qui calcule le produit scalaire entre `w` et `x` :
>
> ```
> f(x,w) = dot(w,x)
> ```
>
> et prenons une fonction de coût qui mesure le carré de l'erreur :
>
> ```
> C(x,y,w) = (y-f(x,w))**2
> ```
>
> Le gradient sera simplement :
>
> ```
> dc_dw[0] = -2*(y-f(x,w))*x[0]
> dc_dw[1] = -2*(y-f(x,w))*x[1]
> ...
> dc_dw[n-1] = -2*(y-f(x,w))*x[n-1]
> ```
>
> Retenons qu'il existe deux manières de calculer le gradient, par perturbation
> et par les dérivées partielles.

Le gradient stochastique

Il existe une variante plus efficace de la méthode de descente de gradient pour atteindre le fond de la vallée. Au lieu de calculer la moyenne du coût et de trouver le gradient de cette moyenne sur tous les exemples d'apprentissage pour faire un pas, on utilise les dérivées partielles pour calculer le gradient du coût pour un seul exemple et on effectue un pas dans la foulée.

Imaginez ! Si on a 1 million d'images, avec la descente de gradient classique il faudrait prédire pour chaque image si c'est un chat ou un chien, regarder la différence du vecteur de prédiction avec le vrai vecteur et refaire 1 million de fois la même opération pour calculer le coût moyen ! Cela prendrait énormément de temps pour avancer simplement d'un pas.

On procède donc plus simplement. Le système tire juste un exemple de manière aléatoire dans l'ensemble d'apprentissage, il calcule le gradient du coût pour cet exemple et il fait un pas de gradient. Ensuite, il pioche un autre exemple, il calcule le gradient du coût pour ce nouvel exemple et fait à nouveau un pas de gradient. On répète l'opération jusqu'à ce qu'on ne puisse plus descendre. La taille du pas doit diminuer au fur et à mesure qu'on se rapproche du fond de la vallée. En pratique, au lieu de prendre un seul exemple pour effectuer un pas, on fait la moyenne du gradient sur un petit groupe d'exemples qu'on appelle un « mini-*batch* ».

À chaque pas, le gradient pointe dans une direction différente, ce qui amène le vecteur de paramètres à suivre une trajectoire erratique au cours de l'apprentissage. Mais bon an mal an, il se dirige vers le fond de la vallée. Plus surprenant : il y parvient même plus rapidement qu'en calculant le gradient sur l'ensemble d'apprentissage complet.

```
# procédure d'apprentissage par gradient stochastique
# n : nombre d'itérations de la descente de gradient
def SGD(X,Y,w,e,n) :
    p = len(X) # nombre d'exemples d'apprentissage
    for i in range(n) : # répétons n fois
        k = random.randrange(0,p) # tirage nombre aléatoire
        g = gradC(X[k],Y[k],w) # calcul du gradient
        for j in range(len(w)) : # boucle sur les paramètres
            w[j]=w[j]-e*g[j] # mise à jour des paramètres
    return w # on renvoie le vecteur de paramètres
```

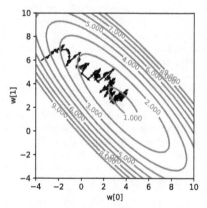

Figure 4.4. Trajectoire du gradient stochastique.

Dans la procédure de gradient stochastique, nous tirons un exemple aléatoire dans l'ensemble d'apprentissage, nous calculons le gradient de la fonction de coût pour cet exemple et nous effectuons un petit pas dans la direction opposée au gradient. Puis nous tirons un autre exemple et nous répétons l'opération. Puis un autre, et ainsi de suite, tout en réduisant progressivement la grandeur du pas de gradient, c'est-à-dire e. Cette procédure conduit vite dans le fond de la vallée du coût d'apprentissage (qui est la moyenne du coût sur les exemples) tout en suivant une trajectoire erratique due aux fluctuations du gradient de coût entre un exemple et un autre. Dans cette figure, l'ensemble d'apprentissage contient 100 exemples. Après seulement 4 passes sur l'ensemble d'apprentissage, les paramètres fluctuent autour du minimum.

Certes, au lieu de suivre une trajectoire lisse, le vecteur de paramètres se promène, mais il arrive finalement au fond de la vallée plus rapidement parce qu'il y a moins de calculs à faire à chaque pas.

La méthode du gradient stochastique est une manière simple, différente et... contre-intuitive de faire l'optimisation. Rappelons que l'on travaille souvent avec des millions (voire quelques milliards !) d'exemples d'apprentissage.

En fait, la procédure que nous venons de décrire, avec une fonction de coût égale au carré de l'erreur, est celle utilisée par un proche cousin du perceptron : l'Adaline.

Le modèle de l'Adaline a été proposé en 1960 (il est aussi vieux que moi !) par Bernard Widrow et Ted Hoff. Il est utile d'en parler ici pour deux raisons : la première, parce que sa fonction de coût quadratique est facile à visualiser ; la seconde, parce que ce modèle est important historiquement, ayant été le rival du perceptron.

Comme le perceptron, l'Adaline calcule sa sortie en faisant la somme pondérée des entrées, c'est-à-dire le produit scalaire entre le vecteur de poids et le vecteur d'entrée. L'idée est de minimiser le carré de l'erreur entre la sortie désirée et la sortie du modèle à l'aide d'une procédure de gradient stochastique. On peut se servir de l'Adaline comme classifieur : comme avec le perceptron, la sortie désirée sera +1 pour la classe A et −1 pour la classe B.

La procédure du perceptron est, elle aussi, un gradient stochastique pour une fonction de coût particulière de la forme suivante :

$$C(x,y,w) = -y*f(w,x)*dot(w,x)$$

où

$$f(w,x) = sign(dot(w,x))$$

La dérivée partielle par rapport à la composante j du vecteur de paramètres est :

$$g[j] = -(y-f(w,x))*x[j]$$

ce qui conduit à la règle de mise à jour suivante :

$$w[j] = w[j] + e*(y-f(w,x))*x[j]$$

Cette formule est la procédure d'apprentissage du perceptron donnée au chapitre 3. D'un point de vue technique, la fonction de coût du perceptron n'est pas totalement lisse : elle possède des plis où la pente change brusquement. À l'endroit de ces plis, le gradient n'est pas bien défini. Le gradient calculé plus haut est en fait ce qu'on appelle un « sous-gradient ». C'est un souci de mathématicien vétilleux.

Le perceptron et l'Adaline minimisent une fonction de coût qui n'a qu'une vallée. Le point de départ n'a pas d'importance, puisque la procédure d'apprentissage tombera toujours dans l'unique vallée. Mais que se passe-t-il si la fonction de coût possède plusieurs minima ?

Vallées suspendues

Imaginons une fonction plus compliquée, dans laquelle il existe deux minima, ou plus (voir figure 4.5).

Nous sommes sur une crête dans les Alpes. À main droite, une vallée en France ; à main gauche, une vallée en Italie. Notre fonction a deux minima et pourrait même en avoir plusieurs.

Le perceptron ne connaît pas ce problème, mais dès qu'on utilise un réseau de neurones à 2 couches ou plus, la fonction de coût possède des minima multiples. Certains sont bons, au sens où ils sont associés à une bonne performance du système (à un coût d'apprentissage bas). D'autres ne le sont pas. Ce sont des vallées suspendues, en quelque sorte. On peut s'y retrouver bloqué : où que l'on se tourne, le calcul de gradient renvoie à ce minimum.

Le phénomène est illustré par la figure 4.5, où la fonction a deux minima, l'un étant plus bas que l'autre.

On tire des w aléatoires pour faire l'optimisation.

Si notre tirage aléatoire est du côté du 0, on se retrouve dans le bon minimum.

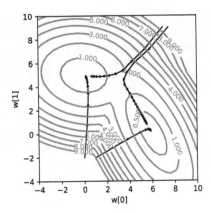

Figure 4.5. Fonction à deux minima.

Certaines fonctions de coût peuvent posséder plusieurs minima. Ce diagramme représente une fonction non convexe à deux minima. En appliquant une méthode de gradient pour trouver un minimum, on peut tomber dans un minimum ou dans l'autre, en fonction de son point de départ. Quatre trajectoires de descente de gradient sont représentées ici.

Si notre tirage est du côté du 5, on se retrouve dans le mauvais.

Pour bon nombre de chercheurs en apprentissage-machine, une bonne fonction de coût se devait d'être convexe parce qu'une fonction de coût convexe n'a qu'un seul minimum. Cela donne des garanties théoriques sur la convergence d'algorithmes de gradient. Si on avait le malheur de proposer un modèle dont la fonction de coût était non convexe, on était jeté dans la fosse aux lions !

C'est une des raisons pour lesquelles les réseaux de neurones multicouches ont été (temporairement) délaissés : leur fonction de coût est non convexe. En revanche, la fonction de coût des machines à noyaux est convexe. Pour les théoriciens, la convexité est indispensable et la non-convexité rédhibitoire.

En pratique, la non-convexité des réseaux de neurones multicouche avec des millions de paramètres n'est jamais un problème. Lorsqu'on entraîne un grand réseau par gradient stochastique, les minima locaux auxquels on arrive sont tous plus ou moins équivalents, quel que soit le point de départ. Les solutions sont différentes, mais les valeurs du coût final (les hauteurs des minima) sont toutes très similaires. On pense même que le paysage de la fonction de coût est tel que les minima ne sont pas des points, mais de vastes vallées connectées les unes aux autres. Ce serait une propriété de certaines fonctions dans les espaces de grandes dimensions. Sur la figure 4.5, on ne peut pas passer d'un minimum à l'autre sans devoir franchir le col qui les sépare. Mais si on rajoutait une dimension à l'espace (une troisième dimension perpendiculaire à la page), il se pourrait que l'on puisse contourner le col. Lorsque l'espace possède des millions de dimensions, il y en a toujours un certain nombre dans lesquelles on peut se déplacer pour contourner une montagne ou un col. Nous en reparlerons au chapitre 5.

Théorie générale de l'apprentissage

Pendant l'apprentissage, le réseau ajuste ses paramètres de telle sorte que tous les x de l'ensemble d'apprentissage donnent le y désiré. Après l'apprentissage, il peut interpoler ou extrapoler, c'est-à-dire donner un y pour un nouvel x qui n'était pas présent dans l'ensemble d'apprentissage. On parle d'une interpolation lorsque le nouvel x est entouré d'exemples d'apprentissage, et d'extrapolation lorsque le nouvel x est à l'extérieur de la région couverte par les exemples d'apprentissage. La règle commune qui lie entre eux les éléments des paires d'apprentissage est une fonction dont le modèle a été choisi par l'ingénieur. Le choix de ce modèle répond à des contraintes précises.

Prenons un exemple pour montrer comment on choisit un modèle.

Admettons que notre modèle d'apprentissage est une droite définie par l'équation :

$$f(x,w) = w[0]*x+w[1]$$

On lui donne x. Elle multiplie x par w[0] qui est la pente de la droite, et elle ajoute une constante w[1] qui est la position verticale de la droite (le point où la droite coupe l'axe des y). Si w[1] est égal à 0, la droite passe par 0. Si w[1] n'est pas égal à 0, la droite croise l'axe vertical à l'ordonnée w[1]. En faisant varier w[0] et w[1], on peut construire n'importe quelle droite.

Ce modèle-là est un modèle à deux paramètres. Si notre ensemble d'apprentissage n'a que deux points X[0],Y[0] et X[1],Y[1], nous pourrons toujours trouver des paramètres qui feront passer la droite par ces deux points.

Imaginons que l'on ait un troisième point d'apprentissage X[2],Y[2] qui n'est pas sur la droite. Comment trouver un nouveau modèle d'apprentissage qui relie ces trois points ?

Pour entraîner la machine, il faut avoir à l'avance une idée du modèle de fonction qui peut passer au plus près des trois points. Dans l'exemple qui nous intéresse, on sait – par expérience – que la fonction qui conviendrait devrait dessiner une espèce de courbe, par exemple une parabole. Il s'agit d'une fonction comportant un carré, c'est-à-dire un polynôme de degré 2 :

$$f(x,w) = w[0]*x**2 + w[1]*x + w[2]$$

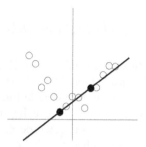

Figure 4.6. Une droite qui passe par deux points.

Étant donné deux points, nous pouvons toujours calculer les paramètres d'une droite qui passe par ces deux points.

L'apprentissage consiste à trouver les valeurs qu'on ne connaît pas dans cette formule, à savoir les trois composantes du vecteur w qui font passer la courbe par les points. L'objectif est toujours le même : à partir de la courbe obtenue (le modèle), on veut pouvoir calculer de bonnes valeurs de f(x,w) pour des x qui n'appartiennent pas à l'ensemble d'apprentissage.

La fonction peut être beaucoup plus compliquée qu'un polynôme de degré 2, et avoir beaucoup plus de paramètres. Reprenons l'exemple d'une voiture qu'on veut entraîner à se conduire toute seule. Étant donné une image d'entrée x venant d'une caméra regardant la route, quel angle de volant y la voiture doit-elle prendre pour suivre la ligne blanche sur la chaussée ? Le x en question est constitué de milliers de nombres (les pixels des images venant de la caméra), et le modèle peut comporter des dizaines de millions de paramètres ajustables. Mais le principe reste le même.

Le choix du modèle

Une partie du scénario dépend de l'ingénieur. C'est lui qui décide quelle sera l'architecture du système et sa paramétrisation, c'est-à-dire la forme de la fonction $f(x,w)$. Ce pourra être un perceptron à une couche, un réseau de neurones à deux couches, ou un réseau de neurones convolutif avec 3, 5, 6, voire 50 couches.

La procédure est empirique. Mais elle s'adosse à la théorie de l'apprentissage statistique de Vapnik.

J'ai bien connu Vladimir Vapnik, un très brillant mathématicien. J'étais à Bell Labs dans le New Jersey, quand il a rejoint notre laboratoire, un an après moi. Lorsque j'en ai pris la direction en 1996, je suis devenu son « patron ». Dans la recherche fondamentale, le patron ou la patronne ne dirige pas les travaux des membres de son labo. Il ou elle se borne à s'assurer que ces derniers ont la liberté et les moyens de les mener. Un rôle un peu ingrat qui détourne l'intéressé de ses recherches personnelles.

Vladimir est né en Ouzbékistan près de Samarcande et il a fait une partie de sa carrière à Moscou à l'Institut des problèmes de contrôle, où il a jeté les bases théoriques de la théorie statistique de l'apprentissage. Il s'était naturellement intéressé au perceptron, mais, comme il était freiné dans sa carrière en Union soviétique parce qu'il était juif, il a décidé d'émigrer au moment de l'ouverture de l'URSS. Il est arrivé aux États-Unis un an après moi, en octobre 1989, juste avant la chute du mur de Berlin. C'est dans ce pays d'accueil qu'il a finalisé une théorie sur le rapport entre le nombre de données d'entraînement, la complexité du modèle que l'on entraîne avec ces données, et la performance du modèle sur des données non utilisées pour l'apprentissage.

La théorie permet de comprendre le processus de sélection de modèle.

Nous venons de voir qu'une droite peut toujours passer par deux points, quels que soient les deux points. Quand il faut choisir une fonction qui peut relier deux points, on peut donc retenir une droite, de type `w[0]*x+w[1]`, avec 2 paramètres. C'est un « polynôme de degré 1 ».

Pour trouver une fonction qui passe par trois points, on peut choisir une parabole, de type `f(x,w) = w[0]*x**2 + w[1]*x + w[2]`, avec 3 paramètres. C'est un « polynôme de degré 2 ».

Si on a un terme à la puissance 3, c'est un polynôme de degré 3 avec 4 paramètres.

Si on a un terme à la puissance 4, c'est un polynôme de degré 4 avec 5 paramètres.

Etc.

Plus on ajoute de termes dans le polynôme, plus la courbe qu'il dessine est flexible, plus il lui est possible de dessiner des vagues pour passer par tous les points.

Un polynôme de degré 2 est une parabole courbée vers le haut ou vers le bas. Étant donné 3 points, on peut toujours trouver un tel polynôme qui passe par ces 3 points.

Un polynôme de degré 3 peut avoir une bosse et un creux. Étant donné 4 points, on peut toujours trouver un tel polynôme qui passe par ces 4 points.

Une courbe de degré 4 est encore plus flexible, elle peut être en forme de W, en forme de M, ou être plate en haut... Elle passe par 5 points.

De degré 5, c'est encore plus compliqué... Elle passe par 6 points, etc.

Si on a P points (ou exemples d'apprentissage), il existe toujours au moins une courbe, autrement dit un polynôme de degré P-1 qui passe par ces P points. En pratique, il y a une limite au degré du polynôme que l'on peut utiliser

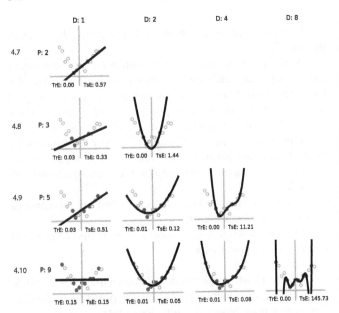

Figures 4.7 à 4.10. Apprentissage de polynômes.

Nous disposons de 15 points de données. Les points noirs sont des exemples d'apprentissage et les points blancs des points de test. Chaque colonne représente un modèle différent : ligne, polynôme de degré D = 2, 4 et 8. Dans chaque ligne, un nombre d'exemples différent est utilisé pour l'apprentissage du modèle, P = 2, 3, 5 et 9.

Sur chacun des graphiques, la courbe représente le polynôme qui approche au mieux les points d'apprentissage, TrE est l'erreur d'apprentissage et TsE est l'erreur de test.

Lorsque le modèle est « rigide » (avec une ligne ou une parabole), il ne peut pas passer par tous les points d'apprentissage dès lors qu'ils sont trop nombreux. Lorsqu'il est « flexible » (un polynôme de degré élevé), il peut passer par de nombreux points. Mais si ces points ne sont pas alignés sur une courbe simple – autrement dit, qu'ils sont entachés de bruit –, il devra, pour ce faire, effectuer de grandes « vagues » (*graphique en bas à droite*). L'erreur de test devient alors très élevée, bien que l'erreur d'apprentissage équivaille à 0. C'est le phénomène de l'« *overfitting* ». Avec 9 points d'apprentissage (*ligne du bas*) le polynôme de degré 2 donne la meilleure erreur de test (figure Alfredo Canziani).

sans se heurter à des problèmes de précision numérique dans les calculs. Lorsque nous recevrons un ensemble de données, nous pourrons choisir dans cette famille le modèle le plus approprié au nombre d'exemples dont nous disposons.

Si l'on a 1 000 points, ou exemples d'apprentissage, et que l'on veut passer par tous les points, il faudrait en théorie utiliser un polynôme de degré 999. En pratique, il est très instable, et on ne l'utilise pas.

Pour résumer : pour un nombre de données particulier, il faut adapter la complexité du modèle qu'on entraîne à ce nombre.

Voyons en détail pourquoi.

La vache
et les trois scientifiques

Un ingénieur, un physicien et un mathématicien sont dans un train. Ils passent près d'un champ où cinq vaches noires marchent à la queue leu leu derrière leur fermier. L'ingénieur dit : « Tiens, les vaches sont noires dans ce pays ! » Le physicien dit : « Non ! Il y a au moins cinq vaches qui sont noires dans ce pays ! » Et le mathématicien dit : « Vous vous trompez, il y a au moins cinq vaches dans ce pays qui sont noires du côté droit. »

Toutes ces réponses sont correctes, étant donné les informations disponibles. Mais le mathématicien veut simplement décrire les observations, sans faire de prédiction sur les autres vaches du pays. Il ne cherche pas à extrapoler. L'ingénieur est un peu rapide dans sa généralisation, motivé par la simplicité de la règle qu'il propose pour prédire la couleur des autres vaches. Quant au physicien, il fait une hypothèse basée sur son expérience : « Les vaches sont généralement de la même couleur des deux côtés », mais refuse d'extrapoler à d'autres vaches.

Cette anecdote illustre plusieurs questions. Tout d'abord, à l'instar du physicien, il est nécessaire d'utiliser des connaissances *a priori* pour pouvoir faire des prédictions. Deuxièmement, il y a toujours plusieurs modèles sous-jacents qui peuvent expliquer les données. Ce qui fait la différence entre un bon et un mauvais modèle n'est pas la capacité à expliquer les observations, mais la capacité à en prédire de nouvelles. Dans cette histoire, le mathématicien veut trop coller aux données sans se reposer sur ses connaissances *a priori* pour pouvoir généraliser. Il y a de fortes chances que de nouvelles vaches ne satisfassent pas son modèle.

La règle du rasoir d'Ockham

La règle du rasoir d'Ockham énonce le principe de parcimonie : « *Pluralitas non est ponenda sine necessitate* », que l'on peut traduire par : « Les entités ne doivent pas être multipliées au-delà de ce qui est nécessaire. » L'explication d'une série d'observations se doit d'être la plus simple possible, sans faire appel à des concepts superflus. Ce principe tient son nom du moine franciscain du XIVe siècle Guillaume d'Ockham. Les physiciens le connaissent bien. Une théorie doit avoir le moins d'équations, d'hypothèses et de paramètres libres possible (c'est-à-dire les paramètres, comme la vitesse de la lumière ou la masse de l'électron, qu'on ne peut pas calculer à partir d'autres quantités). Albert Einstein l'avait formulé autrement : « Tout doit être rendu aussi simple que possible, mais pas plus simple que cela. »

En physique, la théorie simple a une beauté certaine. Ce n'est pas là sa seule qualité. Elle a plus de chances de faire des prédictions correctes que celle qui, pour coller au plus près des données expérimentales, s'est encombrée de concepts, de règles, d'exceptions, de paramètres, de formules, etc. L'épistémologue anglo-autrichien Karl Popper définit d'ailleurs la qualité d'une théorie par sa capacité à prédire, plutôt que par sa capacité à expliquer les observations existantes. Il définit la méthode scientifique comme une procédure dans laquelle les théories doivent être « falsifiables » pour mériter le qualificatif de « scientifiques ». À la manière d'un polynôme de degré trop élevé que l'on peut toujours ajuster pour passer par un nouveau point, une théorie trop complexe peut toujours être ajustée pour expliquer de nouvelles observations : elle n'est pas falsifiable. Une théorie plus économe n'est pas aussi facile à ajuster. De nouvelles données peuvent la confirmer ou l'invalider. Elle est falsifiable.

Les théories du complot offrent un exemple de théories non falsifiables. Tout peut s'expliquer par des conspirations. Mais elles mettent en lien beaucoup de faits improbables dont la combinaison est encore plus improbable. Richard Dawkins, le biologiste britannique de l'évolution, les rapprochent des doctrines religieuses. Il semble simple de fournir une explication de l'Univers du type « Dieu l'a créé ». Mais l'hypothèse de Dieu conduit à une théorie complexe (puisque Dieu est tout-puissant, il est infiniment complexe) et pour le moins non falsifiable. La théorie de l'apprentissage est aussi une théorie de la pensée rationnelle.

On pense au mathématicien Pierre-Simon de Laplace qui, après la publication de son livre *Mécanique céleste*, se vit objecter par Napoléon : « Vous donnez les lois de toute la Création et vous ne parlez pas une seule fois de l'existence de Dieu ! » « Sire, je n'avais pas besoin de cette hypothèse », lui avait répondu Laplace.

Le protocole d'entraînement

Dans le protocole standard, l'entraînement de la machine se fait en trois temps. L'objectif est d'identifier le modèle le plus performant pour la tâche définie. Pour sélectionner un modèle, c'est-à-dire une classe de fonctions la plus restreinte possible, il faut mesurer sa capacité à prédire, c'est-à-dire évaluer la fonction de coût sur des exemples qu'elle n'a pas vus durant l'apprentissage. Ces exemples constituent l'ensemble de validation.

Soit 10 000 paires d'apprentissage x, y. On entraîne un modèle sur la moitié de ces exemples, soit 5 000 paires x, y : c'est la phase où la fonction de la machine doit ajuster ses paramètres pour que les sorties obtenues se rapprochent des sorties demandées. On minimise à ce moment-là la fonction de coût. L'erreur calculée sur cet ensemble est l'*erreur d'apprentissage*.

Pour apprécier la performance du système ainsi entraîné, et pour vérifier que la machine n'a pas seulement mémorisé les exemples, mais qu'elle a bien appris sa tâche et qu'elle peut traiter des exemples qu'elle n'a jamais vus, on mesure les erreurs sur 2 500 autres paires x, y : c'est l'*erreur de validation*.

On répète ces opérations avec différents modèles, c'est-à-dire différentes familles de fonctions (par exemple, polynôme de degré 1, puis, 2, puis 3, ou réseaux de neurones de plus en plus grands). On garde ensuite celui qui produit la plus petite erreur de validation.

Enfin, on mesure l'erreur du modèle retenu sur les 2 500 exemples restants. C'est l'*erreur de test*. Pourquoi mesurer cette erreur de test ? Pourquoi ne pas simplement utiliser l'erreur de validation ? Parce que l'erreur de validation est un peu optimiste : on a sélectionné le modèle parce que son erreur de validation était la plus basse. C'est un peu comme si on l'avait entraîné sur l'ensemble de validation. Pour évaluer correctement la qualité du système avant son déploiement, il vaut mieux le mettre dans une situation réelle, et mesurer sa performance sur des exemples qui n'ont pas été touchés du tout.

Le nécessaire compromis de Vapnik

Un modèle trop simple ne peut pas modéliser beaucoup de données d'apprentissage (pour revenir à nos exemples, une droite n'arrive pas à passer par un grand nombre de points, à moins qu'ils ne soient exactement alignés). À l'inverse, si le modèle est compliqué (un polynôme de degré 1000, ou un grand réseau de neurones), il va « apprendre » l'ensemble d'apprentissage, mais sa capacité à généraliser ne sera pas bonne. La fonction est tellement flexible, autrement dit elle oscille tellement entre les points, qu'il faudra beaucoup plus d'exemples d'apprentissage pour qu'elle cesse de passer précisément par tous les points, qu'il y ait moins d'oscillations et qu'elle puisse commencer à faire de bonnes prédictions sur de nouveaux points. Autrement dit, qu'elle cesse de mémoriser les points d'apprentissage et qu'elle commence à découvrir une règle sous-jacente.

Il y a donc un point d'équilibre entre le nombre de données et la complexité du modèle.

Visualisons ! Nous avons 10 points d'apprentissage comme dans la figure 4.10. Si j'utilise la fonction représentée par une parabole (un polynôme de degré 2 avec 3 paramètres), au cours de l'apprentissage, cette fonction essaie de passer le mieux possible par tous ces points, et l'interpolation qu'elle fera sera plutôt correcte. Si on lui donne une autre valeur de x qui n'existe pas dans l'ensemble d'apprentissage, elle va interpoler avec la parabole entre les deux, et la sortie sera probablement assez bonne.

Je peux tester un polynôme de degré 8 ou 16 pour faire la même tâche, à savoir lier les 9 points d'apprentissage. Mon modèle est tellement flexible que je vais pouvoir faire passer la courbe précisément par tous les points, comme dans la figure 4.10. Mais comme les points ne sont pas parfaitement alignés, la courbe doit osciller pour passer par tous les points. S'il s'agit d'un polynôme de degré 8, il oscille 8 fois et dessine des espèces de vagues pour passer exactement par tous les points.

Ce modèle-là n'est pas très bon pour l'interpolation. En effet, si on lui donne à traiter un nouvel x que l'on n'a pas utilisé durant l'apprentissage, cet x peut se trouver sur le haut d'une vague, donc la valeur de y que va produire le modèle sera probablement erronée. C'est l'*overfitting*, le problème qui surgit quand on utilise un modèle trop compliqué et qu'on n'a pas assez de données d'apprentissage. Le système a une capacité suffisante pour apprendre les données « par cœur » sans découvrir la régularité sous-jacente.

L'erreur d'apprentissage augmente progressivement en fonction du nombre d'exemples. Une affaire de bon sens : plus il y a de points, moins on a de chances qu'une parabole (ou un autre polynôme choisi par l'ingénieur) passe par tous les points. Sur l'ensemble de validation (pour mémoire, il se compose d'exemples que la machine n'a pas vus pendant l'apprentissage), l'erreur diminue doucement à mesure qu'on augmente le nombre d'exemples.

Pour tout système, l'erreur d'apprentissage, que les spécialistes appellent l'erreur empirique, est inférieure à l'erreur de validation : le modèle traite mieux des exemples qu'il a déjà vus que des exemples qu'il n'a jamais vus. Si on augmente le nombre d'exemples d'apprentissage pour le même

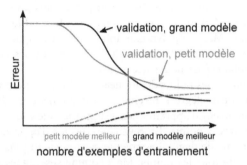

Figure 4.11. Convergence des courbes d'erreurs d'apprentissage et de test pour un grand et un petit modèle.

Pour un modèle donné, au fur et à mesure que le nombre d'exemples d'apprentissage augmente, l'erreur d'apprentissage (*lignes discontinues*) monte doucement et l'erreur de validation (*lignes continues*) descend doucement. Avec un modèle petit (lignes grises), les courbes commencent à se rapprocher pour un faible nombre d'exemples et se rapprochent vite. Mais l'erreur finale est assez grande. Avec un modèle plus grand (avec plus de paramètres), il faut un nombre plus important d'exemples avant que les courbes commencent à se rapprocher. Elles se rapprochent moins vite, mais l'erreur finale est plus petite. Les courbes d'erreur de validation se croisent. En deçà, le petit modèle est préférable, au-delà, le grand modèle est préférable.

degré de complexité du modèle, on obtient deux courbes qui évoluent en sens inverse : l'erreur d'apprentissage monte doucement et l'erreur de validation descend doucement. À mesure que le nombre d'exemples croît vers l'infini, les deux courbes se rapprochent de plus en plus.

Pourquoi ? Imaginons que nous n'ayons que 7 points de données. Une droite, c'est-à-dire un polynôme de degré 1, ne pourra pas passer par tous ces points : au-delà de 2 points, l'erreur d'apprentissage commence à croître, à moins que les points soient exactement alignés.

Un polynôme de degré 4 pourra passer plus près de tous les points. L'erreur d'apprentissage est plus faible qu'avec une droite. Mais ce polynôme doit « faire des vagues » pour passer au plus près des points. Ces vagues ont des chances d'être éloignées de nouveaux points.

Ajoutons des points de données. La droite, autrement dit le polynôme de degré 1, ne change pratiquement pas de position : son erreur d'apprentissage est presque identique à celle obtenue avec 7 points. En revanche, l'erreur d'apprentissage du polynôme de degré 4 augmente car il ne peut plus passer très près de tous les points. Mais comme ses vagues s'aplatissent, il donnera de meilleurs résultats sur un ensemble de test constitué de points supplémentaires.

Quelles leçons tirer de tout cela pour choisir le système le plus performant en fonction du nombre d'exemples d'apprentissage ?

Reprenons la figure 4.11. À gauche de la ligne, le petit modèle est plus performant puisque son erreur de validation est plus petite. Donc, si on n'a pas beaucoup de données, il vaut mieux utiliser un petit modèle. À droite de la ligne, le grand modèle est meilleur. Si l'on a beaucoup de données, il vaut mieux utiliser un grand modèle. Quand le nombre d'exemples dépasse un seuil, la courbe ne peut plus passer par tous les points et elle commence à pouvoir généraliser. De la même façon, pour un nombre d'exemples donné, il faut rechercher le meilleur compromis pour choisir le modèle. En d'autres termes, pour qu'un système découvre la structure sous-jacente aux données, il faut excéder sa capacité à apprendre « par cœur » sans « comprendre », en lui montrant suffisamment d'exemples pour qu'il commence à faire des erreurs.

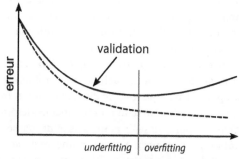

Figure 4.12. *Underfitting, overfitting.*

Pour un même nombre de données d'apprentissage, à mesure qu'on utilise des modèles plus complexes, l'erreur d'apprentissage diminue. Mais l'erreur sur l'ensemble de validation, elle, passe par un minimum et remonte. La remontée correspond à ce qu'on appelle le surentraînement (*overfitting* en anglais) : la machine apprend trop les détails des exemples d'apprentissage et perd l'aspect général de la nature de la tâche qu'on essaie de lui faire faire. Elle commence à apprendre par cœur, au lieu d'essayer de dégager des règles. Le point bas de cette courbe renvoie à la capacité du modèle qu'il faut choisir.

Pour un nombre d'exemples d'apprentissage donné, plus la capacité du modèle est grande, plus l'erreur d'apprentissage est petite. Mais dans le même temps, plus la capacité du modèle est grande, plus la différence entre l'erreur de validation et l'erreur d'apprentissage est grande. Il y aura donc une capacité optimale qui est le meilleur compromis entre ces deux états, qui donne l'erreur de validation la plus basse.

Imaginons – c'est une vue de l'esprit – un polynôme de degré infini, avec une capacité énorme d'apprendre : l'erreur d'apprentissage est toujours 0 ; quel que soit le nombre de points qu'on lui donne, le polynôme est capable de passer par tous les points. Mais il ne va jamais pouvoir généraliser.

Le polynôme va tout apprendre par cœur, comme un mauvais élève apprend sans comprendre. Le professeur lui répète les tables de multiplication et, au lieu de savoir comment multiplier, il retient par cœur les résultats.

Le théorème du *no free lunch* (« rien n'est gratuit ») résume la situation : une machine à apprentissage capable de tout apprendre ne peut en réalité rien apprendre du tout. Parce qu'elle aura besoin d'un nombre inconsidérément grand d'exemples d'apprentissage pour cesser de passer par tous les points et commencer à trouver une règle sous-jacente. Autrement dit, à généraliser. On peut méditer sur le fait qu'une personne dotée d'une excellente mémoire est moins encline qu'une autre à découvrir des règles sous-jacentes.

Pour entraîner la machine avec un ensemble de données, il faut donc trouver l'équilibre entre des contraintes :

1. Il faut que le modèle soit assez puissant – qu'il y ait assez de boutons à ajuster – pour apprendre l'ensemble d'apprentissage, c'est-à-dire passer très près de tous les points.
2. Mais il faut que le modèle ne soit pas trop puissant, pour ne pas être perturbé par le bruit, c'est-à-dire vouloir passer exactement par tous les points en faisant trop de « vagues », ce qui le rendrait incapable d'interpoler correctement.

La formule de Vapnik fait appel à trois concepts :

1. *L'erreur d'apprentissage, ou erreur empirique*. C'est la performance du système sur l'ensemble sur lequel il a été entraîné.
2. *L'erreur de test*, c'est-à-dire la performance du système sur des points supplémentaires qu'il n'a pas vus pendant l'apprentissage. Si on a un nombre infini de points, on obtient une bonne estimation de l'erreur que produirait le système dans une situation réelle.

3. *La capacité du modèle*, c'est-à-dire une mesure du nombre de fonctions réalisables par le modèle lorsqu'on fait varier les paramètres de toutes les configurations possibles. Cette capacité s'appelle la dimension de Vapnik-Chervonenkis.

Cette formule s'écrit :

```
Etest < Etrain + k*h/(p**alpha)
Etest : erreur de test
Etrain : erreur d'apprentissage
k : une constante
h : dimension de Vapnik-Chervonenkis (capacité du modèle)
p : nombre d'exemples d'apprentissage
alpha : une constante entre 1/2 et 1 dépendant de la nature
du problème.
```

Cette formule explique les figures 4.11 et 4.12

Le vertige de la fonction booléenne

Dans l'absolu, il existe un nombre faramineux de fonctions capables de traiter des exemples en entrée, même des entrées très simples. Mais, comme nous venons de le voir, une machine ultrapuissante qui apprend n'importe quelle fonction ne peut pas généraliser correctement, à moins de lui donner un nombre gigantesque d'exemples d'entraînement. En conséquence, si on a seulement un nombre raisonnable d'exemples, il faut que la machine ait des contraintes, il faut qu'elle soit spécialisée pour pouvoir apprendre une relation entrée-sortie (on parle d'un « concept »). Or les contraintes viennent principalement de l'architecture du modèle.

Il faut donc que la machine possède de la structure *a priori* qui lui permette d'apprendre des fonctions utiles avec

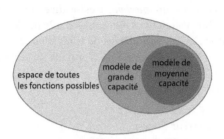

Figure 4.13. Espace de fonctions.

L'ensemble des fonctions représentables (c'est-à-dire calculables ou approximables) par un modèle est un petit sous-ensemble de l'espace de toutes les fonctions possibles. Ce sous-ensemble est largement déterminé par l'architecture du modèle. Un modèle de grande capacité peut représenter un ensemble de fonctions plus grand qu'un modèle de plus petite capacité.

peu d'exemples. Mais à cause de cette structure, la machine ne pourra représenter qu'un tout petit sous-ensemble de toutes les fonctions possibles.

Pour nous en convaincre, prenons le cas d'une fonction binaire, dite « fonction booléenne », dont l'entrée est composée d'une suite de 0 et de 1. La sortie est soit 0, soit 1. Les fonctions booléennes sont intéressantes parce qu'elles ont un nombre fini d'entrées et qu'on peut les compter. La logique booléenne est celle qu'on utilise pour faire des opérations entre des variables binaires. Chaque valeur a un rôle spécifique. Les 0 et les 1 ne sont pas interchangeables. Donc (0,1) est différent de (1,0)[9].

---

9. Le George Boole en question est un ancêtre de Geoffrey Hinton, ce qui n'a pas empêché Hinton d'être un des pourfendeurs de la prépondérance de la logique dans l'IA !

Entrée	0	1	2	3	4	5	6	7	8	9	10	11	12	13	14	15
0 0	0	1	0	1	0	1	0	1	0	1	0	1	0	1	0	1
0 1	0	0	1	1	0	0	1	1	0	0	1	1	0	0	1	1
1 0	0	0	0	0	1	1	1	1	0	0	0	0	1	1	1	1
1 1	0	0	0	0	0	0	0	0	1	1	1	1	1	1	1	1

Figure 4.14. Table des fonctions booléennes.

Une fonction booléenne prend n bits en entrée et produit 1 bit de sortie. Une fonction booléenne de 2 bits peut être spécifiée par une table de 4 lignes qui donne la valeur de la sortie (0 ou 1) pour chacune des 4 configurations d'entrée (0 0), (0 1), (1 0) et (1 1). Pour ces 4 configurations d'entrée, il existe donc 16 configurations de sorties possibles ($2^{**}4$), c'est-à-dire 16 fonctions possibles de 2 bits, chacune représentée par une séquence de 4 bits. Chaque bit d'entrée additionnel double le nombre de lignes dans la table. En général, pour une fonction de n bits, il y a $2^{**}n$ configurations d'entrée et $2^{**}(2^{**}n)$ fonctions booléennes possibles.

Quelques exemples de fonctions possibles

Prenons la colonne n° 8 de la figure 4.14. On dit à la machine : « Sors 1 si les deux entrées sont 1, sinon sors 0. » C'est la fonction « ET », dont la table de vérité, c'est-à-dire la liste de toutes les sorties pour toutes les configurations d'entrées possibles, est (00,0) (01,0) (10,0) (11,1).

Prenons la colonne n° 6. On dit à la machine : « Sors 1 si une seule des deux entrées est 1, sinon 0. » Donc la table de vérité est : (00,0) (01,1) (10,1) (11,0).

C'est la fonction du « OU exclusif » que le perceptron ne peut pas calculer (voir chapitre 3 figure 3.6). On se rappelle que cette limitation du perceptron est due au fait qu'il ne peut « calculer » que des fonctions linéairement séparables.

L'objet ici est de voir combien il existe de combinaisons d'entrées possibles à partir d'une série de n 0 et 1, autrement dit de n bits.

Si n vaut 1, il y en a $2**1 = 2$.

Si n vaut 2, il y en a 2 fois $2**1$, c'est-à-dire $2**2 = 4$.

Si n vaut 3, il y en a 2 fois $2**2$, c'est-à-dire $2**3 = 8$; puis 16, 32, 64, 128, 256, 512, 1 024, 2 048, 4 096, etc.

Chaque fois que l'on ajoute 1 bit, on double le nombre de combinaisons possibles. Si on a n bits en entrée, il y a $2**n$ configurations d'entrées possibles. Ça commence par 00000... puis 00001 puis 00010, 00011, etc. Quand on fait le dénombrement, on s'aperçoit que c'est 2 à la puissance n, $2**n$.

Une fonction booléenne particulière est une liste de 2 à la puissance n bits.

À chaque configuration de n bits d'entrée est associée une des deux sorties possibles 0 ou 1. Combien y a-t-il de configurations de 2 à la puissance n bits ? Il y en a 2 à la puissance 2 à la puissance n. C'est le nombre de fonctions booléennes possibles de n bits d'entrée. Le chiffre est astronomique, même pour des petites valeurs de n.

Si l'on a une fonction à 25 bits d'entrée, comme le perceptron du chapitre 2, le nombre de fonctions possibles de ces 25 bits est déjà 2 à la puissance 33 554 432. C'est un nombre à 10 100 890 chiffres, bien plus que tous les atomes dans l'Univers visible (qui est un nombre à environ 80 chiffres) ! Et ce résultat est obtenu en n'utilisant que des fonctions binaires simples !

Dans cet exemple, on a travaillé sur une fonction booléenne à 2 entrées et 16 fonctions possibles. Parmi ces 16 fonctions, il y en a deux qui ne sont pas réalisables par le perceptron ou un autre classifieur linéaire (le ou exclusif et son inverse), et donc 14 qui sont réalisables par un classifieur linéaire. Une grande proportion.

Mais à mesure que l'on augmente le nombre de bits d'entrée, cette proportion de fonctions réalisables par un perceptron se réduit comme peau de chagrin. Autrement dit, dès que n est grand, une fonction booléenne de n bits a très peu de chances d'être réalisable par un perceptron.

On peut le visualiser : imaginons que l'on mette des + et des – au hasard dans le plan. Quel pourcentage de chances a-t-on de pouvoir les séparer en deux par une droite ? Si on a 3 points seulement, on peut presque toujours le faire (sauf si les points sont alignés !). Mais si on en a des millions, il est très improbable que l'on puisse les séparer par une droite. Le perceptron ne peut pas apprendre parfaitement un ensemble d'apprentissage constitué de nombreux exemples.

Conclusion, un classifieur linéaire (une architecture à une seule couche de neurones) comme le perceptron n'est pas très flexible. Dès que le nombre de points d'apprentissage dépasse le nombre d'entrées du classifieur linéaire, les chances qu'il puisse séparer les points de la classe A des points de la classe B diminuent. C'est un théorème démontré par le statisticien américain de l'Université de Stanford, Thomas Cover, en 1966[10].

À l'inverse, trop de flexibilité dans la famille de fonctions réalisables par un système à apprentissage est une malédiction.

ILLUSTRATION

Reprenons l'exemple du chapitre 2 avec des images binaires de C et de D sur une grille de 5 × 5 pixels. Il y a 2 à la puissance 33 554 432 fonctions possibles de 25 bits. Si nous avons 100 exemples d'apprentissage, 100 lignes de la table de notre fonction booléenne sont spécifiées. Mais la valeur de la fonction pour les 33 554 332 autres lignes (c'est-à-dire 33 554 432 – 100) n'est pas spécifiée. Il y a donc 2 à la puissance 33 554 332 fonctions qui sont compatibles avec les données, c'est-à-dire qui donnent la bonne réponse sur les 100 exemples. Comment la machine peut-elle choisir une bonne fonction parmi ce nombre gigantesque ? Comment choisir une des fonctions qui va classifier correctement des C et des D non présents dans les 100 exemples d'apprentissage ?

---

10. T. M. Cover, « Geometrical and statistical properties of systems of linear inequalities with applications in pattern recognition », *IEEE Transactions on Electronic Computers*, 1965, EC-14 (3), p. 326-334.

Régularisation :
modérer la capacité d'un modèle

Cette observation conduit à des questions métaphysiques : si une machine à apprentissage peut calculer toutes les fonctions possibles, quelle stratégie va-t-elle utiliser pour choisir une bonne fonction parmi le nombre énorme de fonctions qui sont compatibles avec les exemples d'apprentissage, c'est-à-dire parmi toutes les fonctions qui donnent la bonne réponse ? Le nombre est énorme. Il lui faut un biais d'induction, c'est-à-dire un critère pour décider quelle fonction choisir. Ce biais d'induction est notre rasoir d'Ockham : l'algorithme d'apprentissage choisit la fonction la plus « simple ». Nous devons maintenant définir la notion de simplicité de manière à pouvoir mesurer (ou calculer) la simplicité de n'importe quelle fonction. En fait, toute notion de simplicité (ou de complexité) est bonne à considérer. Ce qu'il nous faut construire est un régulariseur, un programme (ou une fonction mathématique) qui calcule la complexité d'une fonction. Par exemple, dans la famille des polynômes, le degré du polynôme est une mesure possible de complexité du modèle. Pour un réseau de neurones, cela peut être le nombre de neurones ou le nombre de connexions.

Pour que l'apprentissage puisse se faire efficacement, il faut trouver un bon compromis entre l'erreur d'apprentissage et la complexité de la fonction utilisée pour obtenir cette erreur (ou la capacité de la famille de fonctions dont elle est issue). Plus la complexité de la fonction est élevée, plus l'erreur d'apprentissage sera faible, mais moins le système sera susceptible de généraliser.

Au lieu de minimiser seulement l'erreur d'apprentissage $L(w)$, il nous faudrait aussi minimiser un nouveau critère :

$$L'(w) = L(w) + a * R(w)$$

où $L(w)$ est l'erreur d'apprentissage, $R(w)$ est notre régularisateur (c'est-à-dire notre mesure de complexité de la fonction dont les paramètres sont w), et a est une constante qui contrôle le compromis entre modéliser les données et minimiser la complexité du modèle.

Ce détour n'est pas un simple caprice de mathématicien. Cette méthode de régularisation est universellement utilisée chaque fois que l'on construit des systèmes d'intelligence artificielle basés sur l'apprentissage. En pratique, on préfère utiliser un terme de régularisation facile à calculer et facile à minimiser par descente de gradient. Pour les classifieurs linéaires et les réseaux de neurones, on utilise souvent la somme des carrés des poids.

Pour un classifieur linéaire, utiliser la somme des carrés des poids comme régularisateur conduit le système à mettre la frontière entre les classes « au milieu » du no-man's-land situé entre les points des deux classes (ce que les tenants des SVM appellent « maximisation de marge »).

Un autre régulariseur est la somme des valeurs absolues des poids.

Utiliser la somme des valeurs absolues pousse le système à trouver une solution où les poids inutiles (ou peu utiles) sont 0. Si l'on régularise l'apprentissage des coefficients d'un polynôme de cette manière, celui-ci éliminera les coefficients des termes de haut degré s'ils ne sont pas utiles.

Les leçons pour l'homme

Première leçon : à l'image des fonctions booléennes, la complexité de l'intelligence humaine surgit d'une combinaison d'éléments très simples. Elle en est une propriété émergente.

Deuxième leçon : l'inné est une nécessité. Nous avons obligatoirement des structures qui précâblent notre cerveau. Si nous pouvons apprendre, c'est parce que celui-ci est suffisamment spécialisé pour nous permettre de traiter l'information c'est-à-dire de dégager des règles avec peu d'essais et d'erreurs. Si nous étions une *tabula rasa*, si notre cerveau était complètement généraliste, nous pourrions apprendre n'importe quoi (comme les modèles très complexes peuvent apprendre un très grand nombre de données), mais cela nous prendrait énormément de temps. Parce que nous apprendrions tout par cœur.

Troisième leçon : toutes les méthodes d'apprentissage machine décrites ici minimisent une fonction de coût. Elles essaient, elles échouent, elles se réajustent pour se rapprocher du résultat attendu. Les méthodes d'apprentissage chez l'homme et chez l'animal peuvent-elles être interprétées aussi comme des minimisations de fonctions de coût ? On aimerait pouvoir répondre à cette question.

## CHAPITRE 5

Réseaux profonds et rétropropagation

*Le mille-feuille • Neurones continus • Mon HLM ! •
La course • Le Graal... et un peu de maths • De l'uti-
lité des couches multiples • Objections non retenues •
Apprendre les caractéristiques*

Confrontée aux limites du perceptron et consorts, la
communauté scientifique opte pour la solution la plus naturelle
qui consiste à empiler des couches de neurones afin de permettre aux systèmes de réaliser des tâches plus compliquées.

Il faut trouver moyen d'entraîner ces systèmes de bout en
bout. La solution est simple, mais personne ne la voit, et les
recherches sont abandonnées par la communauté scientifique à
la fin des années 1960. Tout change au milieu des années 1980,
lorsque différents chercheurs, sans se concerter, découvrent la
rétropropagation de gradient. La méthode permet de calculer
efficacement le gradient d'un coût dans un réseau multicouche.
Elle ajuste les paramètres des couches du réseau pour minimiser le coût depuis la sortie jusqu'à l'entrée, et, finalement,
les premières couches identifient elles-mêmes les bons motifs
de l'image à détecter pour accomplir la tâche.

Les réseaux de neurones peuvent ainsi apprendre
des tâches complexes et être entraînés avec des millions

de données. Nous parlons d'apprentissage profond, de *deep learning*, simplement à cause de l'empilement des couches.

Le mille-feuille

Même si les principes et les premières applications des réseaux multicouches datent des années 1980, il faut attendre les années 2010 pour que la révolution du *deep learning* se fasse, grâce aux processeurs graphiques programmables (GPU) et à la disponibilité de grandes bases de données.

Aujourd'hui, la rétropropagation constitue la fondation du *deep learning*. Les systèmes d'intelligence artificielle utilisent presque tous cette méthode.

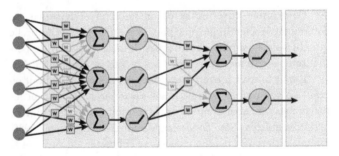

Figure 5.1a. Réseau de neurones multicouche *feed-forward* complètement connecté.

Chaque unité calcule une somme pondérée de ses entrées, passe le résultat par une fonction de transfert, et envoie sa sortie ainsi calculée vers l'entrée d'autres unités dans la couche suivante. Le réseau est ainsi formé d'une alternance de deux types de couches : couches linéaires effectuant les sommes pondérées, et couches non linéaires appliquant la fonction de transfert. Comme avec le perceptron, l'apprentissage consiste à modifier les poids connectant les unités de manière à minimiser une mesure d'erreur (une fonction de coût), mesurant l'écart entre la sortie du réseau et la sortie désirée. La rétropropagation, qui fait l'objet de ce chapitre, calcule le gradient de cette fonction de coût par rapport à tous les poids dans le réseau.

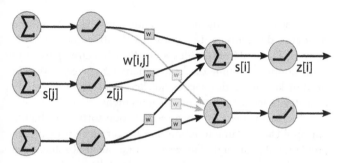

Figure 5.1b. Les neurones d'un réseau sont numérotés.

Le neurone i calcule sa somme pondérée $s[i]$ à partir des sorties de ses neurones en amont. L'ensemble des neurones en amont du neurone i est noté $UP[i]$, et le poids $w[i,j]$ relie le neurone j au neurone i. La formule suivante calcule cette somme :

$$s[i] = \sum_{j \in UP[i]} w[i,j]*z[j]$$

La somme est suivie d'une fonction de transfert non linéaire h produisant la sortie du neurone :

$$z[i] = h(s[i])$$

Un réseau de neurones multicouche est un empilement de plusieurs types de couches. L'entrée de chaque couche peut être vue comme un vecteur (une liste de nombres) qui représente les activations de sortie de la couche précédente. La sortie de la couche considérée est aussi un vecteur qui n'a pas nécessairement la même taille que celui de l'entrée.

On parle de réseau multicouche *feed-forward* pour désigner ce type de réseau dont une couche prend ses entrées sur la ou les couches précédentes. S'il existait aussi des connexions partant des couches hautes (qui sont près de la sortie) vers les couches basses (qui sont près de l'entrée), on parlerait de réseau récurrent. Mais cantonnons-nous pour l'instant aux réseaux *feed-forward*.

Les réseaux de neurones multicouches « classiques » alternent deux types de couches (voir figure 5.1a) :

1. des couches linéaires : chaque sortie est une somme pondérée des entrées. Les nombres d'entrées et de sorties peuvent être différents. Elles sont dites linéaires parce que si on donne la somme de deux signaux en entrée, la couche produit la somme des sorties qu'elle aurait produites si elle avait traité les mêmes signaux séparément.

2. des couches non linéaires : chaque sortie est obtenue par application d'une fonction non linéaire à l'entrée correspondante. Il peut s'agir d'un carré, d'une valeur absolue, d'une sigmoïde, ou quelque autre fonction. Une telle couche possède le même nombre d'entrées que de sorties. Ces opérations non linéaires sont la clé de la puissance des réseaux multicouches. Nous y reviendrons dans un instant (voir figure 5.2).

Une sortie particulière d'une couche linéaire est une somme pondérée s[i] utilisant les poids w[i,j] la connectant à la sortie z[j] d'une unité de la couche précédente :

$$s[i] = \sum_{j \in UP[i]} w[i,j] * z[j]$$

Le symbole UP[i] représente l'ensemble des unités sur lesquelles l'unité i prend son entrée. Une sortie particulière z[i] d'une couche non linéaire suivant une couche linéaire est le résultat de l'application à la somme pondérée d'une fonction non linéaire, qu'on appelle la « fonction de transfert » h :

$$z[i] = h(s[i])$$

La succession de ces deux opérations constitue une unité, autrement dit un neurone. Donc la succession d'une couche linéaire et d'une couche de fonctions de transfert constitue une couche de neurones.

La fonction de transfert envoie sa sortie aux unités ou neurones de la couche suivante. Celle-ci prend les sorties des unités de la couche considérée et effectue le même calcul, et ainsi de suite, couche linéaire, couche non linéaire, jusqu'à la couche de sortie.

Pourquoi alterner des opérations linéaires et non linéaires ? Si toutes les couches étaient linéaires, l'opération totale serait la composition de plusieurs opérations linéaires. Mais cette composition serait équivalente à une seule opération linéaire, ce qui rendrait l'empilement de couches totalement inutile. Un réseau linéaire ne peut calculer que des fonctions linéaires.

Or les fonctions que nous désirons calculer avec les réseaux de neurones ne sont pas linéaires. Les fonctions qui distinguent les images de chats, de chiens ou d'oiseaux sont complexes et terriblement non linéaires. Seule la présence de non-linéarités et de couches multiples permet au réseau de calculer (ou d'approximer) des fonctions de ce type. Des théorèmes montrent qu'un réseau constitué d'un empilement « linéaire, non linéaire, linéaire » est un « approximateur universel » : il peut approximer n'importe quelle fonction d'aussi près qu'on le désire, à condition que la couche intermédiaire possède un nombre suffisant d'unités. Pour faire une approximation correcte d'une fonction compliquée, un réseau de ce type peut nécessiter un nombre faramineux d'unités intermédiaires… Mais, d'une manière générale, pour représenter une fonction compliquée, il est plus efficace d'utiliser un réseau avec de multiples couches.

Une remarque cependant : dans un réseau dit « complètement connecté », toutes les unités d'une couche prennent leurs entrées sur toutes les unités de la couche précédente. Mais la plupart des réseaux de neurones ont des architectures de connexion particulières, où les unités d'une couche prennent leurs entrées sur une petite portion seulement de la couche précédente. Nous le verrons avec les réseaux convolutifs dans le chapitre suivant.

Durant l'entraînement, la sortie désirée du système correspond à la configuration désirée des unités de la dernière couche. Ces unités sont « visibles » puisque leur sortie est la sortie globale du système. En revanche, les unités des couches précédentes sont dites cachées, au sens où on – à la fois l'ingénieur et l'algorithme – ne sait pas quelle sortie désirée leur donner.

Comment fixer les sorties désirées pour les unités cachées ? Ce problème de l'« assignement de crédit » est tout l'objet du *deep learning*…

Neurones continus

Petit flash-back avant de poursuivre ! Jusqu'au début des années 1980, l'architecture des machines est bâtie sur des neurones binaires qui émettent un signal quand la somme pondérée de leurs entrées dépasse un seuil. Ils émettent –1 quand la somme pondérée est en dessous. Ils ont donc deux sorties possibles, soit +1, soit –1 (certains préfèrent des neurones dont la sortie est 1 ou 0).

Ces seuils ont l'inconvénient de faire apparaître des marches dans la fonction de coût : lorsqu'un poids change d'une petite quantité, ce changement peut n'avoir aucune répercussion sur la sortie du neurone qu'il alimente. Mais si le poids change d'une quantité suffisante, il se produit un basculement brutal de la sortie du neurone de –1 à +1 ou de +1 à –1. Si le changement se propage jusqu'à la sortie du réseau, cela produira un changement brutal de la fonction de coût.

En d'autres termes, une petite modification des paramètres peut n'entraîner aucun changement dans la fonction de coût, ou, au contraire, provoquer un changement brutal. Le paysage montagneux de la fonction de coût se transforme en une succession de paliers séparés par des marches. Il n'y a plus de pente pour nous indiquer la direction de la vallée, et les méthodes de descente de gradient ne fonctionnent pas.

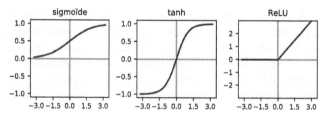

Figure 5.2. Fonctions de transfert non linéaires utilisées dans les réseaux de neurones multicouches.

À gauche : la fonction sigmoïde qui passe continûment de 0 à 1 s'écrit $y = 1/(1+\exp(-x))$. *Au milieu :* la tangente hyperbolique, identique à la sigmoïde mais passant de −1 à +1. *À droite :* la fonction « partie positive », aussi appelée ReLU (pour *rectified linear unit*), où $y = x$ si x est positif et 0 sinon. Cette dernière est de loin la plus utilisée dans les réseaux de neurones récents.

Bref, les neurones binaires sont incompatibles avec l'apprentissage par descente de gradient.

De « meilleurs » neurones ont été adoptés dès que la puissance de calcul des ordinateurs a été suffisante. La sortie du neurone ne passe plus brutalement de −1 à +1, et la fonction appliquée à la somme pondérée ne ressemble plus à une marche d'escalier. La sortie continue prend la forme d'une courbe en « S ».

Nous avons vu au chapitre 4 que toutes les méthodes d'apprentissage sont basées sur la minimisation d'une fonction de coût. Il faut pouvoir en calculer le gradient par rapport aux paramètres du système, c'est-à-dire savoir dans quelle direction et de combien changer tous les paramètres pour que cette fonction de coût décroisse. Rappelons-le, entraîner un système et réduire l'erreur qu'il fait pendant la phase d'apprentissage consiste en une seule et même démarche.

Avec ces « meilleurs » neurones, la moindre modification d'un paramètre d'entrée d'un neurone, telle que répercutée dans la somme pondérée, fait changer la sortie de ce neurone.

Et, de proche en proche, l'augmentation ou la diminution de ce paramètre, si petite soit-elle, se traduit automatiquement par un changement de la sortie finale du système, et donc par un changement de la fonction de coût. Cette continuité permet l'utilisation de méthodes de descente de gradient pour entraîner les réseaux multicouches.

Mon HLM !

Second flash-back : au début des années 1980, la question de l'algorithme d'apprentissage se pose toujours, mais peu de gens s'y intéressent. Les neurones sont encore binaires. Pas question de calculer des gradients de manière analytique (personne n'y pense). Quant à la perturbation – prendre un poids, le modifier et observer l'effet sur la sortie –, elle est trop inefficace pour de grands réseaux comportant beaucoup de poids… C'est un casse-tête !

Quand la sortie est incorrecte, à quels neurones du réseau l'algorithme doit-il en attribuer le tort ? Quels poids faut-il changer ? Et comment calculer leurs modifications ?

De mon côté, je lis. De nombreuses tentatives ont eu lieu dans les années 1960, puis plus rien, ou presque, dans les années 1970. Fukushima est un des rares scientifiques à s'être entêté. Son Cognitron est bien un réseau multicouche, mais d'un type particulier. Ses neurones ne sont pas binaires, ils tentent de « coller » à ce qu'on sait des neurones biologiques. Toutes les couches, sauf la dernière, sont entraînées par apprentissage non supervisé. Nous n'en avons pas encore parlé. Il consiste à entraîner chaque groupe de neurones à découvrir automatiquement des catégories de motifs. Mais ces motifs ne sont pas déterminés par la tâche ultime, ils sont identifiés par leur fréquence : si le motif d'un contour vertical apparaît

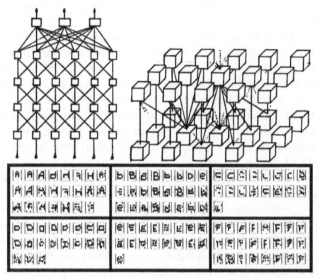

Figure 5.3. Une illustration de mon article sur HLM.

Au congrès Cognitiva, en 1985, je présente une architecture de réseau en couches à connexions locales. Il est entraîné sur des exemples jouets : de toutes petites images simulant des caractères très bruités, c'est-à-dire déformés ou difficiles à lire.

souvent dans le champ d'entrée d'un groupe de neurones, alors ce groupe allouera un neurone du groupe à sa détection. Toutes ces opérations constituent la procédure d'apprentissage.

Seule la dernière couche du Cognitron est entraînée de manière supervisée à minimiser une mesure d'erreur, à la manière du perceptron. Ce n'est pas très efficace parce que les couches internes ne sont pas entraînées spécifiquement pour la tâche. Elles peuvent apprendre à détecter des motifs qui ne seront pas utiles pour la tâche ultime. Par exemple, détecter la différence entre un trait épais et un trait fin alors que cette détection n'est pas utile pour reconnaître les caractères.

En 1981 ou 1982, alors que je suis encore à l'ESIEE, il me vient l'idée, je ne sais plus comment, d'un algorithme d'apprentissage pour réseau multicouche, que je baptise HLM (Hierarchical Learning Machine)[1]. HLM est constitué de nombreuses unités identiques empilées les unes sur les autres. J'ai une intuition, plus ou moins justifiée sur le plan mathématique, et je me lance un peu en aveugle dans la tâche de la programmer sur un ordinateur, pour la tester. Mais le temps me manque. Je reprends ce projet de manière obsessionnelle quand je commence mon DEA en 1983. Une vraie addiction... qui m'occupera une année entière !

Je vais consacrer quelques pages à vous décrire HLM, juste pour la petite histoire, parce que la méthode n'est plus utilisée.

HLM a une qualité qui est aussi un défaut : elle utilise des neurones binaires à seuil dont la sortie est +1 ou −1. Calculer des sommes pondérées avec des neurones binaires ne nécessite pas d'effectuer des multiplications, mais seulement des additions et des soustractions. Éliminer les multiplications permet d'accélérer les calculs sur les ordinateurs de l'époque.

Pour entraîner ce réseau particulier, j'ai trouvé une astuce. Dans la couche de sortie, les neurones ont une cible bien déterminée qui est la sortie désirée, donnée de l'extérieur. La couche précédente essaie alors de trouver, pour chacun de ses neurones, une cible binaire, +1 ou −1, telle qu'elle satisfait aux besoins de la couche suivante. Et ainsi, petit à petit, jusqu'à la première couche.

La méthode HLM permet donc de propager ces cibles à l'envers, en partant de la sortie. La sortie « dit » aux neurones de la couche précédente : « Voilà ma sortie désirée. Pour l'instant, vous ne sortez pas les bonnes sorties qui me

---

1. *Cf.* chapitre 2, p. 41.

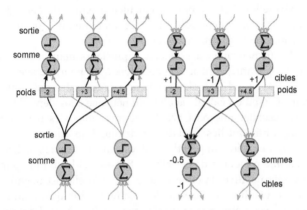

Figure 5.4. Rétropropagation de cible de la procédure HLM avec neurones binaires.

Pour l'apprentissage, chaque neurone calcule une cible (une sorte de sortie désirée pour lui-même, +1 ou −1) en faisant « voter » les neurones en aval. Chaque neurone en aval vote en faveur de sa propre cible, en proportion du poids qui le lie au neurone considéré. La cible d'un neurone est calculée comme la somme pondérée des cibles des neurones en aval, en utilisant les poids des connexions les liant au neurone considéré. La cible est +1 si cette somme est positive et −1 si elle est négative. Sur la figure, le neurone en aval, à gauche, vote +1 avec un poids de −2 (ce qui est équivalent à voter −1 avec un poids de +2), celui du centre vote −1 avec un poids de 3, et celui de droite +1 avec un poids de 4,5. Au total, la somme pondérée est −2 − 3 + 4,5 = −0,5, et la cible calculée est donc −1. Les poids du neurone sont entraînés pour que la sortie du neurone se rapproche de la cible, à la manière d'un perceptron.

permettent de donner la bonne réponse, donc voilà les sorties désirées que je voudrais que vous produisiez. » Chacune des unités de la couche précédente « parle » à plusieurs neurones de la couche suivante, qui doivent trouver le meilleur compromis pour les satisfaire au mieux. Et ainsi de suite, comme un effet domino.

Résumons ! Chaque neurone a une cible (une sortie désirée virtuelle). Cette cible est calculée à partir de celle des neurones de la couche suivante, et ce, en remontant jusqu'aux neurones de la première couche.

Si un neurone est connecté à plusieurs neurones de la couche suivante, il peut être connecté à un neurone avec un poids très grand et à d'autres neurones avec des poids plus petits. Quand on calcule la cible du neurone considéré, il faut donc accorder une part privilégiée aux cibles des neurones aval qui lui sont liés avec des poids plus importants.

Pour ce faire, on prend les cibles d'une couche, on calcule la somme pondérée de ces cibles. Ensuite, si la somme pondérée est positive, la cible vaudra +1, et si elle est négative, la cible vaudra −1. Ce sont les mêmes poids qu'on utilise dans un sens et dans l'autre. On peut voir ce calcul comme une sorte de scrutin, où les neurones en aval « votent » pour une cible du neurone considéré en proportion du poids qui les lie à ce neurone. Comme le neurone est binaire, sa cible doit aussi être binaire, +1 ou −1.

Avec cet algorithme HLM, la cible t[j] du neurone j doit donc être la somme pondérée des cibles des neurones de la couche suivante. Il prend les cibles des neurones suivants, il calcule la somme pondérée de ces cibles, dont les coefficients de pondération sont les poids des connexions liant le neurone j aux neurones avals. Cette somme est passée par un seuil et elle donne la cible de ce neurone-là.

$$t[j] = \text{sign}(\sum_{i \in DN[j]} w[i,j] * t[i])$$

Le symbole DN[j] désigne l'ensemble des neurones en aval (*downstream*) vers lesquels le neurone j projette sa sortie. Le poids w[i,j] est donc utilisé « à l'envers ».

On calcule toutes ces cibles de proche en proche et, à la fin, pour chaque neurone, on a une cible et une sortie effective et on met à jour les poids avec une méthode très similaire au perceptron pour que la sortie se rapproche de la cible. Comme si on avait plein de petits perceptrons connectés les uns aux autres, et une redistribution de la cible finale au niveau de chaque neurone.

Je fais quelques expériences de reconnaissance de formes. L'algorithme fonctionne, mais il est un peu instable. Je présente mon idée pour la première fois dans un petit congrès à Strasbourg en 1984 intitulé « Neurosciences et sciences de l'ingénieur », le lieu de rendez-vous annuel de la toute petite communauté française qui s'intéresse aux réseaux de neurones. L'article sur HLM sera publié en juin 1985 dans les actes du congrès Cognitiva à Paris.

Ma trouvaille s'avère être une version un peu étrange de l'algorithme de rétropropagation de gradient, qui est la règle aujourd'hui pour entraîner toutes les couches, et pas seulement la dernière, dans un réseau multicouche (ou réseau profond). D'un point de vue mathématique, j'ai montré un peu plus tard que cette rétropropagation cible appartient à une classe d'algorithmes qu'on appelle *target propagation*, qui sont équivalents à la rétropropagation de gradient dans la limite de petites erreurs. Sauf qu'elle ne propage pas des gradients, mais des cibles virtuelles pour les neurones.

La course

En discutant avec mon ami Didier Georges (aujourd'hui professeur à l'Institut national polytechnique de Grenoble), qui fait alors un doctorat sur la planification de trajectoire en robotique, je m'aperçois qu'il y a une similitude étonnante entre les méthodes sur lesquelles je travaille et ce que les chercheurs en théorie de la commande optimale appellent la méthode de l'état adjoint. Je réalise qu'en utilisant des fonctions de transfert continues (et non binaires) et en propageant des erreurs, et non des cibles, les mathématiques deviennent simples et cohérentes. Cette méthode de l'état adjoint appliquée aux réseaux multicouches est en fait la rétropropagation de gradient ! Plus besoin de justifier mon intuition : ce nouvel algorithme est facilement produit à l'aide d'un formalisme mathématique inventé à la fin du XVIIIᵉ siècle par le mathématicien franco-italien Joseph-Louis Lagrange pour formaliser la mécanique newtonienne. Je découvre donc la rétropropagation de gradient.

Mais nous sommes fin 1984, je suis encore en train de travailler sur HLM, et je ne vais pas avoir le temps de tester et de publier cette nouvelle idée...

Pendant ce temps, d'autres planchent ailleurs sur la même question : Geoffrey Hinton, alors jeune professeur à l'Université Carnegie-Mellon, travaille sur les machines de Boltzmann, une autre approche pour entraîner des réseaux avec unités cachées. Ces machines sont en fait des réseaux à connexions symétriques, où les connexions entre neurones se font dans les deux sens. Il en formule l'idée, avec Terry Sejnowski, en 1983. Mais son article est d'une prudence de Sioux. Jamais il ne mentionne que les unités de la machine de Boltzmann ont des airs de neurones et que les connexions sont assimilables à des synapses. Pas une seule fois ! Le titre même, « Inférence perceptuelle optimale », obscurcit le sujet principal de l'article. Car à l'époque, les réseaux de neurones sentent le soufre. Autant parler du diable !

Rapidement, Geoff rencontre des difficultés avec les machines de Boltzmann. Il jette alors son dévolu sur l'idée de Dave Rumelhart de 1982, la rétropropagation, qu'il arrive à faire fonctionner. Nous sommes au printemps 1985, juste après les Houches. Je vais bientôt rencontrer Geoff à Paris, où il me fera part de ses travaux. J'ai déjà commencé à modifier mon programme HLM pour l'adapter à la rétropropagation, mais je n'aurai pas le temps de le tester avant que Geoff termine le sien. Il publie donc un rapport technique en septembre 1985 avec Rumelhart et Williams, puis en fait le chapitre d'un livre paru en 1986, qui fait date : *Parallel*

Distributed Processing[2]. Il y cite mon article sur HLM. Lui Grand Manitou, moi Petite Plume ! J'ai un peu raté le coche, mais je suis comblé.

Le Graal…
et un peu de maths

La rétropropagation de gradient que nous allons décrire est la méthode efficace pour calculer le gradient d'une fonction de coût, c'est-à-dire la direction de la plus grande pente dans des réseaux composés de plusieurs couches de neurones. Le principe consiste à propager un signal à l'envers dans le réseau, mais au lieu de propager des cibles comme dans HLM, on propage des gradients, c'est-à-dire des dérivées partielles.

Pour l'expliquer, il faut considérer séparément les fonctions linéaires et les fonctions non linéaires.

La notion mathématique sur laquelle se base la rétropropagation n'est autre que la règle de dérivation des fonctions composées. Comme on l'apprend au lycée, une fonction composée est l'application d'une fonction à la sortie d'une autre fonction. On applique à x d'abord la fonction f, puis la fonction h au résultat. Pourquoi est-ce important ? Parce que deux couches successives, linéaire et non linéaire, peuvent être vues comme l'application de deux fonctions, par exemple f pour la première, et h pour la deuxième. S'il y a de multiples couches, il y a de multiples emboîtements de fonctions. Finalement, les équations se simplifient. C'est la beauté des mathématiques !

2. D. E. Rumelhart, G. E. Hinton, R. J. Williams, « Learning internal representation by error propagation », *in* D. E. Rumelhart, J. McClelland (dir.), *Parallel Distributed Processing*, The MIT Press, 1986.

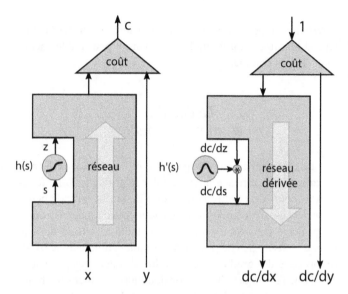

Figure 5.5. Rétropropager un gradient à travers une fonction de transfert.

La dérivée du coût par rapport à l'entrée de la fonction de transfert est égale à la dérivée du coût par rapport à la sortie de la fonction de transfert multipliée par la dérivée de la fonction de transfert : dc_ds=dc_dz*h'(s)

Imaginons un réseau compliqué de plusieurs couches dont on ne connaît pas la nature, comme sur la figure 5.5. En sortie de ce réseau, un coût mesure l'écart entre la sortie du réseau et la sortie désirée. Considérons une unité particulière dans ce réseau. Elle calcule la somme pondérée de ses entrées et passe cette somme s par la fonction de transfert h et produit un résultat z=h(s). Si nous connaissions la dérivée de la fonction de coût par rapport à la sortie de la fonction de transfert dc_dz (c'est-à-dire le rapport dc/dz entre le changement dc du coût de c résultant d'une perturbation dz de z), cette dérivée nous dit que si z est perturbé d'une infime quantité dz, le coût c sera perturbé d'une infime quantité dc = dz*dc_dz.

Quelle est la dérivée de c par rapport à s, que l'on va noter dc_ds ?
Si on perturbe s d'une infime quantité ds, la sortie de la fonction de transfert
sera perturbée d'une infime quantité dz = ds*h'(s), où h'(s) est la dérivée de h au point s. Par conséquent, le coût sera perturbé de la quantité
dc=ds*h'(s)*dc_dz. En d'autres termes :

$$dc\_ds = h'(s)*dc\_dz.$$

Donc, si nous connaissons la dérivée de c par rapport à z, nous pouvons
calculer la dérivée de c par rapport à s en multipliant par la dérivée de h
au point s. C'est ainsi que l'on rétropropage des gradients à travers une
fonction de transfert.

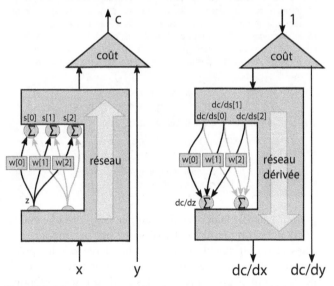

Figure 5.6. Rétropropager un gradient à travers une somme pondérée.

La dérivée du coût par rapport à la sortie z d'une unité est la somme des dérivées du coût par rapport aux unités en aval, pondérées par les poids connectant
l'unité considérée à ces unités en aval :

$$dc\_dz = w[0]*dc\_ds[0]+w[1]*dc\_ds[1]+w[2]*dc\_ds[2]$$

Occupons-nous maintenant de la rétropropagation à travers une somme pondérée.

Considérons la sortie d'une unité z, qui est envoyée à plusieurs unités en aval calculant des sommes pondérées. Cette sortie z est envoyée aux unités en aval à travers des poids $w[0], w[1], w[2]$ qui sont utilisés pour calculer les sommes pondérées $s[0], s[1], s[2]$, comme dans la figure 5.6.

Supposons que l'on connaisse les dérivées de c par rapport aux unités en aval $dc\_ds[0], dc\_ds[1], dc\_ds[2]$

Si on perturbe z d'une infime quantité dz, la somme pondérée $s[0]$ sera perturbée de $w[0]*dz$.

En conséquence, le coût sera perturbé de $dz*w[0]*dc\_ds[0]$

Mais la perturbation dz va aussi provoquer deux chaînes de perturbations. La première où $s[1]$ est perturbé d'une valeur de $w[1]*dz$, elle-même causant une perturbation du coût de valeur $dz*w[1]*dc\_ds[1]$.

La deuxième où $s[2]$ est perturbé de $w[2]*dz$, causant une perturbation du coût de $dz*w[2]*dc\_ds[2]$.

Au total, le coût va être perturbé de la somme de toutes ces perturbations :

$$dc = dz*w[0]*dc\_ds[0] + dz*w[1]*dc\_ds[1] + dz*w[2]*dc\_ds[2]$$

C'est une manière de dire que la dérivée dc/dz est :

$$dc\_dz = w[0]*dc\_ds[0] + w[1]*dc\_ds[1] + w[2]*dc\_ds[2]$$

Voici la formule de rétropropagation de gradient à travers une couche linéaire (effectuant des sommes pondérées).

Pour calculer la dérivée du coût par rapport à une entrée de la couche, on prend les dérivées du coût par rapport aux sorties et on en calcule la somme, pondérée par les poids connectant l'entrée à ces sorties. En d'autres termes, on calcule des sommes pondérées avec les poids utilisés à rebours, comme avec HLM.

En résumé, pour rétropropager des dérivées à travers une couche de fonctions de transfert et des couches effectuant des sommes pondérées, il y a deux formules :

1. couche de fonctions de transfert
   a. propagation avant : `z[i]=h(s[i])`
   b. propagation arrière : `dc_ds[i] = h'(s[i])*dc_dz[i]`
2. couche de sommes pondérées
   a. propagation avant : $s[i] = \sum_{j \in UP(i)} w[i,j]*z[j]$
   b. propagation arrière : $dc\_dz[j] = \sum_{i \in DN[j]} w[i,j]*dc\_ds[i]$

Il nous reste à calculer les dérivées du coût par rapport aux poids.

Lorsqu'on perturbe un poids `w[i,j]` d'une infime quantité `dw[i,j]`, la somme pondérée à laquelle il contribue sera perturbée de `dw[i,j]*z[j]`. Le coût sera perturbé de `dc=dw[i,j]*z[j]*dc_ds[i]`.

Par conséquent, le gradient du coût par rapport au poids `w[i,j]` est :

`dc_dw[i,j] = z[j]*dc_ds[i]`

Nous voilà munis des trois formules de la rétropropagation de gradient dans les réseaux de neurones multicouches classiques !

Avec la dérivée du coût par rapport aux poids, on peut effectuer la descente de gradient. Chaque poids dans le réseau est mis à jour avec l'instruction habituelle de descente de gradient :

`w[i,j] = w[i,j] - e*dc_dw[ij]`

Résumons : l'objectif de cet exercice était de calculer les gradients d'une fonction de coût par rapport aux entrées d'une couche, étant donné les gradients du coût par rapport aux sorties de la couche. Cela nous conduit à calculer tous les gradients en les rétropropageant à travers toutes les couches à rebours. La dernière étape est d'utiliser ces gradients du coût par rapport aux sorties (ou entrées) des couches pour calculer les gradients par rapport aux paramètres (aux poids des couches linéaires).

De l'utilité des couches multiples

Le principe d'apprentissage reste le même : il consiste à ajuster les paramètres du réseau pour que le système fasse la plus petite erreur possible. L'entraînement de bout en bout de réseaux multicouches constitue le *deep learning*, ou apprentissage profond. Le système apprend non seulement à classifier, mais les couches successives arrivent aussi à transformer leurs entrées de manière à en faire des représentations pertinentes, comme le faisait l'extracteur de caractéristiques dans le perceptron amélioré. En réalité, les couches successives sont une version entraînée de l'extracteur de caractéristiques. C'est l'avantage décisif des réseaux multicouches : ils apprennent automatiquement à représenter le signal de manière appropriée.

EXPLICATION AVEC LES DÉRIVÉES[3]

Le développement ci-dessus faisait appel à l'intuition en se reposant sur très peu de notions de mathématiques. Mais un autre développement, plus direct pour certains, recourt à des notions de mathématiques telles que les dérivées, les dérivées partielles, les vecteurs et les matrices.

La règle de dérivation des fonctions composées (*chain rule* en anglais) dit que la dérivée de $c(f(z))$ par rapport à x, notée $(c(f(z)))'$, est égale à $c'(f(z))*f'(z)$. Cette règle de dérivation des fonctions composées fonde la rétropropagation.

Démonstration !

Si on perturbe z d'une petite quantité dz, la sortie de $f(z)$ changera de la quantité $f'(z)*dz$. C'est simplement une conséquence de la définition de la dérivée qui est la limite quand dz tend vers zéro du rapport $f'(z) = [f(z+dz)-f(z)]/dz$. En multipliant des deux côtés par dz, on obtient :

---

3. Pour pouvoir manipuler des tableaux de nombres multidimensionnels en Python, tel que nous le faisons ici, il est bon d'utiliser une des bibliothèques prévues à cet effet, telles que Numpy ou PyTorch. PyTorch, en particulier, contient de nombreuses fonctions efficaces pour effectuer les opérations décrites dans ce livre, en tirant parti des GPU le cas échéant. http://PyTorch.org.

$$f(z+dz)-f(z) = f'(z)*dz$$

donc, quand la sortie de la fonction f est perturbée de $f'(z)*dz$, la sortie de c sera perturbée $c'(f(z))*f'(z)*dz$. Le rapport entre la perturbation de la sortie de $c(f(z))$ et la perturbation de l'entrée (c'est-à-dire dz) est donc $c'(f(z))*f'(z)$. C'est la dérivée de $c(f(z))$:

$$c(f(z))' = c'(f(z))*f'(z)$$

Une dérivée est un rapport de deux quantités infinitésimales : la perturbation de la sortie divisée par la perturbation de l'entrée. Si la fonction dépend de plusieurs variables, le rapport de la perturbation de la sortie sur la perturbation d'une variable particulière s'appelle une dérivée partielle. Nous en avons vu des exemples au chapitre précédent.

La situation se complique lorsque la fonction, dépend non seulement de plusieurs variables, mais produit aussi plusieurs sorties.

Par exemple, une couche linéaire est une fonction avec plusieurs variables d'entrées et plusieurs sorties. Chaque sortie $s[i]$ est une somme pondérée des entrées $z[j]$ à l'aide de la formule $s[i] = \sum_{j \in UP[i]} w[i,j]*z[j]$. Un petit programme peut calculer tout ça :

```
def lineaire(z,w,s,UP):
    for i in range(len(s)):
        s[i]=0
        for j in UP[i]:
            s[i] = s[i]+w[i,j]*z[j]
    return s
```

Les poids de la couche peuvent être vus comme un tableau de nombres à deux indices : l'indice de ligne i et l'indice de colonne j. Ce tableau lui-même peut être vu comme un vecteur dont chaque élément est lui-même un vecteur :

```
[[w[0,0], w[0,1], w[0,2],…],
 [w[1,0], w[1,1], w[1,2],…]
 ................]
```

Ce tableau de nombres est une matrice.

La petite fonction lineaire() ci-dessus calcule le produit de la matrice w avec le vecteur z, c'est-à-dire qu'elle calcule un vecteur s dont la dimension est le nombre de lignes de w et dont chaque élément est le produit scalaire de la ligne correspondante de w avec z.

En PyTorch, il existe une fonction très efficace pour ce faire.

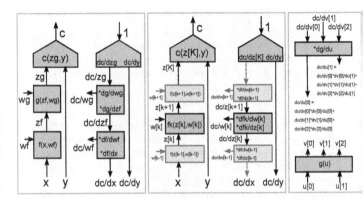

Figure 5.7. Un réseau multicouche représenté par un graphe de modules fonctionnels interconnectés.

Dans la formulation moderne du *deep learning*, un réseau multicouche est un graphe de modules interconnectés, chapeautés par un module de coût. On désigne par module n'importe quelle fonction qui peut comporter plusieurs entrées, plusieurs sorties et plusieurs paramètres. Une couche complète de neurones linéaires est un « module ».

À gauche : le réseau est composé de deux modules $f(x,wf)$ dont la sortie est zf. Ce module est suivi d'un second module $g(zf,wg)$ dont la sortie est zg. La sortie zg est comparée à la sortie désirée y à l'aide du module de coût $C(zg,y)$. *Au milieu* : un cas plus général de réseau constitué d'un empilement de modules numérotés. La sortie du module numéro k, un vecteur noté $z[k]$, est obtenue par l'application de la fonction fk à la sortie du module précédent, le vecteur $z[k]$, et de son vecteur de paramètres $w[k]$:

$$z[k+1] = fk(z[k],w[k])$$

Étant donné le gradient du coût par rapport au vecteur $z[k+1]$, noté $g[k+1]$, nous pouvons calculer le gradient du coût par rapport au vecteur $z[k]$, noté $g[k]$ (par convention, $g[k]$ est vu comme un vecteur ligne et non comme un vecteur colonne), à l'aide de la formule :

$$g[k] = g[k+1]*dfk\_dzk$$

où dfk_dzk est la matrice jacobienne de la fonction $fk(z[k],w[k])$ par rapport à $z[k]$, c'est-à-dire le tableau dont chaque terme indique de combien une sortie particulière de fk est perturbée lorsqu'on perturbe une entrée particulière. Le tableau contient un terme pour chaque paire de sortie et d'entrée. La matrice jacobienne est illustrée à droite.

Pour rétropropager des gradients à travers une couche comportant plusieurs entrées et plusieurs sorties, telle qu'une couche linéaire, il faut appliquer une forme de la règle de dérivation des fonctions composées qui prend en compte les dérivées partielles de chaque sortie par rapport à chaque entrée.

Expliquons maintenant comment calculer les gradients dans une architecture multicouche à l'aide de cette règle de dérivation des fonctions composées.

Imaginons un réseau à 2 couches comme celui à gauche, dans la figure 5.7. Chaque couche est une fonction paramétrée, la première couche f(x,wf) prend l'entrée x et un paramètre wf et produit sa sortie zf. La deuxième couche g(zf,wg) prend la sortie de la première couche et un paramètre wg et produit la sortie du réseau zg. Une fonction de coût C(zg,y) mesure l'écart entre la sortie du réseau zg et la sortie désirée y.

Imaginons que l'on connaisse le gradient de C(zg,y) par rapport à zg, que l'on note dC(zg,y)/dzg[4]. Comme C(zg,y) = C(g(zf,wg),y), grâce à la règle de dérivation des fonctions composées, je peux écrire :

$$dC(zg,y)/dzf = dC(zg,y)/dzg*dgz/dzf$$

mais zg n'est autre que la sortie de g(fz,wg). On peut écrire :

$$dC(zg,y)/dzf = dC(zg,y)/dzg*dg(zf,wg)/dzf$$

Le terme de gauche est un vecteur. À la droite du signe égal, nous trouvons le produit de deux dérivées. La première est aussi un vecteur. La deuxième est une matrice, c'est-à-dire un tableau de nombres, comme la matrice de poids dont nous avons parlé plus haut. Cette matrice s'appelle un jacobien. Nous allons numéroter chaque ligne du jacobien avec l'indice i et chaque colonne avec l'indice j. Le terme i,j indique de combien la sortie numéro j du module g est perturbée lorsqu'on perturbe l'entrée numéro i de ce module. Il y a un terme de ce type dans la matrice pour chaque paire d'entrée et de sortie. Peu importe la structure interne du module g, la formule nous dit comment rétropropager des gradients à travers le module, du moment qu'on sait calculer le produit de son jacobien par un vecteur. Avec ce calcul nous avons le gradient du coût par rapport à l'entrée du module g.

---

4. Pour les spécialistes, par convention, un vecteur de gradient, tel que dC/dz est vu comme un vecteur ligne, c'est-à-dire un vecteur transposé par rapport à un vecteur conventionnel. Cela nous permet de le multiplier à droite par une matrice jacobienne.

Le module g possède deux arguments (deux ensembles d'entrées) : zf (la sortie de f) et wg (les paramètres). Pour obtenir le gradient de C par rapport aux paramètres, on effectue la même opération que ci-dessus, mais en utilisant le jacobien de g par rapport à wg :

$$dC(zg,y)/dwg = dC(zg,y)/dzg*dg(zf,wg)/dwg$$

Cela nous donne le gradient par rapport à wg qui nous permettra de mettre à jour ce vecteur wg.

Pour obtenir le gradient du coût par rapport aux paramètres du module f, wf, on effectue un calcul similaire :

$$dC(zg,y)/dwf = dC(zg,y)/dzf*df(x,wf)/dwf$$

Le dernier terme à droite est la matrice jacobienne du module f par rapport à son vecteur de paramètres wf.

Plaçons-nous maintenant dans un cas plus général d'un réseau à plusieurs modules empilés tel que celui représenté dans le schéma 2 de la figure 5.7. Le réseau est une cascade de plusieurs modules numérotés par un indice k. Le module numéro k est une fonction fk(z[k], w[k]) dont la sortie est z[k+1]. Supposons que l'on connaisse le gradient de la fonction de coût par rapport à z[k+1], et notons-le g[k+1] :

$$g[k+1] = dC/dz[k+1]$$

Grâce à la règle de dérivation des fonctions vectorielles composées montrées plus haut, on peut écrire :

$$g[k] = dC/dz[k] = dC/dz[k+1]*dz[k+1]/dz[k]$$

Le dernier terme est la matrice jacobienne du module k :

$$dz[k+1]/dz[k] = dfk(z[k],w[k])/dz[k]$$

c'est-à-dire la matrice dont le terme i, j (à la ligne i et la colonne j) indique de combien varie la sortie j du module lorsqu'on perturbe l'entrée i. Cette formule est récursive : elle s'applique à n'importe quel module et calcule le gradient par rapport à son entrée étant donné le gradient par rapport à sa sortie. De proche en proche, en appliquant cette règle à tous les modules, en partant de la sortie du réseau et en se dirigeant vers l'entrée, on peut calculer tous les gradients du coût par rapport à tous les z[k]. De même, nous pouvons maintenant calculer les gradients par rapport aux paramètres à l'aide d'une formule similaire :

$$g[k] = dC/dw[k] = dC/dz[k+1]*dz[k+1]/dw[k]$$

Le dernier terme est la matrice jacobienne du module k :

$$dz[k+1]/dw[k] = dfk(z[k],w[k])/dw[k]$$

Les formules de rétropropagation nous disent ceci :

1. Le gradient de la fonction de coût C par rapport à l'entrée de la couche k, c'est-à-dire la sortie de la couche k-1, est égal au gradient du coût par rapport à la sortie de la couche k, c'est-à-dire l'entrée de la couche k+1 multipliée par la matrice jacobienne de la fonction de la couche k par rapport à son vecteur d'entrée. Cette procédure appliquée de manière récursive, en partant de la sortie et se dirigeant vers l'entrée, permet de calculer les gradients du coût par rapport aux sorties (et aux entrées) de toutes les couches.

2. Le gradient de la fonction de coût C par rapport au vecteur de paramètres de la couche k est égal au gradient du coût par rapport à la sortie de la couche k, multiplié par la matrice jacobienne de la fonction de la couche k par rapport à son vecteur de paramètres.

Ces formules représentent la forme générale de la rétropropagation de gradient dans une structure de modules empilés les uns sur les autres. Mais la même procédure peut s'appliquer lorsque les modules sont connectés les uns aux autres de manière plus compliquée. Cela fonctionne du moment que le schéma de connexions entre modules n'a pas de boucles, c'est-à-dire qu'il n'a pas de connexions qui reviennent en arrière. Avec un schéma sans boucle, il y a un ordre naturel pour calculer les sorties de tous les modules, et l'ordre inverse pour rétropropager les gradients.

Malgré cette petite restriction (que l'on peut lever, comme nous le verrons plus tard), la possibilité d'utiliser des modules très divers, combinée à la liberté de les arranger comme il veut, donne à l'ingénieur beaucoup de souplesse pour adapter l'architecture du réseau à un problème particulier. Par exemple, les architectures de réseaux conçus pour la reconnaissance d'image, la reconnaissance de la parole,

la traduction, la synthèse d'images et la production de texte
sont toutes très différentes.

Objections non retenues

Pour imposer la nouveauté de la rétropropagation, il a
fallu dépasser les objections théoriques. Certains avançaient
l'idée que si on construit un réseau de neurones multicouches
avec des neurones continus, et qu'on essaie de l'entraîner par
descente de gradient, telle que nous l'avons décrite dans le
chapitre 4, on risque de se trouver bloqué dans des minima
locaux. Pour reprendre l'image du paysage de montagne, on
peut se retrouver dans de petites cuvettes, sans plus pouvoir
descendre dans la vallée. Il s'avère qu'en pratique les systèmes
ne se retrouvent jamais coincés en altitude[5]. C'est ainsi. On
comprend maintenant un peu pourquoi...

Pourquoi les réseaux multicouches peuvent-ils avoir plusieurs minima ? Lorsqu'on entraîne un réseau multicouche à
accomplir une tâche, il existe presque toujours plusieurs configurations de poids qui donneront exactement le même résultat
sur les exemples d'apprentissage. Imaginons un réseau avec
deux couches linéaires qui aurait déjà été entraîné (le réseau
ne serait pas très utile pour une application réelle, mais c'est
un bon cas d'école). Sa configuration de poids est à un minimum de la fonction coût. On pourrait prendre tous les poids
d'un neurone de la première couche, les multiplier par 2, et
simultanément multiplier par 1/2 tous les poids qui en sortent
et qui le connectent à la couche suivante. La sortie du réseau
en resterait inchangée. Cette configuration de poids modifiée
est une autre solution au problème. Comme la configuration
originale était un minimum, la nouvelle en est aussi un.

5. *Cf.* chapitre 4, figure 4.5, p. 142.

On peut transformer le réseau d'une autre manière. Prenons deux neurones de la première couche et intervertissons-les, tout en tirant avec eux les « fils » (et donc les poids) les connectant à la couche précédente et à la couche suivante. Encore une fois, la fonction entrée-sortie du réseau reste inchangée, malgré la transformation. Si la configuration originale était un minimum de la fonction de coût, la deuxième l'est aussi. La fonction a donc plusieurs minima.

Apprendre les caractéristiques

Dans un réseau multicouche, on peut voir les premières couches comme des extracteurs de caractéristiques. Cependant, à l'inverse des méthodes classiques, cet extracteur de caractéristiques n'est pas conçu « à la main », mais automatiquement produit par l'apprentissage. C'est ce qui fait tout le charme des réseaux multicouches entraînés par rétropropagation.

Reprenons l'exemple des C et des D avec un réseau à deux couches pour montrer comment les unités de la première couche peuvent détecter des motifs qui sont caractéristiques des C et des D.

Nous l'avons déjà constaté : une des limitations du perceptron est que si les C et les D varient trop en forme, en position ou en taille, celui-ci ne peut plus les reconnaître parce que les points correspondant aux C et aux D ne sont plus séparables par un hyperplan.

Si l'on ajoute une couche supplémentaire, on peut résoudre le problème. Les neurones de la première couche peuvent détecter des motifs caractéristiques des C et des D.

Ces détecteurs se créent automatiquement parce que le réseau est entraîné par la rétropropagation. Il repère automatiquement les motifs utiles parce que ce repérage s'avère nécessaire pour qu'il donne les bonnes réponses. Par exemple, deux segments qui s'arrêtent par rapport à un segment continu : ce motif n'existe que pour les C. En revanche, la présence d'un coin signale un D par rapport à un C, etc.

La première couche se comporte comme un extracteur de caractéristiques et la seconde se comporte comme un classifieur, mais toutes les couches du réseau sont entraînées en même temps : l'apprentissage est unifié.

Dans les réseaux multicouches les plus simples, tous les neurones d'une couche sont connectés à tous les neurones de la couche suivante. Ce n'est pas pratique lorsque l'entrée est de grande taille. Prenons une image de 100 par 100 pixels (ce qui n'est pas très grand pour une image). Elle a donc 10 000 pixels. Connectons-la à une première couche comportant 10 000 neurones. Le nombre de connexions entre l'entrée et la première couche sera 100 millions. Un nombre astronomique pour une seule couche ! Il faut trouver un moyen de construire l'architecture du réseau pour qu'il puisse accepter une entrée de grande dimension (par exemple une image de 1 000 par 1 000 pixels), sans que sa taille explose pour autant.

Adapter l'architecture d'un réseau de neurones au problème considéré est le lot quotidien de l'ingénieur en IA.

Pour résumer, le *deep learning* consiste à :

1. construire l'architecture d'un réseau multicouche en arrangeant et en connectant des modules ;
2. entraîner cette architecture par descente de gradient après calcul de ce gradient par rétropropagation.

L'adjectif *deep* exprime simplement le fait que les architectures possèdent de multiples couches. Rien de plus.

Comment concevoir l'architecture d'un réseau pour qu'il soit adapté à la reconnaissance d'image ? Nous allons le voir dans le chapitre suivant.

## CHAPITRE 6

Les réseaux convolutifs, piliers de l'IA

La bombe de 2012 • *Le cortex visuel : les cellules simples* • *Le cortex visuel : les cellules complexes et le* pooling • *Fukushima visionnaire* • *Flash-back* • *Les réseaux convolutifs* • *Détection, localisation, segmentation et reconnaissance d'objets* • *Segmentation sémantique avec réseau convolutif*

À Bell Labs, je développe une architecture toute neuve de réseau multicouche que j'ai bricolée, inspirée de ce que nous savions du système de vision chez les mammifères. Mon directeur de labo, Larry Jackel, l'a baptisé LeNet, comme LeCun[1] ! C'est le premier nom des réseaux convolutifs. La fin des années 1980 et le début des années 1990 sont une période faste pour les réseaux de neurones multicouches : les congrès et les publications scientifiques se multiplient, des postes se créent dans les universités, le gouvernement investit dans des programmes...

Mais au milieu de la décennie, nouvelle traversée du désert. Car les réseaux sont gourmands en temps de calcul,

---

1. Mon nom s'écrit « Le Cun », mais aux États-Unis le « Le » de « Le Cun » était régulièrement interprété comme l'initiale d'un deuxième prénom, si bien que je devenais « Cun Y. L. » dans les citations d'articles scientifiques, j'écris donc mon nom « LeCun », en un seul mot, quand je ne suis pas en France.

ils consomment des milliers de données d'entraînement, et ils sont compliqués à faire marcher.

Il faut attendre 2012 pour que tout bascule. Au cours d'une compétition internationale, les réseaux convolutifs, types de réseaux multicouches particuliers, font la preuve éclatante de leur efficacité. Ils deviennent la coqueluche des chercheurs et la clé de voûte de nombreuses applications de l'intelligence artificielle. Leur importance n'a cessé de croître depuis.

La bombe de 2012

ImageNet est une base de données destinée à la recherche en vision par ordinateur pour la reconnaissance d'objets dans les images. Elle est développée par des universitaires de Stanford, de Princeton et de quelques autres institutions américaines. La base de données la plus utilisée d'ImageNet, ImageNet-1k, contient plus de 1,3 million d'images, toutes annotées à la main pour indiquer la catégorie de l'objet principal qu'elles contiennent. Elle compte 1 000 catégories en tout. Or, depuis 2010, ImageNet organise un concours annuel appelé ImageNet Large Scale Visual Recognition Challenge (ILSVRC), que tout le monde appelle simplement… ImageNet. Un tournoi cybernétique où les chercheurs comparent leurs méthodes de reconnaissance d'images.

La règle du jeu est la suivante : pour chaque image, les systèmes doivent proposer 5 catégories parmi les 1 000. Si la bonne réponse fait partie des cinq proposées, on considère que le système a bien répondu. Une prouesse déjà, quand on sait que, parmi les 1 000 catégories, on compte 200 différentes races de chiens, dont certaines sont très voisines.

En 2011, les meilleurs systèmes font encore 25 % d'erreurs de reconnaissance. L'année suivante, une équipe, celle de

Geoffrey Hinton et de ses étudiants, de l'Université de Toronto, pulvérise ce record : 16 % d'erreurs ! Leur secret ? Un réseau convolutif de grande taille inspiré de ceux que j'avais conçus, programmé pour tourner sur un GPU, une carte destinée aux rendus graphiques, très efficace pour faire tourner les réseaux convolutifs.

C'est la ruée. L'année suivante, tous les candidats ont adopté la nouvelle méthode. La révolution est en marche. Grâce à des processeurs graphiques plus puissants et des logiciels *open source* qui facilitent la recherche, les réseaux convolutifs révolutionnent la vision par ordinateur. Ils rendent vite possibles de nouvelles applications : tri et recherche d'information, voiture autonome, analyse d'image médicale, indexation et recherche d'images, reconnaissance de visage, de la parole, etc.

Quel long chemin pour en arriver là ! Rappelez-vous ! Vers 1982, quand je suis encore à l'ESIEE, la plupart des chercheurs avaient renoncé depuis longtemps à entraîner de bout en bout un réseau de neurones multicouche. Ils s'accommodaient de ce que seule la dernière couche soit « apprise ». Les autres opérations étaient écrites à la main par un ingénieur.

Dès le début de mes travaux, en 1993, mes expériences portent sur des réseaux à connexion locale dont l'architecture est inspirée des découvertes de Hubel et Wiesel[2] sur le cortex visuel. La rétropropagation, le Cognitron de Fukushima, les théories des deux neurobiologistes, j'ai tout cela en tête quand je pars faire mon postdoc à Toronto, dans le laboratoire de Geoffrey Hinton.

---

2. *Cf.* chapitre 2, « Lunatic fringe », p. 36.

Le cortex visuel :
les cellules simples

Arrêtons-nous un moment sur le traitement de l'information dans le système visuel, tel qu'il a été expliqué par Hubel et Wiesel. Ils ont établi que la reconnaissance d'objets se fait par étapes, depuis la rétine jusqu'au cortex inféro-temporal : elle suit le « chemin ventral ». Quand on regarde une chaise par exemple, le signal visuel passe par des filtres successifs dans le cortex visuel primaire V1, puis dans les aires suivantes V2 puis V4, et va finalement allumer dans le cortex inféro-temporal un ensemble de neurones qui représente le concept de chaise. Lors de tâches visuelles de routine, le signal se propage d'une traite en moins de 100 millisecondes. La rapidité du signal est telle qu'elle rend impossible l'utilisation des nombreuses boucles disponibles dans les connexions.

Dans V1, des paquets de grands neurones pyramidaux (50 à 100) sont connectés à de petites zones du champ visuel qu'on appelle les champs récepteurs. Le champ récepteur d'un neurone est la zone du champ visuel dans laquelle il prend ses entrées. Entre 50 et 100 neurones « regardent » un même champ récepteur. Mettons 60. Chacun de ces neurones réagit à un motif simple. Le neurone numéro 1 réagit à des contours verticaux, le numéro 2 réagit à une ligne qui fait un angle de 6 degrés par rapport à la verticale, le numéro 3, à 12 degrés, etc. Et le numéro 60 fait le tour du compteur. Bref, chacun des neurones du « paquet » réagit à une ligne et à une orientation différentes d'un contour présent dans le champ récepteur auquel le « paquet » est connecté. Ces neurones réagissent aussi à la taille des éléments... Cela nous rappelle le principe de l'extracteur de caractéristique !

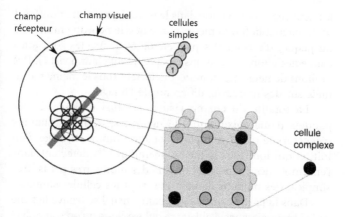

Figure 6.1. Cellules simples et cellules complexes.

L'aire du cortex visuel primaire des mammifères, V1, contient des cellules simples et des cellules complexes. Chaque cellule simple détecte un motif sur une petite fenêtre de l'entrée appelée « champ récepteur ». Les cellules sont organisées en plans appelés « *feature maps* » (cartes de caractéristiques). Toutes les cellules d'une même *feature map* détectent le même motif à des endroits différents de l'image d'entrée. Chaque *feature map* détecte un motif différent des autres. Les cellules de toutes les *feature maps* ayant le même champ récepteur détectent chacune un motif différent, par exemple la première détectera un contour à 45 degrés, la seconde un contour horizontal, la troisième un autre angle, etc. Les cellules complexes agrègent les réponses d'une petite fenêtre de cellules simples. Lorsqu'un motif se déplace légèrement sur l'entrée, la réponse des cellules complexes change peu ou pas du tout.

En somme, Hubel et Wiesel expliquent que les aires du cortex visuel primaire jouent le rôle d'un extracteur de caractéristiques (dont on a parlé aux chapitres 3 et 5).

Si l'on prend le paquet de neurones voisin, qui regarde un champ récepteur légèrement décalé par rapport au précédent, il compte aussi un neurone numéro 1 et un neurone numéro 60 (voir la figure 6.1). Une remarque : ce que Hubel et Wiesel appellent les cellules simples et complexes sont les neurones dont je parle dans le texte. Le neurone numéro 1 de ce paquet-là fait la même chose que le neurone numéro 1 du paquet d'à côté. Des paquets de 60 neurones sont ainsi connectés à tous les champs récepteurs du champ visuel. Des millions de neurones numéro 1 détectent tous le même motif, mais sur des morceaux différents de l'image.

La totalité du champ visuel est ainsi tapissée de ces paquets d'une soixantaine de neurones, dont les champs récepteurs se recouvrent partiellement, comme les tuiles d'un toit, et qui font tous la même opération : ils détectent dans l'ensemble des champs récepteurs des motifs très petits, très simples. Ces millions de neurones sont les cellules simples.

Dans la partie centrale du champ visuel se trouve la zone de la reconnaissance d'objets, ce qui explique qu'on soit obligé de focaliser son regard sur un objet particulier pour le reconnaître. Je dessine un cercle, par exemple, et je demande à une personne de regarder le centre du cercle sans bouger les yeux. Elle voit à droite et à gauche des contours verticaux, en bas et en haut des contours horizontaux et, entre les deux, des contours qui prennent toutes les orientations.

Si on place des électrodes dans V1 – Hubel et Wiesel l'ont fait avec des chats –, qu'observe-t-on ? Dans le paquet de neurones qui regarde le champ récepteur du côté gauche du cercle, les neurones numéro 1 et numéro 30 détecteurs de contours verticaux s'allument. De la même façon, dans le paquet de neurones qui regarde le côté droit du cercle, d'autres neurones numéro 1 et numéro 30 s'allument parce qu'ils détectent aussi un contour vertical. De même, dans le paquet de neurones qui regarde le haut du cercle, les neurones numéro 15 et numéro 45 qui détectent les contours horizontaux s'allument.

Le cortex visuel :
les cellules complexes et le pooling

Dans V1, les cellules complexes (une autre catégorie de neurones) agrègent les réponses de cellules simples voisines de même type : une cellule complexe agrège tous les numéros 1 d'un petit voisinage, une autre les numéros 2, etc. L'opération d'agrégation consiste à calculer la moyenne des sorties des cellules simples, ou simplement à produire la plus grande d'entre elles.

Que se passe-t-il quand un contour vertical se déplace un peu ? Les cellules simples numéros 1, associées à des champs récepteurs différents, s'activent au fur et à mesure du déplacement. Mais, comme la cellule complexe agrège les résultats des cellules simples numéros 1 d'un petit voisinage, celle-ci est activée en continu, jusqu'à ce que le contour sorte des champs récepteurs de toutes les cellules simples auxquelles cette cellule complexe est connectée. La cellule complexe qui regarde les cellules simples numéros 1 détecte donc un contour vertical indépendamment de sa position à l'intérieur de cette petite région. Elle détecte un motif avec une certaine tolérance sur sa position. Ce mécanisme crucial d'agrégation (*pooling* en anglais) explique l'invariance. Le champ récepteur d'une cellule complexe de V1 est donc plus grand que le champ récepteur d'une cellule simple de V1.

Mais si on déplace trop le motif et qu'il sort du champ récepteur de la cellule complexe (c'est-à-dire des champs récepteurs des cellules simples qu'elle agrège), la cellule complexe s'éteint.

Hubel et Wiesel avaient l'idée que ce schéma de connexion se répétait dans V2 et V4, sans pouvoir le prouver.

Nous y voilà : l'opération que calculent les millions de neurones numéros 1 qui détectent les lignes verticales est une « convolution ».

POUR RÉSUMER

- Dans V1, chaque neurone d'un paquet – ou cellule simple – réagit à une ligne d'une orientation particulière.
- Les millions de paquets de 50-100 neurones qui tapissent le champ visuel sont connectés à l'ensemble des champs récepteurs.
- Des millions de neurones détectent le même motif à des endroits différents du champ visuel.
- Dans V1 aussi, les cellules complexes prennent un paquet de réponses de cellules simples du même type (par exemple les neurones qui détectent des contours verticaux à des endroits différents mais voisins), et calculent une moyenne de ces réponses.
- Le *pooling* construit de l'invariance à partir de la réponse des cellules complexes par rapport à des petits changements de position des motifs dans l'image. Ces petits changements peuvent être dus à une translation d'un objet dans le champ visuel, une petite rotation ou une petite déformation.

De ces découvertes de Hubel et Wiesel sur le cortex visuel, la recherche en intelligence artificielle retient deux idées.

1° *Les connexions locales.* Un neurone de la première couche du système visuel n'est connecté qu'à une petite région dans l'image, un petit bloc de pixels : le « champ récepteur ».

2° *La réplication des opérations sur le champ visuel, c'est-à-dire toute l'image.* Plusieurs neurones avec des champs récepteurs différents détectent le même motif à des endroits différents.

La sélectivité à l'orientation (c'est-à-dire la sensibilité des neurones à l'orientation) et l'existence des cellules complexes sont les deux découvertes qui ont valu à Hubel et Wiesel le prix Nobel de physiologie ou médecine.

Fukushima visionnaire

La machine du chercheur japonais Kunihiko Fukushima reprend l'architecture du modèle de Hubel et Wiesel, la même progression sans boucle du signal dans les couches successives de neurones simples et complexes. Dans le détail, Fukushima adopte les idées des cellules simples connectées à une petite zone du champ visuel, et des cellules complexes qui intègrent les activations de la couche précédente et permettent de construire une représentation invariante par rapport à de petites distorsions. Le scientifique de Tokyo construit deux versions de sa machine : le Cognitron dans les années 1970 et le Néocognitron au début des années 1980.

Le deuxième modèle est un réseau multicouche pour reconnaître des formes simples. Il est fait d'un empilement de couches de cellules simples et de cellules complexes en alternance. Les cellules simples du Néocognitron sont un bricolage byzantin pour coller au mieux à la biologie et faire en sorte que le réseau fonctionne. Elles calculent une somme pondérée de leurs entrées et passent le résultat par une série d'opérations complexes que je vous épargne. Le Néocognitron utilise aussi le sous-échantillonnage des couches de cellules complexes. J'attends que nous abordions les réseaux convolutifs pour vous détailler cette notion.

Fukushima entraîne la dernière couche avec un algorithme très similaire à celui du perceptron. Mais sa machine n'est pas entraînée de bout en bout. Il n'utilise pas la rétropropagation, et pour cause, elle n'est pas encore inventée. Les couches intermédiaires sont entraînées par des méthodes non supervisées « compétitives ». Je vous épargne aussi leur description. Il lui faut ajuster son système « au tournevis » pour le faire fonctionner : le modèle comporte un grand nombre de paramètres qu'il faut régler à la main de manière précise. Peut-être Fukushima veut-il imiter trop étroitement la biologie ? Toujours est-il que le résultat est moyennement heureux.

Entre 2006 et 2012, avant la révolution des réseaux convolutifs, la communauté scientifique ne tient pas Fukushima en grande estime. Pourtant, les chercheurs en vision par ordinateur valident implicitement sa démarche ! Ils s'inspirent comme lui des découvertes de Hubel et Wiesel sur les cellules simples et les cellules complexes. Leurs extracteurs de caractéristiques, qui répondent à de doux noms comme SIFT (Shift Invariant Feature Transform) ou HOG (Histogram of Oriented Gradients, inventé en France), font des opérations très similaires aux cellules simples et complexes. Mais ces opérations sont écrites à la main. Elles ne sont pas apprises.

Flash-back

En 1986, je suis en thèse, et j'abandonne HLM pour me focaliser sur la rétropropagation. Fort de mes lectures de Hubel, Wiesel et Fukushima, fasciné comme eux par le cortex visuel des mammifères, j'imagine une architecture de réseau multicouche qui marie l'alternance de cellules simples et complexes, et l'entraînement par rétropropagation. Ce type de réseau me semble bien adapté à la reconnaissance d'images. Je le baptiserai plus tard réseau convolutif, *convolutional neural network*, que certains abrègent par le sigle CNN, mais que je préfère appeler ConvNet.

En 1987, j'ai donc l'idée, mais pas les outils logiciels pour la réaliser. Ils n'existent pas ! Je suis donc en train d'écrire ma thèse lorsqu'un étudiant de l'École polytechnique, Léon Bottou, me contacte. Il veut justement faire son stage de fin d'études sur la rétropropagation. Je lui propose de m'aider à

Les réseaux convolutifs, piliers de l'IA 205

écrire un logiciel de construction et d'entraînement de réseaux de neurones d'un nouveau type. Il permettrait les connexions locales et le partage de paramètres, ingrédients essentiels à la réalisation logicielle de réseaux convolutifs et à celle d'un autre type de réseau, appelé réseau récurrent. Deux petits nouveaux !

Léon se charge d'écrire un interprète Lisp (un langage de programmation très flexible) pour interagir de manière souple avec la partie du logiciel qui effectue les calculs, une brique qu'il sait essentielle pour le système. Grâce à ses qualités extraordinaires de concepteur de logiciel, il réussit le tour de force d'écrire cet interprète en quelques semaines, à temps pour que je le mette dans mes bagages avant de m'envoler pour Toronto en juillet.

J'ai cet embryon de simulateur en poche et ces idées en tête quand j'arrive à Toronto en juillet 1987 dans le laboratoire dirigé par l'éminent Geoffrey Hinton, qui travaille au croisement de la psychologie, de l'intelligence artificielle, des sciences cognitives et des neurosciences.

Les mois suivants, je continue de développer ce logiciel pour me permettre de construire des réseaux convolutifs, les entraîner, regarder comment ils marchent, etc., ce qui deviendra SN, et quelques autres idées. De son côté, Léon vient de finir Polytechnique et a commencé un doctorat à Orsay sur les réseaux de neurones appliqués à la reconnaissance de la parole.

Au printemps 1988, je construis mes premiers réseaux convolutifs et je les teste sur un petit ensemble de données. En même temps, Léon, en France, applique les réseaux convolutifs à la reconnaissance de la parole. À l'été 1988, il me rejoint pour un stage à Toronto. Nous avons la foi. Nous sommes sûrs que notre projet a de l'avenir. Nous baptisons notre nouveau logiciel SN pour Simulateur Neuronal.

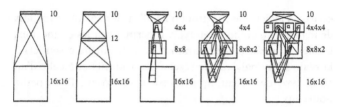

Figure 6.2. Les architectures de réseaux utilisées lors des premières expériences avec les réseaux convolutifs.

De gauche à droite : réseau à un seul étage ; à deux étages ; à trois étages avec connexions locales sans partage de poids ; à trois étages où le premier étage est convolutif (connexions locales avec partage de poids) et le deuxième étage à connexions locales sans partage de poids ; à trois étages avec partage de poids dans les deux premiers étages.

En l'absence de données publiques, je réussis à faire marcher des réseaux convolutifs sur un très petit jeu de chiffres manuscrits que j'ai fabriqué moi-même (j'ai écrit un petit programme qui me permet de dessiner des chiffres avec la souris de l'ordinateur). J'ai fait 12 versions des 10 chiffres de 0 à 9. J'ai placé chaque chiffre dans 4 positions différentes dans l'image : en haut, en bas... Donc je dispose au total de 480 exemples. Un nombre minuscule, j'en conviens. Des données « jouets ». Mais à l'époque, il est très difficile de collecter ou d'obtenir des données. Les numériseurs d'images sont rares et chers.

La nouvelle architecture que j'ai construite se révèle bien adaptée à la reconnaissance de ce type d'images. Elle prouve que mon principe marche, et même nettement mieux que les autres types de réseaux de neurones complètement connectés, c'est-à-dire où tous les neurones d'une couche sont connectés à tous les neurones de la couche suivante : 98,4 % de succès sur l'ensemble de test pour ConvNet contre 87 % pour le réseau complètement connecté.

Le rapport technique de mes travaux est publié à l'automne 1988. À cette date, j'ai déjà rejoint Bell Labs et je m'attelle

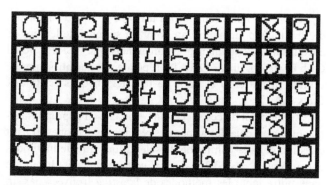

Figure 6.3. Le petit ensemble de données sur lequel j'ai entraîné les premiers réseaux convolutifs.

Quelques exemples de la petite base de données de chiffres écrits à l'aide d'une souris, sur laquelle j'ai entraîné mes premiers réseaux convolutifs. Elle comportait 12 exemplaires de chacun des 10 chiffres. Chacun d'entre eux était translaté de quelques pixels dans 4 positions horizontales différentes. Le total était de 480 exemples dont 320 pour l'entraînement et 120 pour le test.

immédiatement à une application des ConvNet en grandeur « réelle » : la reconnaissance de codes postaux. Le premier succès arrive en moins de deux mois.

Mes collègues et moi découvrons rapidement un détail crucial pour la suite : un réseau convolutif peut être entraîné sur des images comportant plusieurs caractères, par exemple un code postal complet, sans avoir à séparer les caractères les uns des autres au préalable. Cela peut sembler anodin pour le commun des mortels, mais pour nous, c'est fondamental ! Jusque-là, les méthodes de reconnaissance nécessitaient de « segmenter » les caractères les uns des autres avant de les reconnaître. Je peux désormais appliquer ces réseaux convolutifs à un mot entier sans lui préciser où sont les lettres, et il nous donne une séquence de caractères en sortie.

Très vite, nous collaborons avec un groupe d'ingénieurs de Bell Labs pour mettre au point un système de lecture de chèque qui sera rapidement commercialisé par NCR (National Cash Register), filiale d'AT&T à l'époque. En quelques années, celui-ci lit entre 10 et 20 % de tous les chèques écrits aux États-Unis.

Au moment de ces succès, la recherche en apprentissage-machine s'est déjà détournée des réseaux de neurones. Il n'est question dans la communauté scientifique que de méthodes concurrentes : les SVM (*support vector machines*) inventées dans notre labo, les méthodes de *boosting* trouvées par un autre groupe de Bell Labs, les méthodes probabilistes... autant de modèles dominants entre 1995 et 2010.

Les réseaux convolutifs

Il est temps de les présenter ! Les réseaux convolutifs sont un type particulier de réseaux de neurones. Ils combinent à la fois une architecture de connexion particulière, à savoir la hiérarchie des cellules simples et des cellules complexes calquées sur celles du cortex visuel, telles qu'identifiées par Hubel et Wiesel, et l'entraînement du système de bout en bout par la rétropropagation de gradient, que nous avons décrite au chapitre précédent.

Comme avec les autres réseaux, la procédure d'apprentissage minimise une fonction objectif. Ce qui change, c'est l'architecture du réseau, c'est-à-dire sa structure interne. La convolution est une composante de cette architecture. C'est une opération mathématique, très largement utilisée pour le traitement du signal, mais qui a des similitudes avec les calculs effectués par les cellules simples du cortex visuel.

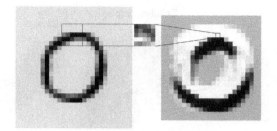

Figure 6.4. La convolution.

La somme pondérée des pixels d'une fenêtre dans l'image (ici de 25 pixels, 5 par 5) est calculée en utilisant un ensemble de 25 poids (représentés au milieu) appelé noyau de convolution. L'opération est répétée sur toutes les fenêtres possibles de l'entrée, et les résultats sont écrits dans une image de sortie aux emplacements correspondants.

Le réseau est entraîné par rétropropagation. Les poids du réseau finissent par détecter des motifs particuliers : les traits verticaux, les traits horizontaux, les couleurs, etc.

Soit une image de départ qui constitue notre tableau d'entrée. Prenons une petite fenêtre de 5 par 5 pixels, que nous appelons « champ récepteur ». Un neurone N1 en calcule la somme pondérée. Le résultat est un nombre qui est porté dans le tableau de sortie.

On déplace maintenant cette fenêtre de 5 par 5 d'un pixel vers la droite, et un deuxième neurone N1 refait une somme pondérée des pixels de cette nouvelle fenêtre en utilisant les mêmes poids que le neurone précédent. On écrit ce nouveau résultat dans le tableau de sortie, à côté du précédent. On répète l'opération pour toutes les fenêtres de 5 par 5 pixels sur toute l'image d'entrée. Les fenêtres voisines se chevauchent donc partiellement les unes les autres. On obtient ainsi une image de sortie.

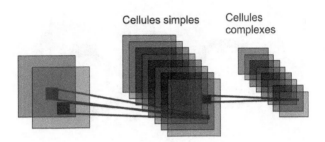

Figure 6.5. Couche de convolutions et couche de *pooling* d'un ConvNet.

Une couche de convolutions prend une ou plusieurs *feature maps* en entrée (ici 2) et produit plusieurs *feature maps* en sortie (ici 8). Chaque *feature map* est la somme de convolutions appliquées aux *feature maps* d'entrée avec des poids différents, ce qui lui permet de détecter des conjonctions de motifs sur l'entrée. Chaque *feature map* utilise des ensembles de poids différents.

Les neurones N1 détectent un motif particulier à tous les endroits de l'image, parce qu'ils ont les mêmes poids. Pourquoi les forcer à avoir le même poids ? Parce qu'un motif distinctif d'une catégorie peut apparaître n'importe où sur l'image. On est ainsi assuré que le motif sera détecté où qu'il apparaisse dans l'image. Un rappel : c'est la configuration de poids qui permet au neurone de détecter le motif. L'œil ou l'oreille du chat apparaîtra à différents endroits de l'image en fonction de l'attitude du chat et de la position de sa tête dans l'image.

Pour détecter un autre motif, une autre série de neurones, soit N2, fait la même opération avec des poids différents de ceux de N1.

Les sommes pondérées d'une série de neurones ont ceci de particulier qu'elles sont calculées avec les mêmes poids. Tous les neurones N1 ont les mêmes 25 poids. Tous les neurones N2 ont les mêmes 25 poids différents de N1, etc.

Si l'image fait 1 000 pixels par 1 000 pixels, cela donne 1 million de pixels d'entrée, 1 million de fenêtres 5 par 5, et 1 million de neurones N1 qui détectent chacun le même motif à des endroits différents. De même pour N2, N3, etc.

Le tableau d'entrée et le tableau de sortie ont sensiblement la même taille.

Explication. Si les poids sont tels qu'ils détectent des traits verticaux (voir figure 6.1), 1 million de neurones vont détecter les traits verticaux dans le million de fenêtres de 5 par 5 sur l'image, ce qui à son tour donne une espèce d'image qu'on appelle une *feature map* (carte de caractéristiques).

La *feature map* signale la présence ou l'absence d'un trait vertical sur ce million d'endroits. Les résultats des calculs que font ces millions de neurones constituent le tableau de sortie et l'entrée de la couche suivante. Pour pouvoir détecter plusieurs types de motifs particuliers, il faut plusieurs *feature maps*, chacune avec une combinaison de poids différente.

Les 60 *feature maps* correspondent aux 60 cellules simples de Hubel et Wiesel. Chaque fenêtre est « vue » par 60 neurones projetant leurs sorties vers les 60 *feature maps*. Et pour chaque fenêtre, il y a 60 neurones. S'il y a 1 million de fenêtres et 60 neurones par fenêtre, cela donne un total de 60 millions de neurones.

Dans notre exemple, une convolution est définie par une liste de 25 poids (5 par 5). Cette liste s'appelle un noyau de convolution.

Pour les accros, voici un petit programme pour effectuer une convolution :

```
# convolution du tableau x avec le noyau w.
# résultat accumulé dans le tableau y.
# ces trois tableaux sont à deux dimensions.
def conv(x,w,y) :
```

```
    for i in range(len(y)): # boucle sur les lignes
        for j in range(len(y[0])): # boucle sur colonnes
            s = 0
            for k in range(len(w)):
                for l in range(len(w[0])):
                    s = s + w[k,l]*x[i+k,j+l]
            y[i,j] = y[i,j] + s
    return y
```

Une couche de convolutions prend une ou plusieurs *feature maps* en entrée et produit plusieurs *feature maps* en sortie. Chaque *feature map* de sortie est la somme de convolutions effectuées sur les *feature maps* d'entrée avec des noyaux différents.
Le petit programme suivant calcule une couche complète de convolutions :

```
    def convlayer(X,W,Y):
        for u in range(len(Y)): # boucle sur les f.maps de Y
            for v in range(len(X)):
                conv(X[v],W[u,v],Y[u])
```

Nous donnons ce programme pour des raisons didactiques. En pratique, ces fonctions sont pré-définies dans les logiciels de *deep learning* tels que PyTorch et TensorFlow[3].

Dans un réseau convolutif, l'opération de convolution est suivie d'une couche de fonctions de transfert. Dans les versions modernes, cette fonction de transfert est la « ReLU[4] ». Une *feature map* produite par la convolution possède des valeurs positives et négatives, parce que les poids peuvent être négatifs. Quand elle passe par la couche de ReLU, la ReLU met les valeurs négatives à zéro, et laisse les valeurs positives inchangées. Les tableaux de sortie de la couche de ReLU s'appellent aussi des *feature maps*. Cette opération non linéaire permet au système de détecter des motifs sur l'image.

Imaginons l'image d'une personne en train de travailler sur son ordinateur dans une pièce où le papier peint est rayé,

---

3. PyTorch.org et TensorFlow.org
4. Pour ReLU, *cf.* figure 5.2, p. 173.

gris sur beige. Cette image compte des contours francs, comme le bord de l'écran par rapport au mur du fond, mais d'autres moins nets comme le contraste entre les lignes de la tapisserie du mur. Si une convolution détecte les contours verticaux, sa sortie est grande sur le contour de l'écran d'ordinateur (fort contraste) mais plus petite pour les barres du papier peint (faible contraste). Quand on passe cette *feature map* par une ReLU, les contours nets apparaissent, les autres sont mis à 0. Cela permet au système de détecter les motifs importants. Mais comme chacun des 60 neurones regarde le même endroit, il se peut qu'un des 59 autres soit ajusté pour détecter les contours plus flous.

La couche de ReLU est généralement suivie d'une couche de *pooling*, opération analogue à celle des cellules complexes de Hubel et Wiesel. Une *feature map* en sortie de la couche de ReLU est divisée en fenêtres, ou plutôt en tuiles, par exemple de taille 4×4, qui ne se chevauchent pas. Si la *feature map* a une taille de $1\,000 \times 1\,000$, il y aura 250×250 tuiles de taille 4×4. Chaque neurone de la couche de *pooling* prend une de ces fenêtres et en calcule la valeur maximale. En d'autres termes, une fenêtre comporte 16 nombres, et le neurone produit le plus grand de ces 16 nombres sur sa sortie. C'est ce qu'on appelle le *max pooling*. Il y a un neurone de ce type pour chaque fenêtre dans toutes les *feature maps*. Au total, la sortie de la couche comportera $60 \times 250 \times 250$ neurones.

Tout cela pour quoi ? Le *pooling* sert à produire une représentation invariante par rapport à de petits déplacements des motifs dans l'image d'entrée. Le *max pooling* produit la valeur la plus grande dans son entrée, qui correspond au motif le plus marqué dans son champ récepteur. Si ce motif se déplace d'un pixel ou deux, tout en restant dans la même fenêtre du neurone de *pooling*, la sortie de ce neurone sera inchangée.

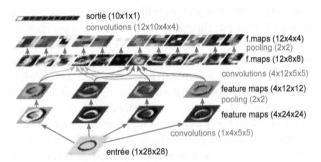

sortie (10x1x1)
convolutions (12x10x4x4)
f.maps (12x4x4)
pooling (2x2)
f.maps (12x8x8)
convolutions (4x12x5x5)
feature maps (4x12x12)
pooling (2x2)
feature maps (4x24x24)
convolutions (1x4x5x5)
entrée (1x28x28)

Figure 6.6. Réseau convolutif.

Un réseau convolutif est constitué d'un empilement de trois types de couches : convolutions, fonction de transfert non linéaire, et *pooling* combiné à un sous-échantillonnage. Ici, la première couche est constituée de quatre *feature maps*, chacune effectuant la convolution de l'image d'entrée avec un ensemble de poids (5 × 5 dans cet exemple). Le résultat est passé par une fonction de transfert. Chaque *feature map* de la couche suivante, analogue aux cellules complexes, agrège les réponses d'une petite fenêtre de neurones de la *feature map* correspondante dans la couche précédente. Les sorties de la couche de *pooling* sont de résolution plus faible que leur entrée. Cela rend la représentation robuste en cas de petits déplacements des motifs caractéristiques dans l'image d'entrée. Dans la couche suivante, chaque *feature map* effectue des convolutions de toutes les *feature maps* de la couche précédente, et additionne les résultats. Elle est aussi suivie d'une couche de *pooling*. Les couches sont empilées jusqu'à la sortie.

Un réseau convolutif est constitué d'un empilement de couches de convolutions, de ReLU et de *pooling*. Une architecture typique :

Conv → ReLU → Pool → Conv → ReLU → Pool → Conv → ReLU → Conv

De nos jours un réseau convolutif peut comporter une centaine de ces couches. Par exemple, le réseau ResNet-50 dont le petit frère, ResNet-34, est représenté dans la figure 6.8, est lui-même un standard. Ce type de réseau comprend des « courts-circuits » dans ces connexions entre couches. Il a été

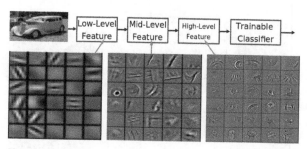

Figure 6.7. Visualisation des motifs détectés par des unités d'un réseau convolutif à différents niveaux.

Les motifs du premier niveau ressemblent beaucoup à ce que les neurobiologistes trouvent dans le cortex visuel des mammifères (source : Zeiler et Fergus, NYU).

proposé en 2015 par Kaiming He, un chercheur du laboratoire de Microsoft-Research à Beijing. Kaiming a depuis rejoint l'équipe de FAIR à Menlo Park en Californie.

Il règne une activité fébrile dans la communauté de la recherche pour trouver une architecture de réseau convolutif qui donne le meilleur taux de reconnaissance sur ImageNet et qui soit aussi le plus petit possible, donc le moins coûteux en temps de calcul.

Figure 6.8. Le réseau convolutif ResNet-34 de Kaiming He.

Il possède 34 étages comme son nom l'indique (sans compter les fonctions de transfert). Sa particularité est de comporter des connexions « saute-mouton » qu'on appelle connexions résiduelles, et qui court-circuitent des paires de couches. Son grand frère, ResNet-50, est devenu un standard de la reconnaissance d'images (source : Kaiming He).

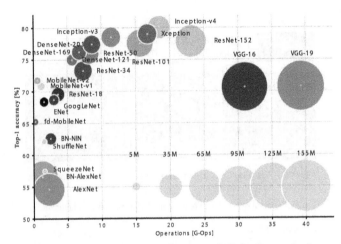

Figure 6.9. Chaque cercle est un réseau convolutif d'un type particulier.

En abscisse, le nombre d'opérations nécessaire au calcul de la sortie pour une image (en milliards !), et en ordonnée le taux de reconnaissance sur ImageNet. La taille du cercle représente le nombre de paramètres (en millions), c'est-à-dire l'occupation mémoire (source : Alfredo Canziani, NYU).

Pour résumer

L'architecture de connexion d'un réseau de neurones, c'est-à-dire l'organisation des couches de neurones et les connexions entre neurones, est déterminée. Mais les poids, c'est-à-dire les paramètres des sommes pondérées, eux, ne le sont pas. Ils seront fixés par l'apprentissage.

Dans un réseau convolutif, la rétropropagation de gradient ajuste les poids pour que les neurones des différentes couches détectent ce qui est important pour la reconnaissance de l'image d'entrée. Quand on entraîne le réseau convolutif à reconnaître des objets dans des images naturelles, certains neurones de la première couche apprennent à détecter des contours orientés, très similaires à ce que nos amis des neurosciences observent dans le cortex visuel.

Détection, localisation, segmentation et reconnaissance d'objets

Dès le début des années 1990, nous avions réalisé que nous pouvions facilement appliquer un réseau convolutif sur une image complète pour simultanément détecter et reconnaître des objets. L'idée est d'appliquer le réseau sur une fenêtre glissant sur l'image. La méthode est extrêmement rapide et efficace à cause des propriétés mêmes des réseaux convolutifs.

Une des premières applications de cette idée a été la lecture de mots manuscrits : les caractères d'un mot ou d'un

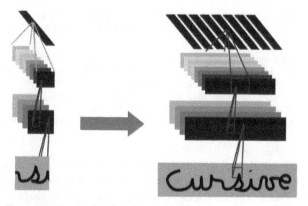

Figure 6.10. L'application d'un réseau convolutif pour la détection d'objet sur une grande image avec une fenêtre glissante.

Un petit réseau (*à gauche*) est entraîné à reconnaître des objets individuels. Le réseau peut facilement être appliqué à une image plus grande en faisant glisser la fenêtre d'entrée sur l'image. Mais cette opération peut être effectuée de manière très efficace en agrandissant les couches du réseau pour les adapter à la taille de l'entrée. Deux vecteurs de sortie voisins « voient » deux fenêtres de l'entrée décalées de quelques pixels.

couches du ConvNet

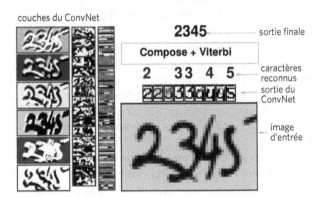

Figure 6.11. Un réseau convolutif appliqué à une image pour la détection, localisation et reconnaissance d'objets multiples (ici des chiffres manuscrits).

Les colonnes de gauche représentent les activations des unités dans trois des couches du réseau. La séquence de sortie indique, pour chaque position de la fenêtre d'entrée, la catégorie reconnue du chiffre qui se trouve au milieu de la fenêtre. Un module de post-traitement en extrait la séquence de caractères de plus haut score. Ce principe sera largement utilisé par la suite pour la détection d'objets dans les images naturelles.

code postal se touchent souvent, et il est difficile de les séparer pour les reconnaître individuellement. Désormais, il suffit de glisser la fenêtre d'entrée du réseau convolutif de gauche à droite sur tout le mot (figure 6.10).

Pour chaque position de la fenêtre d'entrée, le réseau produit la catégorie du caractère qui se trouve au centre. Un réseau convolutif fait facilement ces calculs sur toutes les fenêtres possibles de l'entrée. Il suffit d'adapter les tailles des couches à celle de l'entrée et de calculer les convolutions sur l'image entière (figures 6.10 et 6.11) La sortie devient une série de vecteurs dont chacun est influencé par une fenêtre différente sur l'entrée.

Fort de cette idée de fenêtre glissante, j'ai utilisé les réseaux convolutifs pour la détection d'objets dans les images. Voici le principe. Imaginons que l'on veuille détecter la présence de visages dans une image. On collecte de nombreuses photos contenant des visages, et d'autres n'en contenant pas. On examine chaque photo et on dessine à la main un carré autour de chaque visage. L'ordinateur enregistre les positions des carrés, extrait les vignettes de visage indiquées par les carrés et en normalise la taille, disons à 32×32 pixels. Il collecte aussi un grand nombre de carrés à des positions et tailles aléatoires dans les images sans visage. On dispose maintenant d'une collection de vignettes contenant des visages, et d'autres n'en contenant pas. Avec ces vignettes, on entraîne un réseau convolutif à produire +1 pour les vignettes de visage, et 0 pour les autres.

Après entraînement, on applique le réseau à une grande image, disons de taille 1024×1024, en adaptant les couches à la taille de l'entrée. La sortie est maintenant un tableau de nombres entre 0 et 1 qui indiquent la probabilité qu'il y ait un visage dans la fenêtre 32×32 à la position correspondante dans l'entrée. Cela nous permet de déceler des petits visages dans l'image. Mais que faire pour détecter des visages plus grands que 32×32 pixels ? Il suffit de réappliquer le même réseau sur une version de l'image dont on a réduit la taille, par exemple d'un facteur deux, à 512×512. Les visages de 64×64 pixels font maintenant 32×32 et pourront être repérés par notre réseau. Puis on réduit encore l'image et on réapplique de nouveau le réseau : 256×256, 128×128, 64×64, et finalement 32×32. À cette dernière échelle, un visage qui remplissait toute l'image initiale pourra être détecté.

Figure 6.12. Résultat de détection de visages par réseau convolutif à fenêtre glissante à plusieurs échelles.

Ce système a été développé alors que j'étais chercheur au NEC Research Institute à Princeton en 2003. Ce système peut non seulement détecter des visages mais aussi estimer leur orientation. Cet exemple est la photo du mariage de mes grands-parents maternels au début des années 1920. Ma grand-mère, qui avait grandi dans l'Alsace allemande du début du siècle, est arrivée à Paris à la fin de la Première Guerre mondiale sans parler un mot de français (source : collection personnelle de l'auteur).

Cette méthode est très efficace. Plus tard, nous l'utiliserons pour la localisation de piétons et d'autres objets. Des techniques de ce type détectent, localisent et identifient aujourd'hui des véhicules, des piétons, des cyclistes, des panneaux routiers, des feux tricolores et divers obstacles dans les systèmes de perception de voitures autonomes.

Segmentation sémantique
avec réseau convolutif

La segmentation sémantique consiste à étiqueter chaque pixel d'une image avec la catégorie de l'objet auquel il appartient. Elle diffère de la détection d'objet, où la sortie du réseau

Figure 6.13. Le robot mobile LAGR (*en haut à gauche*) est autonome et perçoit le monde à travers ses quatre caméras.

Le robot possède deux paires de caméras stéréo avec lesquelles il capte une paire d'images (l'une d'elles *en bas à gauche*). Un premier système de vision utilise les disparités entre les deux images captées pour estimer la distance de chaque pixel par rapport à la caméra. Cela lui permet de savoir si un pixel particulier de l'image dépasse du sol ou non, et donc s'il appartient à un obstacle ou à une zone empruntable (image *en bas, au milieu* : les espaces empruntables sont en clair et les zones d'obstacle, en sombre). Cette méthode fonctionne bien jusqu'à environ 10 mètres (dans l'image *du milieu*, les zones claires et sombres dans l'image s'arrêtent à 10 mètres). Un réseau convolutif (*en haut à droite*) est entraîné à étiqueter les pixels de l'image selon qu'ils appartiennent à une zone franchissable ou à un obstacle. Mais il peut étiqueter la scène à partir d'une seule image sans limitation de distance (l'image *en bas à droite*).

s'allume lorsque sa fenêtre de vue est centrée sur l'objet en question. Cette segmentation s'applique quand on ne veut pas détecter un objet circonscrit, mais une région de l'image, comme l'herbe, le feuillage de l'arbre ou l'asphalte de la route. Une voiture autonome, par exemple, a besoin de pouvoir étiqueter tous les pixels de l'image appartenant à la chaussée pour savoir où elle peut aller sans rencontrer d'obstacle. De même, il est utile qu'un système d'analyse de mammographie puisse étiqueter tous les pixels où l'on suspecte une tumeur. On peut facilement appliquer le principe de la fenêtre glissante dans ce cas. Voici un exemple.

Entre 2005 et 2009, mes étudiants et moi avons travaillé sur un projet de robot mobile en collaboration avec une petite société du New Jersey, Net-Scale Technologies, fondée par un ancien collègue suisse de Bell Labs, Urs Muller. Le projet LAGR (Learning Applied to Ground Robots) était financé par la DARPA. Le système de vision de ce robot lui permettait de se déplacer dans la nature. Il utilisait un réseau convolutif à fenêtre glissante pour la segmentation sémantique[5].

Ce réseau classifiait chaque pixel de l'image en trois catégories possibles : zone empruntable, obstacle infranchissable et pied d'obstacle (frontière entre zone empruntable et obstacle). Pour décider de la catégorie, il prenait une fenêtre sur l'image, produisait une catégorie pour le pixel central de cette fenêtre et utilisait l'information dans la fenêtre comme contexte pour aider à la décision. En passant le réseau sur toutes les fenêtres, l'image était entièrement étiquetée.

5. Raia Hadsell, Pierre Sermanet, Jan Ben, Ayse Erkan, Marco Scoffier, Koray Kavukcuoglu, Urs Muller, Yann LeCun, « Learning long-range vision for autonomous off-road driving », *Journal of Field Robotics*, 2009, 26 (2), p. 120-144. Pierre Sermanet, Raia Hadsell, Marco Scoffier, Matt Grimes, Jan Ben, Ayse Erkan, Chris Crudele, Urs Miller, Yann LeCun, « A multirange architecture for collision-free off-road robot navigation », *Journal of Field Robotics*, 2009, 26 (1), p. 52-87.

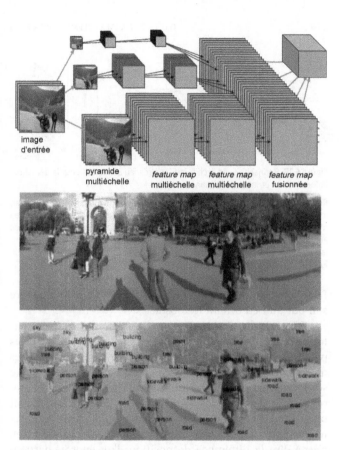

image
d'entrée

pyramide
multiéchelle

feature map
multiéchelle

feature map
multiéchelle

feature map
fusionnée

Figure 6.14. a. Architecture de réseau convolutif pour la segmentation sémantique (*en haut*). **b.** Résultat sur une scène de rue (*en bas*).

La segmentation sémantique consiste à étiqueter chaque pixel d'une image avec la catégorie de l'objet ou de la région auxquels il appartient. La catégorie d'un pixel dépend de son contexte. Un pixel gris sur la route ou dans le ciel n'est reconnaissable que par son contexte. ConvNet possède trois canaux qui regardent l'image à trois échelles différentes. Chacun de ces canaux extrait une représentation d'une fenêtre de 46 × 46 pixels sur son entrée. La sortie du réseau est la catégorie du pixel central. Sur la grande échelle, la fenêtre recouvre presque toute l'image, donnant un large contexte pour la classification du pixel central (source : Farabet *et al.*, 2013, New York University).

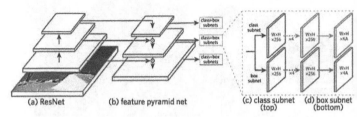

Figure 6.15. RetinaNet : une architecture de réseau convolutif pour la détection, la localisation et la reconnaissance d'objets.

RetinaNet est une architecture de ConvNet qui peut simultanément détecter, localiser, segmenter et reconnaître des objets et des régions. Elle est composée d'un ConvNet classique, suivi d'un « réseau déconvolutif » dont les couches augmentent en résolution, pour finalement produire une image de sortie dont la résolution est identique à celle de l'image d'entrée (source : Lin *et al.*, 2018, FAIR[6]).

Le robot pouvait alors planifier une trajectoire pour atteindre son but tout en évitant les obstacles.

L'intérêt du système est que les étiquettes n'étaient pas fournies par des humains, mais automatiquement calculées par un système de vision stéréo. Grâce à ses deux paires de caméras, le robot possédait deux images de chaque scène capturées de deux points de vue légèrement différents, à la manière des yeux humains. On leur appliquait une méthode classique de vision stéréo où, à partir des deux images, on peut calculer une disparité pour chaque pixel, c'est-à-dire la différence de position d'un endroit particulier de la scène dans les deux images. Plus la disparité est grande, plus l'endroit en question est près de la caméra.

Cette technique permet de construire une carte en 3D de la scène, et donc de savoir ce qui est sur le sol (empruntable) et ce qui dépasse du sol (un obstacle). Mais ce procédé ne fonctionne que pour les endroits proches, à moins

---

6. T.-Y. Lin *et al.*, « The focal loss for dense object detection », https://arxiv.org/abs/1708.02002.

de 10 mètres. Au-delà, la disparité est trop petite (moins d'un pixel) et l'estimation de distance ne fonctionne plus. On peut entraîner le réseau convolutif avec les étiquettes « zone empruntable »/« obstacle » ainsi calculées. Le réseau utilise l'environnement d'un pixel pour décider si c'est un obstacle ou non. Est-ce un chemin de terre ? Un buisson ? Un tronc d'arbre ? La zone entourant un pixel nous permet d'identifier la nature de l'objet auquel il appartient. Une fois entraîné, le réseau peut être appliqué à toute l'image, et détecter des obstacles ou des chemins à n'importe quelle distance.

Cette idée de segmentation sémantique par réseau convolutif à fenêtre glissante a débouché en 2009 sur un système de vision où chaque pixel d'une image était étiqueté comme appartenant à une catégorie parmi 33 : une route, un bâtiment, une voiture[7]... Ce type de méthode est largement utilisé aujourd'hui dans les systèmes de vision des voitures autonomes[8].

Ces méthodes permettent la segmentation d'images biologiques ou médicales. En 2015, Sebastian Seung, à l'époque au MIT, a reconstruit les circuits des neurones d'un morceau de rétine de lapin dont l'image tridimensionnelle avait été obtenue par microscopie électronique, en appliquant un réseau convolutif[9]. Mes collègues de New York University (NYU) utilisent des réseaux convolutifs pour étiqueter des images d'IRM de la hanche. Les réseaux convolutifs sont aujourd'hui présents dans la plupart des systèmes de reconnaissance d'images.

---

7. C. Farabet, C. Couprie, L. Najman, Y. LeCun, « Learning hierarchical features for scene labeling », *IEEE Transactions on Pattern Analysis and Machine Intelligence*, 2013, 8 (35), p. 1915-1929.
8. *Cf.* chapitre 7, p. 252.
9. V. Jain, H. S. Seung, S. C. Turaga, « Machines that learn to segment images : A crucial technology for connectomics », *Current Opinion in Neurobiology*, 2010, 20 (5), p. 653-666.

Figure 6.16. Résultat produit par le système Mask R-CNN, publié en 2017 par Facebook.

Ce système de segmentation et de reconnaissance d'instance par réseau convolutif peut nommer la catégorie de chaque objet dans l'image et produire un masque recouvrant l'objet. Un réseau est passé sur toute l'image. Pour chaque endroit de l'image, il produit une catégorie (par exemple « personne ») et une image de masque couvrant l'objet reconnu[10] (source : He *et al.*, 2017, FAIR).

En quelques années seulement, la communauté de vision a fait des progrès extraordinaires dans la détection et localisation d'objets. Les systèmes Mask R-CNN et RetinaNet de FAIR sont à la pointe, et le code est disponible en *open source*[11]. (Voir figures 6.15 et 6.16.)

10. Kaiming He, Georgia Gkioxari, Piotr Dollar, Ross Girshick ; The IEEE International Conference on Computer Vision (ICCV), 2017, p. 2961-2969.
11. https://github.com/facebookresearch/maskrcnn-benchmark.

———

## CHAPITRE 7

Dans le ventre de la machine ou le *deep learning* aujourd'hui

Reconnaissance d'image • Enchâssement de contenu et mesure de similarité • Reconnaissance de la parole • Synthèse de la parole et du son • Compréhension du langage et traduction • Les prédictions • L'IA et la science • L'architecture des grandes applications : la voiture autonome • Autonomie et système mixte • Autonomie totale ? Entraînement de bout en bout • L'architecture des grandes applications : l'assistant virtuel • L'architecture des grandes applications : l'imagerie médicale et la médecine • Vieilles recettes : les algorithmes de recherche

L'IA, avec sa puissance d'analyse, de reconnaissance et de classification automatique, aide l'être humain dans toutes sortes de tâches qu'il assurait seul jusque-là. En un mot, elle est partout !

Mais le *deep learning* ou apprentissage profond n'a pas complètement détrôné l'intelligence artificielle plus classique : exploration arborescente, recherche de plus court chemin, inférence logique... autant de procédés connus depuis les années

1960, qui ont aujourd'hui, grâce aux avancées technologiques, acquis une efficacité extraordinaire.

Reconnaissance d'image

Taper un mot dans un moteur de recherche est un geste banal. Il mobilise pourtant une puissante infrastructure. Pour produire les réponses les plus ajustées à votre demande, il faut qu'un réseau convolutif soit au préalable passé sur des millions, voire des milliards d'images qu'il ait appris à reconnaître.

Chez Google, un tel système tourne en permanence. Il passe en revue vos collections de photos, les images sur Internet et les traite par un réseau convolutif qui les identifie. Chez Facebook aussi, une poignée de réseaux convolutifs analysent les milliards d'images téléchargées quotidiennement sur ses sites. Est-ce un bateau ? Un chien ? Une fleur ? Des dizaines de milliers de tags sont ainsi identifiés.

Pour préparer ce travail, Google et Facebook collectent des millions d'images qu'ils font étiqueter à la main par des gens qu'ils paient, ou par des utilisateurs. Quand Google vous demande : « Dans quelle image y a-t-il une voiture ? », vous contribuez à cet étiquetage. Avec ces données, les ingénieurs ont entraîné des réseaux convolutifs pour qu'ils puissent à leur tour étiqueter les milliards d'images qui n'ont pas été étiquetées à la main.

Google et Facebook construisent ainsi des listes d'étiquettes stockées dans les serveurs de leurs *data centers*. Quand on tape dans un moteur de recherche « Tour Eiffel », la liste des images avec l'étiquette « Tour Eiffel » existe déjà. Et ainsi pour des millions de mots ou de phrases.

De la même façon, Facebook a classé les photos de mariage, d'anniversaire, d'intérieurs, d'avions, de chats, de sacs (par marque !) ou de voitures (par modèle !)... Le réseau a même une catégorie pour les bâtiments et les monuments méconnus...

Les métadonnées facilitent la reconnaissance visuelle sur une photo. Un touriste qui se promène dans le quartier de la tour Eiffel, comme l'indique son portable, a plus de chances de photographier... la Dame de fer que la statue de la Liberté.

La reconnaissance visuelle sert aussi à filtrer et à éliminer les contenus visuels scabreux, violents, haineux ou à caractère pédophile et pornographique. La tâche est assurée par des réseaux convolutifs qu'il a fallu entraîner avec des milliers d'images d'horreurs, étiquetées au préalable. Un travail éprouvant pour les scrutateurs[12]...

... et ardu. Des infâmes de tout poil savent qu'un texte interdit sera censuré et ils ont des stratégies pour passer le barrage. Ils le placent à l'intérieur d'une image où le réseau convolutif n'est pas entraîné à le reconnaître. Il faut alors avoir recours à des techniques plus sophistiquées pour le repérer : après avoir détecté les caractères dans l'image, un autre réseau convolutif les transcrit en texte par OCR (*optical character recognition*, reconnaissance optique de caractères).

La reconnaissance d'image a aussi des visées plus pacifiques : identification de plantes, d'insectes, d'oiseaux, d'étiquettes de vins... Elle permet de mettre un nom sur un lieu ou un édifice, d'analyser des vidéos pour classifier les actions qui s'y déroulent, ce qui est très utile pour savoir à qui montrer la vidéo, ou ne pas la montrer. Ou encore décrire des contenus pour un non-voyant : le texte est lu à haute voix par le smartphone.

---

12. *Cf.* chapitre 8, « Le filtrage d'informations », p. 282.

Enchâssement de contenu
et mesure de similarité

Beaucoup d'applications requièrent de mesurer la similarité entre deux éléments, qu'il s'agisse d'images, de vidéos
ou de textes.

Si nous avons deux images, il peut être utile de dire si
leurs contenus sont proches, sans nécessairement identifier
ces derniers. Cette capacité à comparer est capitale pour la
recherche d'information, le filtrage de contenu et la reconnaissance d'images d'objets spécifiques (monument, visage,
couverture de livre, pièce de musique, etc).

Une application cruciale : une fois qu'une vidéo de propagande terroriste a été identifiée comme telle, il faut détecter
et supprimer les copies que les militants ou sympathisants
s'empressent de reposter des milliers de fois sur les réseaux
sociaux. Pour ce faire, il faut rapidement détecter la similarité
de ces vidéos. Nous en parlerons en détail[13].

Sur un mode plus léger, si quelqu'un prend en photo l'étiquette d'une bouteille de vin, le système recherche la même
étiquette et accède aux renseignements sur le vin en question.
Il confirme que deux clichés représentent la même personne.
Il compare une toile célèbre, un édifice connu à une liste de
tableaux ou de monuments... Il en fait autant pour des textes :
cet article de Wikipédia contient-il une réponse à la question ?
Ces deux articles parlent-ils du même sujet ?

On recourt pour ces comparaisons à l'« enchâssement »
et à l'« apprentissage métrique ». L'enchâssement (*embedding*)
consiste à représenter une image, une vidéo ou un texte par
un vecteur. Ce vecteur est calculé par un réseau de neurones. Il faut entraîner ce réseau pour que deux vecteurs

---

13. *Cf.* chapitre 8, p. 269.

représentant des contenus similaires soient proches l'un de l'autre, et que deux vecteurs représentant des contenus différents soient éloignés. J'avais utilisé cette méthode, joliment baptisée « réseau siamois », dès les années 1990 pour la vérification de signature[14], et, dans les années 2000, pour l'authentification de visages[15]. Elle consiste à disposer de deux copies d'un même réseau de neurones. Le réseau prend un portrait en entrée et produit un vecteur à 1 000 dimensions en sortie. L'espace à 1 000 dimensions des vecteurs de sortie est l'espace d'enchâssement. Nous montrons deux portraits différents de la même personne aux deux copies du réseau. Si nous voulons que les vecteurs de sortie soient proches, nous allons utiliser la sortie du premier réseau comme sortie désirée du deuxième réseau, et réciproquement. Notre fonction de coût sera la distance entre les sorties des deux réseaux. L'apprentissage par rétropropagation va modifier les poids pour que les deux vecteurs se rapprochent l'un de l'autre. Inversement, lorsqu'on présente aux réseaux deux portraits de personnes différentes, on veut que les deux vecteurs de sortie soient éloignés l'un de l'autre. On définit une fonction de coût qui diminue lorsque la distance entre les vecteurs augmente, on l'optimise par descente de gradient, et le tour est joué.

Nous disposons maintenant d'un réseau qui produit des vecteurs à 1 000 dimensions pour une photo de visage. Deux photos de la même personne fourniront des vecteurs proches, et deux photos de personnes différentes, des vecteurs éloignés. Ainsi, nous pouvons vérifier l'identité d'une personne en comparant le vecteur de son portrait à une collection de

14. J. Bromley, I. Guyon, Y. LeCun, E. Säckinger, R. Shah, « Signature verification using a "siamese" time delay neural network », *NIPS'93 Proceedings of the 6th International Conference on Neural Information Processing Systems*, Morgan Kaufmann Publishers, 1993, p. 737-744.
15. S. Chopra, R. Hadsell, Y. LeCun, « Learning a similarity metric discriminatively, with application to face verification », *Conference on Computer Vision and Pattern Recognition (CVPR)*, 2005, 1, p. 539-546.

vecteurs précédemment enregistrés de portraits de la même personne. Les systèmes de reconnaissance des visages de Facebook utilisent le même type de techniques[16].

Je suis cofondateur et conseiller scientifique de Element, une start-up basée à New York. Elle propose un système d'authentification d'identité à partir d'une simple photo de la paume de la main prise avec un smartphone. Les lignes de la main sont uniques à chaque individu, comme d'ailleurs la plante du pied. Avec elles, contrairement à la reconnaissance de visage, on ne peut pas identifier la personne à son insu. Cette fonction est très utile dans les pays en développement pour accéder à des services de santé, ou pour utiliser un compte bancaire. Element participe au programme d'une fondation philanthropique qui organise des campagnes de vaccination et de suivi médical de nouveau-nés au Bangladesh et dans d'autres pays. Avec cette technologie, on photographie la plante des pieds des nouveau-nés – ils ont souvent les poings serrés –, ce qui permet à la fois de les identifier, d'éviter de les vacciner deux fois, et de garder un historique de leurs traitements.

L'enchâssement s'applique aussi à la recherche d'information. Un réseau est entraîné à produire un vecteur d'enchâssement pour une requête et un vecteur d'enchâssement pour un contenu, tels que le vecteur d'une requête (ou question) et le vecteur du contenu recherché (la réponse à la question) soient proches.

D'autres usages encore ? Wildbook (jeu de mots sur Facebook), organisation d'universitaires et de volontaires, offre un service d'identification des mammifères marins et autres espèces vivantes. À partir de la simple photo d'une baleine ou d'une orque faisant surface, d'un requin-baleine, et, sur terre,

16. Y. Taigman, M. Yang, M. A. Ranzato, L. Wolf, « DeepFace : Closing the gap to human-level performance in face verification », *Conference on Computer Vision and Pattern Recognition (CVPR)*, 2014, 8.

d'un zèbre, d'un léopard, un système à base de réseau convolutif et d'apprentissage métrique reconnaît l'individu, rien qu'en identifiant la texture de sa peau, les irrégularités de son aileron, de sa queue ou de ses taches. Le système est entraîné avec des clichés étiquetés à la main. Wildbook comptabilise ainsi les animaux menacés et peut éventuellement repérer leur position et suivre leurs migrations[17].

Reconnaissance de la parole

Avant toute chose, le signal sonore, comme n'importe quel autre signal entrant, doit être numérisé en une suite de nombres, appelés échantillons, chacun indiquant la pression de l'air sur le micro à un instant donné. Typiquement, un signal de parole nécessite 10 000 de ces échantillons par seconde. La plupart des systèmes de reconnaissance de parole commencent par traiter cette séquence, un peu comme le fait l'oreille interne humaine. Cette transformation produit une représentation du signal, comme une sorte d'image que l'on fournit au réseau de neurones.

Soit, dans ce signal sonore, une fenêtre de 256 échantillons qui représente 25,6 millisecondes de signal, c'est-à-dire une fraction de seconde. Sur cette fenêtre, le programme de prétraitement calcule l'intensité du son dans une quarantaine de bandes de fréquences, les basses, les médiums et les aigus. La fenêtre est ensuite déplacée de 10 millisecondes dans le temps (il y a un recouvrement entre deux fenêtres successives) et le programme refait le même calcul, transformant la nouvelle fenêtre en 40 nombres.

Un signal de parole est donc représenté par un spectogramme, une séquence de vecteurs de dimension 40, avec

17. https://www.wildbook.org/.

un vecteur toutes les 10 millisecondes, soit 100 vecteurs par seconde. Un réseau convolutif prend une fenêtre de 40 vecteurs (son « image » d'entrée fait donc 40 par 40 « pixels ») représentant 0,4 seconde de parole, et classifie le son élémentaire présent au milieu de la fenêtre.

Chaque langue humaine peut être vue comme une séquence de phonèmes. En français, ce sont les sons « a », « ou », « oi », « on », « ta », « ti », etc. Chaque phonème est composé de plusieurs sons élémentaires appelés phones. Le phonème « oi » est en réalité composé de trois phones, le « o » du début, le « a » de la fin, et un son intermédiaire entre les deux. Une langue peut comporter 3 000 de ces sons élémentaires, du fait de combinaisons infinies. À titre d'exemple, le son « p » au milieu de « apparaître » n'est pas le même qu'au milieu de « opposé » ! Chaque son dépend de son environnement phonétique.

Le réseau convolutif, appelé dans ce cas « modèle acoustique », classifie le son présent dans son entrée en une de ces 3 000 catégories. Il produit en sortie une liste de 3 000 scores indiquant la probabilité que le son observé soit l'une des 3 000 catégories de phones. La sortie du réseau est donc un vecteur à 3 000 composantes toutes les 10 millisecondes.

Une phrase est ainsi une espèce d'image de taille variable en fonction de sa longueur, avec, pour chaque instant, un contenu fréquentiel. En sortie du réseau, on obtient une séquence de longueur variable de vecteurs à 3 000 composantes.

Nous n'en avons pas fini ! Il faut maintenant extraire une suite de mots de cette séquence. On recourt pour cela à des modèles de mots et de langages. Pour chaque mot de la langue, le modèle indique toutes les séquences de sons élémentaires qui le forment. Il est entraîné à partir de phrases parlées. Le modèle de langage, lui, indique quelles séquences de mots sont

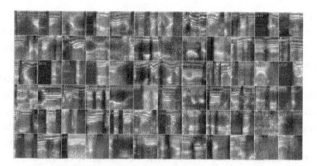

Figure 7.1. Quelques exemples d'« images » de paroles.

Chaque carré est une sorte d'image de 40 pixels par 40 pixels représentant 0,4 seconde de parole. Chaque pixel représente l'intensité du signal de parole dans une des 40 bandes de fréquence pour une fenêtre de 10 millisecondes (source : NYU/IBM)[7].

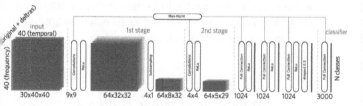

Figure 7.2. Exemple de réseau convolutif pour la reconnaissance de la parole.

Il prend une « image » représentant 0,4 seconde de parole et produit un vecteur de scores pour chacun des sons possibles de la langue (source : NYU/IBM)[8].

possibles (ou probables) dans la langue en question. Pour transformer la séquence de scores de sons élémentaires en séquence de mots, on utilise un décodeur qui va chercher parmi les séquences de mots possibles de plus haut score

18. Tom Sercu, Christian Puhrsch, Brian Kingsbury, Yann LeCun, « Very deep multilingual convolutional networks for LVCSR », IEEE International Conference on Acoustics, Speech and Signal Processing (ICASSP), 2016, p. 4955-4959.
19. *Ibid.*

celle qui correspond à une séquence de mots la plus probable
au regard du modèle de langage. Certains systèmes récents
utilisent des réseaux de neurones (convolutifs ou récurrents)
pour réaliser tous ces modèles.

Les réseaux convolutifs sont ainsi présents dans presque
toutes les applications où la parole est impliquée. Pour les assistants virtuels du type Alexa, par exemple, ils transcrivent les
requêtes en texte pour qu'elles soient analysées par le système.

La méthode est la même pour la commande de composition de numéros de téléphone sur un mobile ou le sous-
titrage automatique de vidéos – autant d'applications qui
utilisent la reconnaissance de la parole. Une dernière-née
est la traduction directe *speech-to-speech*, précieuse pour
le Madrilène voulant communiquer avec un chauffeur de
taxi à Pékin. Le portable fait l'intermédiaire. Le client parle
espagnol et son téléphone traduit à haute voix en mandarin.
Le chauffeur répond en mandarin et la machine traduit à
haute voix en espagnol, ou directement dans les écouteurs
du client.

Synthèse de la parole et du son

Depuis quelques années, un type particulier de réseau
convolutif est employé pour la synthèse de sons et de parole.
On nomme parfois ces réseaux « déconvolutifs » parce qu'ils
ressemblent à un réseau convolutif dont on aurait interverti
l'entrée et la sortie. L'entrée de ce réseau est une séquence
de mots ou de phonèmes, et la sortie est un signal de parole
synthétique avec inflexion, prosodie, etc. L'architecture de ces
réseaux est très similaire à une architecture de reconnaissance
de parole dans laquelle toutes les flèches ont été inversées :
le réseau déconvolutif produit un spectrogramme similaire à

celui utilisé pour la reconnaissance. Mais, pour « inverser » le spectrogramme et produire un signal de parole, on utilise aussi un réseau déconvolutif entraîné séparément.

Dans certains systèmes, l'entrée comporte un vecteur d'enchâssement du locuteur. Il suffit de quelques secondes de parole d'une personne pour calculer son vecteur d'enchâssement vocal à l'aide d'un réseau convolutif entraîné. Ce vecteur est donné en entrée au synthétiseur vocal qui peut alors lire un texte quelconque avec la voix de la personne. On appelle cela le clonage vocal.

Les synthétiseurs de parole modernes sont tellement fidèles qu'on a parfois de la peine à les distinguer d'un locuteur humain. Mais savoir parler est une chose, il faut encore savoir quoi dire. À cet égard, ces machines sont encore loin de pouvoir faire la conversation.

Compréhension du langage et traduction

Il ne lui suffit pas de décoder les sons. L'assistant virtuel doit aussi classer correctement la requête, c'est-à-dire déterminer son intention. Qu'il enregistre : « Quel temps va-t-il faire demain ? », ou : « Il pleut demain ? », ou encore : « Il fera chaud demain ? », l'assistant virtuel doit « comprendre » que toutes ces phrases signifient « donner la météo pour demain ». Pour Alexa par exemple, les ingénieurs d'Amazon ont déterminé environ 80 intentions différentes : appeler quelqu'un ; jouer de la musique ; donner l'état du trafic ; choisir une station de radio... Une fois l'intention reconnue, le serveur d'Amazon peut alors effectuer la tâche demandée[20].

---

20. Pour la description précise du fonctionnement de l'assistant virtuel, *cf.* dans ce chapitre, p. 257.

La détermination d'intention est indispensable pour traiter la recherche d'information. De plus en plus, des réseaux de neurones particuliers, dits « transformeurs », s'en chargent. Quand vous tapez « population de l'Arménie », Google fait la recherche pour vous. Votre requête est traitée par un réseau de neurones qui en représente le sens par une liste de nombres, autrement dit un vecteur. À l'autre bout, des vecteurs de contenu ont été extraits de milliards de pages sur Internet. Ces vecteurs préexistent à la recherche. Le réseau compare le premier vecteur aux seconds. S'ils présentent des similarités, les contenus correspondant à ces vecteurs sont remontés par le réseau et vous sont montrés par le moteur de recherche.

Il en va de même pour les messages. De quoi parle ce post sur Facebook ? De politique ? Le contenu est-il plutôt de gauche ou de droite ? S'agit-il d'un commentaire néonazi ou raciste ? D'un compliment ou d'une critique ?

La méthode utilisée pour représenter le texte afin de le classer a longtemps été la suivante : on construisait un grand vecteur dont le nombre de composantes était égal à la taille du dictionnaire. Chaque composante indiquait le nombre de fois qu'un mot particulier apparaissait dans le texte. On disposait donc d'un « sac de mots » (*bag of words*) ! C'était simple, sauf que les mots étaient dans le désordre. On comparait ces vecteurs pour savoir si deux textes parlaient du même sujet, puisque leurs « sacs de mots » étaient similaires. Ce vecteur d'entrée pouvait aussi être classifié par un réseau de neurones. Tout cela marchait, mais pas très bien. Avec ce procédé, il était difficile de savoir si un texte disait une chose ou son contraire (puisque dans les deux cas, il utilisait le même « sac de mots »...).

Les méthodes plus modernes utilisent des représentations de texte par séquences de vecteurs d'enchâssement. À chaque mot du dictionnaire est associé un vecteur de 100 à 1 000 dimensions.

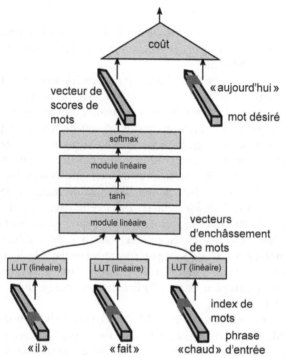

Figure 7.3. Le modèle de langage proposé par Yoshua Bengio et son équipe en 2003.

Un modèle de langage prend une suite de mots en entrée et produit un vecteur de scores en sortie qui, pour chaque mot du lexique, produit la probabilité que ce mot suive la séquence d'entrée. Les modèles de langage sont utilisés pour produire du texte, pour améliorer la précision des systèmes de reconnaissance de la parole et les systèmes de traduction. Le modèle de langage représenté ici est un des premiers à avoir utilisé un réseau de neurones avec ces objectifs. La première couche de ce réseau transforme chaque mot, représenté par son index dans le lexique, en un vecteur d'enchâssement par l'intermédiaire d'une couche linéaire d'un type un peu particulier qu'on appelle une *look-up table* (LUT). Après entraînement sur des millions de textes, ces vecteurs représentent toute l'information utile relative aux mots d'entrée. Des mots proches, tels que « chien » et « chat », seront représentés par des vecteurs similaires. Depuis l'émergence du *deep learning*, les meilleurs modèles de langage utilisent des réseaux de neurones profonds.

Ces vecteurs sont appris, de sorte que des mots semblables sont représentés par des vecteurs proches (en termes de distance euclidienne).

L'idée d'apprendre des vecteurs d'enchâssement de mots remonte au début des années 2000, avec un article visionnaire de Yoshua Bengio, très en avance sur son temps[21]. Il y proposait une architecture de réseau de neurones pour un modèle de langage. À partir d'un segment de texte, un système est entraîné à prédire le mot qui suit. Comment les mots à l'entrée du réseau de neurones sont-ils représentés ? On dispose d'une liste de tous les mots du lexique, classée dans l'ordre lexicographique. Dans cette liste, chaque mot est identifié par un numéro. Une séquence de mots est facilement transformée en une séquence de nombres, en remplaçant chaque mot par son numéro dans la liste. On dispose ensuite d'une liste de vecteurs – une LUT (*look-up table*) – qui, pour chaque indice de mot, donne un vecteur d'enchâssement.

Les vecteurs de cette LUT sont entraînés, comme les poids d'une couche de neurones linéaires. Le réseau possède quelques couches cachées suivies d'une couche de sortie qui produit un grand vecteur donnant une probabilité, pour chaque mot du lexique, de suivre la séquence de mots présentée en entrée. La transformation de sommes pondérées en sortie du dernier module linéaire en une distribution de probabilités est opérée par un module « softmax ». Ce module calcule l'exponentielle de chacune de ses entrées et les divise par leur somme. On obtient ainsi une série de nombres entre 0 et 1 dont la somme fait 1 : une distribution de probabilités. Le module softmax est utilisé dans la quasi-totalité des applications de classification.

21. Y. Bengio, R. Ducharme, P. Vincent, C. Jauvin, « A neural probabilistic language model », *Journal of Machine Learning Research*, 2003, 3 (6), p. 1137-1155.

Après apprentissage, on se sert des vecteurs de la LUT pour représenter les mots. Ils contiennent toute l'information permettant au système de prédire le mot suivant, à la fois son sens et son rôle syntaxique. Le système a été entraîné avec de nombreuses phrases, comme « le lait est sur la table », mais jamais « la voiture est sur la table ». Dans la phrase « il a vu le chien dans le jardin » et « le chat est dans le jardin », les mots « chien » et « chat » apparaissent dans des contextes similaires. Le système attribue spontanément des vecteurs d'enchâssement similaires à « chat » et « chien », mais des vecteurs différents à « lait » et « voiture ». De même, les noms de lieu, les noms de mois, etc. Plus généralement, quand des mots jouent un rôle analogue dans la phrase, leurs vecteurs d'enchâssement sont proches.

Entre 2008 et 2011, le Breton Ronan Collobert et le Britannique Jason Weston, travaillant au laboratoire de la compagnie japonaise NEC à Princeton, améliorent cette idée d'enchâssement. Ils montrent qu'avec une architecture de réseau convolutif, un système peut non seulement prédire le mot suivant, mais aussi effectuer des tâches de compréhension et d'analyse de texte. Leurs travaux se heurtent à la résistance farouche de la communauté de recherche en traitement de la langue naturelle. Leur article est même l'objet de railleries. À tort ! Ils montrent la voie. En 2018, ils recevront l'ICML Test of Time Award. Ce prix récompense l'article le plus marquant publié dix ans auparavant au congrès ICML (International Conference on Machine Learning)[22]. Jason et Ronan sont maintenant tous les deux chercheurs chez Facebook.

En 2013, Tomas Mikolov, un jeune chercheur tchèque travaillant chez Google, reprend l'idée d'entraîner un modèle

---

22. Ronan Collobert, Jason Weston, « A unified architecture for natural language processing : Deep neural networks with multitask learning », *Proceedings of the 25th International Conference on Machine Learning (ICML '08)*, ACM, New York, 2008, p. 160-167.

de langage. Il propose une architecture très simple qu'il baptise Word2vec. Elle est tellement efficace pour représenter des textes par enchâssement de mots qu'elle se répand comme une traînée de poudre[23]. Tout le monde l'utilise pour représenter du texte afin d'en comprendre le sens ou le ton. Tomas aussi va bientôt rejoindre Facebook. Peu après son arrivée, il collabore, avec les chercheurs français de Facebook Piotr Bojanovski, Édouard Grave et Armand Joulin, au projet FastText qui améliore considérablement les performances de word2vec, en étend les applications, et fonctionne en 157 langues. FastText, distribué en *open source*, est utilisé par des milliers d'ingénieurs dans le monde[24].

L'effervescence est à son comble. Fin 2014, le chercheur et ancien étudiant de Geoff Hinton, Ilya Sutskever, publie un article au congrès NIPS qui fait l'effet d'une bombe[25]. Il a construit un gros réseau de neurones qu'il applique à la traduction d'une langue vers l'autre avec des résultats légèrement supérieurs aux techniques utilisées jusque-là.

Les méthodes « classiques » de traduction utilisaient des statistiques calculées sur des textes parallèles. Combien de fois le groupe de mots « *see you later* » est-il traduit par « à plus tard » en français ? Combien de fois le mot « *bank* » est-il traduit par « banque » ou par « rive » ? En calculant ces statistiques et en réordonnant les mots dans la langue cible pour en respecter la syntaxe, on obtient des traductions approximatives. Mais ces systèmes classiques ne fonctionnent pas bien pour des langues éloignées (par exemple le français et le mandarin) ou pour des langues où l'ordre des mots change

23. T. Mikolov, I. Sutskever, K. Chen, G. S. Corrado, J. Dean, « Distributed representations of words and phrases and their compositionality », *Advances in Neural Information Processing Systems*, 2013.
24. Voir https://fasttext.cc/.
25. Ilya Sutskever, Oriol Vinyals, Quoc V. Le, « Sequence to sequence learning with neural networks », *Advances in Neural Information Processing Systems*, 2016, p. 3104-3112.

(comme entre l'anglais et l'allemand – en allemand, le verbe est souvent à la fin de la phrase). Le système d'Ilya utilise un réseau récurrent, plus précisément une architecture particulière de réseau récurrent appelée LSTM (*long short-term memory*), proposée en 1997 par Sepp Hochreiter et Jürgen Schmidhuber[26], des chercheurs allemands basés en Suisse. Ilya propose d'utiliser un LSTM multicouche pour encoder le sens d'une phrase en un vecteur, puis d'utiliser un autre réseau LSTM pour produire mot par mot la traduction dans la langue cible. On appellera ce type de tâche « seq2seq » pour *sequence to sequence* (séquence vers séquence) : transformer une séquence de symboles en une autre séquence de symboles. Son système ne fonctionne bien que pour des phrases relativement courtes : les LSTM oublient le début de phrase quand ils arrivent à la fin ! Par ailleurs, ce système est très gourmand en calculs et ne peut pas vraiment être déployé à grande échelle.

L'année suivante, cependant, Kyunghyun Cho, un jeune chercheur postdoctorant coréen du laboratoire de Yoshua Bengio à Montréal, et Dzmitry Bahdanau, un jeune stagiaire venant d'Allemagne, ont une idée de génie. Au lieu d'encoder toute la phrase en un vecteur de taille fixe, pourquoi ne pas permettre au réseau de focaliser son attention sur la partie de la phrase dans la langue-source qu'il est en train de traduire ? Si le système doit traduire le texte anglais « *In this house, there are two bathrooms. The wife has her own and the husband his own* » (que l'on peut traduire par « Dans cette maison, il y a deux salles de bains. La femme a la sienne et le mari la sienne »), en anglais, le pronom s'accorde avec le sujet, en français avec l'objet. Pour produire la fin de la phrase (« et le mari... »), le système doit décider s'il doit

26. Sepp Hochreiter, Jürgen Schmidhuber : « Long short term memory », *Neural Computation*, 1997, 9 (8), p. 1735-1780.

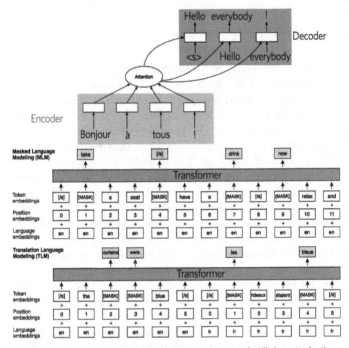

Figure 7.4. Architecture « seq2seq » (*sequence to sequence*) utilisée en traduction automatique, BERT/transformeur et BERT multilingue.

Un module encodeur élabore une représentation du sens de la phrase. À l'entrée de l'encodeur, chaque mot est représenté par un vecteur. Le vecteur associé à chaque mot est appris. L'encodeur combine ces vecteurs dans un réseau dit « transformeur » à l'architecture complexe qui représente le sens sous forme de séquence de vecteurs. Un décodeur produit les mots de la traduction un par un. Pour engendrer chacun de ces mots, il prend en entrée les mots précédemment produits, ainsi que la sortie d'un module d'attention qui lui permet de se focaliser sur la partie de la phrase d'entrée correspondant au mot qu'il est en train d'émettre (source : Michael Auli).

L'architecture BERT, au milieu, apprend à représenter des textes en prévoyant les mots d'une phrase d'entrée qu'on a préalablement masqués. La version multilingue, en bas, apprend à représenter simultanément une phrase et sa traduction et élabore une représentation interne indépendante de la langue (source : Guillaume Lample et Alexis Conneau)[16].

---

27. Alexis Conneau, Guillaume Lample, « Cross-lingual Language Model Pretraining », 2019, arXiv : 1901.07291.

traduire « *his own* » par « le sien » ou par « la sienne ».
Mais pour déterminer la forme correcte, il doit se référer
à l'objet, la salle de bains, qui se trouve dans la phrase
précédente. Avec l'idée du circuit d'attention, le réseau produit « et le mari... » et focalise son attention sur la partie
de la phrase qui importe « *the bathroom* ». Les premiers
résultats sont très prometteurs : le système est plus performant et beaucoup moins cher en calcul et en mémoire
que celui d'Ilya[28]. Quelques mois plus tard, le laboratoire
de Chris Manning à l'Université de Stanford participe au
concours international de traduction automatique WMT
en utilisant les idées du groupe de Montréal. Et il gagne !
Nouvelle ruée vers l'or : tous les groupes travaillant sur
la traduction reprennent l'idée. Y compris le groupe de
Michael Auli, un chercheur allemand de FAIR en Californie
qui produit un excellent système de traduction dont l'architecture est basée sur les réseaux convolutifs augmentés d'un
mécanisme d'attention. Son système a gagné la compétition
WMT 2019[29].

Fin 2017, à son tour, un groupe de Google utilise des
circuits d'attention à grande échelle pour un système de traduction. Leur article porte le titre « Attention is all you need »,
(« L'attention est tout ce dont vous avez besoin »). Ils baptisent
leur architecture « le Transformeur ». Quelques mois plus tard,
un autre article de Google secoue la communauté. Le système s'appelle BERT (Bidirectional Encoder Representations
from Transformers). Avec ce nom, ils continuent une tradition
d'acronymes démarrée par les chercheurs du Allen Institute
for AI à Seattle, qui avaient baptisé leur système ELMo

---

28. D. Bahdanau, K. Cho, Y. Bengio, « Neural machine translation by jointly learning to align and translate », ICLR 2015, http://arXiv.org/abs/1409.0473.
29. Nathan Ng, Kyra Yee, Alexei Baevski, Myle Ott, Michael Auli, Sergey Edunov, « Facebook FAIR'S WMT19 News Translation Task Submission », 2012, artXiv : 1907.06616.

(Embeddings from Language Models). Les chercheurs en IA s'amusent comme ils peuvent ! Elmo et Bert sont des personnages du programme de télévision pour enfants *1, rue Sésame*.

L'idée d'ELMo, de BERT et de quelques autres, comme les travaux de Bengio, de word2vec et de FastText, est d'utiliser l'apprentissage autosupervisé. Nous reviendrons sur l'idée générale d'apprentissage autosupervisé. Dans le cas présent, il consiste à montrer une séquence de mots extraite d'un texte en entrée d'un gros réseau « transformeur », de masquer 10 à 20 % des mots et d'entraîner le système à prédire les mots manquants. Pour cela, le système doit apprendre le sens des mots et la structure des phrases. La représentation interne des mots et des phrases apprises par un réseau de ce type entraîné sur des milliards de phrases est excellente, suffisamment bonne pour servir d'entrée à un système de traduction ou de compréhension. L'article sur BERT est posté sur le site arXiv en octobre 2018[30] avant soumission au congrès ICLR. En quelques semaines, les équipes de Facebook, Hugging Face (une start-up de chatbot française) et d'autres reproduisent les résultats et publient leur code. L'article n'est présenté à ICLR qu'en mai 2019, mais, entre-temps, il a déjà récolté plus de 600 citations ! Cet exemple illustre la vitesse à laquelle les idées circulent.

En juillet 2019, une équipe de Facebook entraîne un modèle inspiré de BERT, appelé RoBERTa (Robustly Optimized BERT, la tradition des mauvais jeux de mots continue) sur une énorme base de données et prend la tête du palmarès GLUE (General Language Understanding Evaluation)[31]. La compétition GLUE inclut toute une série de tâches de compréhension de la langue.

---

30. J. Devlin, M.-W. Chang, K. Lee, K. Toutanova, « BERT : Pre-training of deep bidirectional transformers for language understanding », https://arxiv.org/abs/1810.04805.
31. https://gluebenchmark.com/leaderboard.

La compétition fait rage. En moins d'un an, le BERT original est passé à la douzième place. Les trois premiers (en juillet 2019) sont RoBERTa (Facebook), XLNet (Google) et MT-DNN (Microsoft). En quatrième place on trouve... l'homme. Mais il faut quand même relativiser. Une des tâches de GLUE est la résolution de « schéma de Winograd ». Il s'agit d'une phrase où le renvoi du pronom est ambigu, du genre « la sculpture ne rentre pas dans la boîte parce qu'elle est trop grande » ou « la sculpture ne rentre pas dans la boîte parce qu'elle est trop petite ». Dans le premier cas, le pronom « elle » se réfère à la sculpture, et dans le deuxième, à la boîte. Mais il faut posséder une certaine connaissance du fonctionnement du monde pour pouvoir associer le pronom au mot correct. Les chercheurs en IA utilisent souvent cet exemple pour montrer qu'il faudrait plus de sens commun aux machines. Jusqu'à récemment, les meilleurs systèmes d'IA ne dépassaient pas les 60 % d'associations correctes. Les meilleurs systèmes d'aujourd'hui approchent les 90 %. Toujours loin des 95 % de la performance humaine...

L'idée d'apprentissage par complétion de phrase fait son chemin. Début 2019, deux jeunes chercheurs de FAIR-Paris proposent une version modifiée de BERT pour la traduction. Ils la baptisent XLM (Cross-lingual Language Model). Leur idée est de présenter deux phrases en entrée du système, une en français et l'autre en anglais, et d'entraîner le système à prédire les mots manquants. Mais il peut s'aider des mots de la phrase anglaise, par exemple le mot « *blue* », pour inférer la présence du mot « bleu » masqué de la phrase française. Ce faisant, le système trouve une représentation commune indépendante de la langue. Une fois entraînés, ces systèmes peuvent améliorer le travail des traducteurs[32].

---

32. G. Lample, A. Conneau, « Cross-lingual language model pretraining », https://arxiv.org/abs/1901.07291 (code : https://github.com/facebookresearch/XLM).

Les prédictions

L'économie en est friande : gestion des stocks, prévision de la demande pour tel ou tel produit, anticipation de l'évolution du cours d'une action ou d'une valeur financière... Même si, dans ce dernier cas, les signaux sont difficiles à interpréter... S'il en était autrement, tout le monde pourrait prédire les cours de la Bourse. L'actualité financière serait beaucoup moins drôle.

La prédiction de consommation d'énergie permet à EDF ou à n'importe quelle compagnie d'électricité de gérer au mieux la production des centrales électriques et d'allouer au plus juste les ressources pour minimiser les pertes. Comment procèdent-elles ?

Elles mesurent la consommation en électricité en continu dans le quartier ou dans la ville. Ces mesures forment des séries de nombres qui varient selon l'endroit. Dans un quartier résidentiel, en semaine, la consommation est basse la nuit, elle augmente entre 7 et 9 heures quand les habitants se réveillent, puis diminue quand ils partent au travail ou à l'école, sans retrouver le niveau de la nuit, puisque certains restent à la maison. Elle remonte à la fin de la journée et reste haute jusque vers 22 heures-minuit, heure à laquelle les gens vont se coucher. Puis elle redescend. La courbe est un peu différente le week-end, et dépend aussi de la météo. Dans une zone industrielle, cette courbe est presque inversée. Elle est haute pendant la journée, et plate la nuit et le week-end, puisque les gens ne travaillent pas.

La compagnie d'électricité se retrouve ainsi avec des séries temporelles : Résidentiel 1, Résidentiel 2, etc., et d'autres indicateurs comme la température extérieure, le niveau d'ensoleillement, l'heure de la journée, l'indicateur du jour (1 pour un jour de semaine, 0 pour un week-end ou un jour férié). Chaque heure est caractérisée par une liste de nombres qui sont les indicateurs que nous venons de nommer.

Cette liste est un tableau de nombres unidimensionnel, un peu à la manière d'une image. Le réseau convolutif est entraîné à partir des données passées, collectées depuis des années.

La régression linéaire est une méthode plus classique, qui ne recourt pas à un réseau convolutif pour lire l'« image » de la consommation. La sortie est une simple somme pondérée des entrées. On l'utilise également en prédiction financière. Ce modèle « autorégressif » prend les valeurs passées et prédit les valeurs futures. Il faut juste calculer les coefficients de ces modèles. Mais la méthode n'est plus pertinente si le signal d'entrée est compliqué, comme avec la consommation électrique où de multiples facteurs se combinent entre eux...

Autre domaine où la prédiction est devenue incontournable : la publicité. La prédiction de clics (**CTR** comme *click through rate*) est utile aux entreprises qui mettent du contenu en ligne. Google, Facebook et d'autres, comme Criteo, veulent savoir sur quelles publicités les utilisateurs vont cliquer, car leurs recettes en dépendent. Si ces sociétés veulent être efficaces, il leur faut minimiser le nombre de pubs montrées tout en maximisant les recettes. Donc ne présenter aux utilisateurs que celles sur lesquelles ils sont susceptibles de cliquer. Sinon l'ennui menace, or l'ennui a un effet repoussoir[33].

Pour anticiper la probabilité de cliquer sur une publicité donnée, on utilise un réseau de neurones doté de très nombreuses entrées, qu'on entraîne à prédire l'intérêt des uns et des autres pour celle-ci. En entrée, un vecteur représente ce contenu et les goûts de la personne, dont la mesure est obtenue à partir de l'interaction de l'utilisateur

---

33. *Cf.* chapitre 8, « Newsfeed », p. 289.

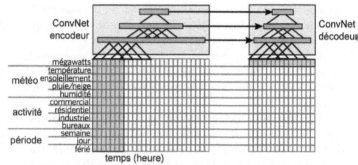

Figure 7.5. Prédiction de la consommation électrique d'une ville.

Un réseau convolutif regarde en entrée une fenêtre d'une journée ou un peu plus, et on lui demande de prédire quelle sera la consommation dans une heure, dans un jour, dans une semaine ou dans un mois.

Les exemples d'entraînement sont les valeurs à une heure donnée, un jour donné, et les sorties demandées sont la consommation observée l'heure suivante. Au lieu de l'entraîner à reconnaître un objet dans une image, on l'entraîne à prédire quelles sont les valeurs de consommation dans chacun des quartiers.

Dans le réseau convolutif, des unités calculent des sommes pondérées qui passent par des fonctions non linéaires. L'empilement des couches permet de calculer des relations entre entrées et sorties plus complexes que ne pourrait le faire une prédiction linéaire.

avec d'autres contenus dans le passé. Ce modèle est entraîné avec les milliards de clics quotidiens faits sur Facebook ou sur Google !

Le réseau de neurones prédit si la personne va cliquer sur une publicité donnée en proposant un score. Ensuite, si la personne clique effectivement dessus, le réseau de neurones s'ajuste à la hausse. Sinon, il s'ajuste à la baisse. Le choix de la pub qui lui sera envoyée la fois suivante tiendra compte de cet ajustement. Le réseau est donc entraîné en permanence.

Facebook procède de la même façon pour placer des publicités sur le fil d'actualité Newsfeed. Google y a aussi recours pour déterminer dans quel ordre montrer les résultats d'une recherche. Si on tape « grippe aviaire » dans Google, le moteur de recherche enregistre que les gens ne cliquent jamais sur les quatre premiers résultats, ils cliquent de préférence sur le cinquième. Google fait donc monter ce résultat dans la liste. Tous les publicitaires ont aujourd'hui recours à ces méthodes.

L'IA et la science

Le *deep learning* a des applications spectaculaires en sciences : en astrophysique (la classification des galaxies et la découverte d'exoplanètes) ; en physique des particules (l'analyse des jets de particules produits par les collisions de l'accélérateur de particules CERN à Genève) ; en science des matériaux (conception de méta-matériaux aux propriétés nouvelles) ; en sciences sociales (analyse à grande échelle des interactions sociales) ; neurosciences (compréhension des mécanismes de perception dans le cerveau)... Les plus nombreuses applications sont en biomédecine, par exemple pour le repliement des protéines. Ces grosses molécules, faites d'assemblages d'acides aminés, constituent la base des cellules de tous les êtres vivants. Elles sont synthétisées à partir des gènes. Une séquence de lettres de l'ADN est transformée en une séquence d'acides aminés qui forme une protéine.

Or les protéines se replient dans une conformation particulière pour interagir avec d'autres protéines et pour assurer une fonction – faire qu'un muscle se contracte... La forme qu'elles prennent détermine cette fonction.

Il faudrait pouvoir prédire les mécanismes biochimiques qui président à ce repli pour trouver de nouveaux médicaments ou traitements qui empêcheraient deux protéines

de se coller, ou qui favoriseraient au contraire leur rapproche-
ment[34]. Les réseaux de neurones sont à la base des méthodes
les plus performantes dans ce domaine. Par exemple le système AlphaFold de DeepMind[35].

L'architecture des grandes applications :
la voiture autonome

Un rappel, pour que nos imaginations ne s'emballent
pas : même si des systèmes d'assistance à la conduite sont
largement déployés dans les voitures en 2019, les modèles
complètement autonomes sont encore expérimentaux. La plupart du temps, une personne assise à la place du passager
assure la surveillance.

Un débat théologique divise la communauté scientifique.
D'un côté, les tenants du « tout apprentissage » croient en
un système de *deep learning* entraîné de bout en bout. Pour
l'entraîner, on branche son entrée sur la caméra d'une voiture, et sa sortie sur les pédales et le volant, puis on laisse le
système observer des conducteurs humains conduire quelques
milliers d'heures.

À l'inverse, les partisans d'une approche mixte défendent
l'idée de découper le problème : associer un système de *deep
learning* pour percevoir l'environnement à d'autres modules
de planification de trajectoire qui tiennent compte de cartes

34. Alexander Rives, Siddarth Goyal, Joshua Meier, Demi Guo, Myle Ott,
Clawrence Zitnick, Jerry Ma, Rob Fergus, « Biological structure and function
emerge from scaling unsupervised learning to 250 million protein sequences »,
bioRxiv, 2019, p. 622803.
35. R. Evans, J. Jumper, J. Kirkpatrick, L. Sifre, T. F. G. Green, C. Qin,
A. Zidek, A. Nelson, A. Bridgland, H. Penedones, S. Petersen, K. Simonyan,
S. Crossan, D. T. Jones, D. Silver, K. Kavukcuoglu, D. Hassabis, A. W. Senior,
« De novo structure prediction with deep-learning based scoring », *13th Critical
Assessment of Techniques for Protein Structure Prediction 1-4 December 2018*,
https ://deepmind.com/blog/article/alphafold.

détaillées établies à l'avance, essentiellement programmés à la main.

Pour ma part, je pense que les systèmes de conduite autonome passeront par trois phases : 1° une grande partie du système sera programmée à la main et le *deep learning* servira juste à la perception ; 2° une place plus importante sera faite à l'apprentissage ; 3° la machine possédera assez de sens commun pour conduire de manière plus fiable qu'un être humain.

Autonomie et système mixte

Un des premiers systèmes commercialisés pour l'assistance à la conduite a été celui de la société israélienne MobilEye, rachetée depuis par Intel. En 2015, MobilEye a fourni à Tesla, l'entreprise de voitures électriques d'Elon Musk, un système de vision pour la conduite quasi autonome sur autoroute à base de réseau convolutif. Il équipe le modèle 2015 de la Tesla S.

À ce propos, voici une petite anecdote ! En juin 2013, je suis invité à faire une présentation de mes recherches au congrès COLT (COmputational Learning Theory) à Princeton. Dans l'audience, Shaï Shalev-Schwartz, professeur de l'Université hébraïque de Jérusalem, spécialiste de la théorie de l'apprentissage, manifeste beaucoup d'intérêt pour les applications pratiques des réseaux convolutifs. Or il s'apprête à passer une année sabbatique à MobilEye. À son arrivée dans l'entreprise pendant l'été, il fait valoir les avantages des réseaux convolutifs. Branle-bas de combat ! Les ingénieurs de MobilEye adoptent *illico* sa proposition pour leur système embarqué. En moins de dix-huit mois, le nouveau système à base de réseaux convolutifs est livré à

Tesla, qui l'intègre dans ce modèle 2015. Un an plus tard, Tesla décide de concevoir son propre système de conduite et les deux compagnies « divorcent ». C'est ainsi que se propage la bonne parole !

Pour améliorer la fiabilité des systèmes de conduite autonome, plusieurs entreprises « trichent » pour simplifier les problèmes de perception et de prise de décision. Elles sont les tenantes de l'approche « mixte ». Ces entreprises utilisent une carte très détaillée de la route, mentionnant tous les panneaux, marquages au sol et autres signalisations préenregistrées. Couplé à un GPS et à un système d'estimation très précis de la position de la voiture, le système embarqué se borne à reconnaître les véhicules et objets mobiles, ainsi que les obstacles imprévus, tels que des travaux sur la chaussée. Outre les caméras, la plupart des voitures autonomes utilisent des radars pour détecter les véhicules à proximité et d'autres, des « lidars », dont nous parlerons plus tard.

Ces systèmes recourent aux réseaux convolutifs pour la perception : localisation des zones traversables, détection de voies, d'autres voitures, de piétons, cyclistes, travaux et différents obstacles. Ils ont été entraînés en leur montrant des milliers de bicyclettes, de piétons, de véhicules, de marquages au sol, de panneaux routiers, de trottoirs, de feux de signalisation, dans des conditions variées. Ils ont appris à les identifier, même en partie cachés par d'autres objets.

Depuis 2014, Waymo, filiale d'Alphabet (la maison mère de Google), conduit des essais de voiture sans conducteur humain dans la région de San Francisco. Les personnes à bord sont des employés de Google. En 2018, une expérience de taxis autonomes ouverts à tous a démarré dans l'Arizona. L'endroit est adapté : routes larges et peu fréquentées, climat propice. Il y fait toujours beau. Waymo utilise un système mixte, avec une panoplie de capteurs sophistiqués (radars, lidars, caméras), alliant reconnaissance visuelle par réseau convolutif et méthode classique de planification, règles de conduite programmées, cartes détaillées qui indiquent précisément les panneaux de limitation de vitesse, les passages piétons, les feux tricolores... Cette combinaison de technologie permet à la voiture de se localiser précisément, d'identifier les objets qui bougent et repérer les imprévus comme des travaux sur la chaussée. Elle lui permet de réagir comme il faut quand cette voiture arrive à un carrefour et qu'il faut appliquer les priorités. Mais une surveillance reste assurée par une personne assise devant à la place du passager (qu'on n'appelle plus la « place du mort » !).

Le lidar (LIght Detection And Ranging) produit une carte détaillée en trois dimensions de l'environnement de la voiture. Il fonctionne presque comme le radar, qui mesure le temps que prend un rayon émis par le dispositif à lui revenir après avoir rebondi sur un obstacle. Mais, à la différence du radar qui utilise un large faisceau de micro-ondes, le lidar utilise un fin pinceau de laser infrarouge. Il produit ainsi une *carte de distance*, c'est-à-dire une image à 360 degrés qui, pour chaque direction, donne la distance de l'objet le plus proche dans cet axe précis. Le travail du système de détection d'obstacle en est facilité. Mais les lidars performants sont encore chers, fragiles, difficiles à entretenir et sensibles aux conditions météo. Ils peuvent équiper une flotte de taxis, mais certainement pas la voiture de monsieur Tout-le-Monde.

Dans de bonnes conditions, la voiture autonome est plutôt fiable. Entre 2014 et 2018, 59 collisions seulement sont intervenues en Californie où les constructeurs de voitures autonomes sont tenus de rapporter les incidents, même mineurs, survenus sur la route[36].

---

36. AFP, 19 mars 2018.

Une fausse note, pourtant : le 18 mars 2018, à Tempe dans la banlieue de Phoenix en Arizona, une voiture autonome testée par Uber a tué une femme qui traversait la nuit une route non éclairée, apparemment sous l'emprise de méthamphétamines, en poussant son vélo à 120 mètres d'un passage piéton. Lors d'une conférence de presse à Las Vegas, John Krafcik, le P-DG de Waymo, a implicitement mis en cause Uber : « Chez Waymo, nous sommes confiants dans le fait que notre technologie aurait été capable de gérer une telle situation » (un piéton poussant un vélo et traversant hors d'un passage protégé). Les causes du dysfonctionnement qui a causé ce drame ne sont pas connues. John Krafcik a aussi rappelé que depuis 2009, les véhicules autonomes de Google ont parcouru plus de 8 millions de kilomètres sur des routes fréquentées par des piétons sans être impliquées dans un seul accident mortel. Il est encore trop tôt pour tirer des conclusions, mais on peut quand même relativiser cette performance : la fréquence d'accident mortel pour les voitures conduites par des humains est d'environ 1 pour 160 millions de kilomètres aux États-Unis.

Autonomie totale ?
Entraînement de bout en bout

Reste l'entraînement de bout en bout, où le système apprend par imitation du conducteur humain. En 2019, on n'y est pas encore. La voiture peut conduire sans encombre sur une route de campagne une petite demi-heure, mais tôt ou tard elle fait une bêtise et un chauffeur humain doit reprendre la main.

Il faut donc ajouter des garde-fous aux garde-fous, c'est-à-dire avoir d'autres systèmes qui surveillent les premiers qui, eux, sont construits spécifiquement pour détecter les piétons, les obstacles et les marquages au sol. Et si le système décèle que la voiture part dans les choux, il corrige la trajectoire. Beaucoup d'ingénierie entre dans la construction de ces machines.

Si on disposait de modèles capables de prédire ce qui va se passer autour de la voiture, et les conséquences de ses actions, la voiture pourrait s'entraîner plus rapidement. Mais nous n'en sommes pas là.

Bref, l'assistance à la conduite existe et sauve déjà des vies, mais la technologie de la voiture autonome n'est pas encore inventée. Il faut distinguer la conduite semi-autonome, où le conducteur humain continue à être responsable, même si en pratique, il ne fait rien, et l'autonomie, où le pilote automatique opère sans surveillance. L'ère de la conduite autonome, sans recours à un opérateur humain, commencera par des flottes de véhicules bardés de capteurs naviguant dans des banlieues calmes. La progression sera lente avant qu'on ait des voitures particulières se conduisant toutes seules dans Paris, Rome ou Mumbai.

L'architecture des grandes applications : l'assistant virtuel

L'assistant virtuel utilise plusieurs applications à la fois. « Alexa ! » La couronne de la galette noire s'allume. Un petit programme, économe en énergie, maintient l'enceinte connectée en veille et ne détecte que le mot qui le réveille. Ensuite seulement, on peut parler à l'assistant. Juste derrière ses micros, le signal sonore qu'il reçoit est numérisé[37].

---

37. *Cf.*, dans ce chapitre, « Compréhension du langage et traduction », p. 237.

Alexa a un système de reconnaissance de la parole *far field*. Comme le téléphone portable, Alexa est dotée de plusieurs micros pour focaliser l'écoute sur la personne qui parle et neutraliser le bruit ambiant, selon le principe du *beam forming*, l'écoute en faisceau. Certains micros sont multidirectionnels, d'autres, directionnels, centrés sur la principale source de son. Le système prend le signal du micro directionnel et soustrait le signal du bruit ambiant, pour ne conserver que la voix de la personne. Nous en faisons autant quand nous nous concentrons pour écouter notre interlocuteur dans un restaurant bruyant.

Le système de reconnaissance de la parole doit gérer les accents et les timbres de voix différents. Les systèmes existent depuis les années 1980, mais ce n'est que depuis l'utilisation des réseaux convolutifs qu'ils peuvent reconnaître correctement les enfants, les accents, les voix inhabituelles, etc. Les enfants, par exemple, ont souvent des défauts de prononciation et leur voix est haut placée. Avant, le réseau devait d'abord identifier s'il s'agissait d'un enfant, d'un homme ou d'une femme, puis il utilisait un système de reconnaissance différent pour chacun d'eux. Aujourd'hui, un seul réseau, généralement convolutif, suffit.

La parole convertie en nombres est transmise aux serveurs d'Amazon. Ce sont eux qui font la reconnaissance de la parole, c'est-à-dire sa transcription en texte. Le réseau de neurones entraîné assurant cette reconnaissance est différent pour chaque langue. Il est activé quand on configure le système. Puis un second réseau de neurones détermine l'intention. Il y a bien deux réseaux consécutifs.

Les confusions restent possibles au niveau du premier réseau. « *Can you recognize speech ?* » peut être interprété de deux façons différentes par un réseau entraîné. Soit : « *Can you recognize speech ?* » [« Peux-tu reconnaître la parole ? »], soit : « *Can you wreck a nice beach ?* » [« Peux-tu détruire une belle plage ? »]. On peut tromper un système de reconnaissance de la parole en prononçant mal ou un peu vite...

Le système peut aussi substituer un mot par un autre qui lui ressemble, ce qui peut provoquer de parfaits contresens. Il faut des modèles de langage qui prédisent les mots susceptibles de suivre un segment de texte. Tous les systèmes de reconnaissance en sont dotés. Ils interviennent après le réseau de neurones de reconnaissance de la parole et essaient, s'il y a des mots ambigus, de trouver la meilleure interprétation. Si la suite de mots proposée par le système de reconnaissance n'a pas de sens du point de vue de la grammaire ou de la sémantique, le modèle de langage va lui donner un faible score. La machine est programmée pour trouver une autre interprétation avec un score plus élevé, avec le même algorithme que celui utilisé pour la recherche d'itinéraire : la meilleure interprétation d'une phrase prononcée est le chemin de meilleur score dans un treillis de séquences de mots possibles. Un treillis est une sorte de graphe dans lequel chaque arc est un mot et un chemin est une séquence de mots.

Une fois ces opérations accomplies, le système peut demander des clarifications, ou produire directement la réponse en synthétisant la parole correspondant au texte de la réponse. Les systèmes classiques de synthèse vocale utilisaient des segments de parole enregistrée et recollaient ces segments, tout en en modifiant les inflexions pour produire une phrase. Les systèmes modernes utilisent désormais des réseaux de neurones, des sortes de réseaux convolutifs utilisés « à l'envers ».

Une clarification tout de même... L'enceinte connectée espionne-t-elle la vie de la maison ? Oui et non ! Oui, parce que l'assistant virtuel est sur le mode « écoute en continu » pour détecter les mots qui le réveillent : « Alexa », « OK Google », ou « Hey Portal »... Seuls ces mots le mettent en position de transmettre quelque chose aux serveurs centraux. Mais dès lors qu'une phrase a été enregistrée, elle est envoyée aux

serveurs. Là, elle est éventuellement reconnue et la réponse
est produite. Si l'assistant virtuel enregistre les cris d'une
scène de violence conjugale après qu'il a été « réveillé », le
serveur n'en fait rien. Il le pourrait, matériellement, mais d'un
point de vue éthique, cela n'est pas possible. On peut en être
sûr pour des entreprises qui doivent défendre leur réputation
comme Amazon, Google ou Facebook. Mais s'il s'agit d'une
application pirate sur notre téléphone portable écrite par un
adolescent non identifié au fin fond de l'Ukraine, la prudence
s'impose.

L'architecture des grandes applications : l'imagerie médicale et la médecine

Les réseaux convolutifs sont couramment utilisés pour les
radiographies, les IRM (imagerie par résonance magnétique),
la TDM (tomodensitométrie ou scanner), pour la détection de
tumeurs, la rhumatologie ou les remplacements d'articulations.

Pour une radiographie classique aux rayons X, comme
une mammographie pour laquelle on a deux images, puisqu'on
fait une radio dans les deux axes, un réseau convolutif entraîné
regarde un petit champ visuel dans l'image. Il réagit quand il
est centré sur un pixel suspect. C'est une application directe
de la segmentation sémantique par réseau convolutif.

Pour l'entraîner, il faut une grande collection de
mammographies annotées par des radiologues qui ont dessiné
les contours des tumeurs. Ces images-là sont découpées
en fenêtres d'une certaine taille qui donnent des centaines
de petites images. Une à une, celles-ci sont montrées à un
réseau convolutif à qui on indique qu'il y a une tumeur ou
qu'il n'y en a pas au centre de la fenêtre. Il apprend donc à
classer les fenêtres selon la présence ou non d'une tumeur.

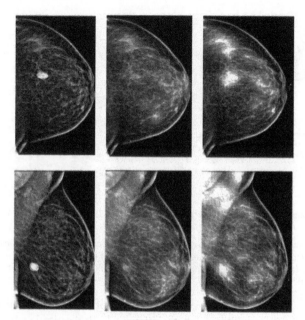

Figure 7.6. Détection de tumeurs bénignes et malignes dans les mammographies à l'aide de réseau convolutif.

Dans la colonne de *gauche*, les zones claires indiquent les tumeurs à haut risque identifiées par biopsie ; dans la colonne du *milieu*, les tumeurs bénignes identifiées par le réseau convolutif ; et dans la colonne de *droite*, les tumeurs malignes identifiées par ce réseau. Celui-ci a été entraîné sur 1 million d'images et surpasse la fiabilité des radiologues humains, mais la meilleure performance est obtenue en combinant le système et les radiologues (source : Wu *et al.*, 2019, NYU[27]).

38. Nan Wu, Jason Phang, Jungkyu Park, Yiqiu Shen, Zhe Huang, Masha Zorin, Stanisław Jastrzębski, Thibault Févry, Joe Katsnelson, Eric Kim, Stacey Wolfson, Ujas Parikh, Sushma Gaddam, Leng Leng Young Lin, Joshua D. Weinstein, Krystal Airola, Eralda Mema, Stephanie Chung, Esther Hwang, Naziya Samreen, Kara Ho, Beatriu Reig, Yiming Gao, Hildegard Toth, Kristine Pysarenko, Alana Lewin, Jiyon Lee, Laura Heacock, S. Gene Kim, Linda Moy, Kyunghyun Cho, Krzysztof J. Geras, « Deep neural networks improve radiologists' performance in breast cancer screening », *Medical Imaging with Deep Learning Conference*, 2019, arXiv:1903.08297.

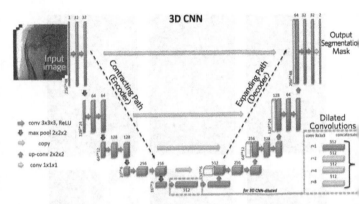

Figure 7.7. Architecture de réseau convolutif pour la segmentation d'IRM de la hanche.

Contrairement aux radiologues humains, ce système peut observer l'image volumétrique directement. L'entrée du réseau convolutif est une image 3D formée de toutes les tranches de l'image volumétrique d'IRM (source : Deniz *et al.*, 2017, NYU[28]).

Une fois déployé, ce réseau convolutif passe sur toute une radio et, pour chaque fenêtre, étiquette le pixel central : « Il y a une tumeur » ou « Il n'y a pas de tumeur ». Il produit à l'issue du processus une sorte d'image où la tumeur est colorée, et donne un degré de confiance sur la certitude de la détection.

S'il n'a rien détecté, la réponse est simple, « pas de problème », ce qui est le cas pour la plupart des mammographies. S'il y a le moindre doute, la radio est envoyée au radiologue, pour qu'il l'étudie plus en détail. Le filtre du réseau convolutif élimine les cas simples, réduit les coûts et les délais de diagnostic et permet au praticien de se concentrer sur les cas difficiles. Le processus diminue aussi ses

39. Cem M. Deniz, Siyuan Xiang, R. Spencer Hallyburton, Arakua Welbeck, James S. Babb, Stephen Honig, Kyunghyun Cho, Gregory Chang, « Segmentation of the proximal femur from MR images using deep convolutional neural networks », *Nature Scientific Reports*, 2018, 8, article 16485, arXiv:1704.06176.

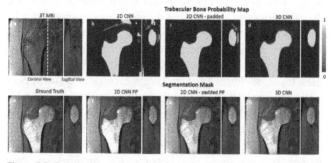

Figure 7.8. Segmentation automatique par un réseau convolutif de la tête du fémur dans une image d'IRM.

Un réseau convolutif prend en entrée l'image volumétrique d'une IRM de hanche. Le réseau étiquette chaque voxel (l'équivalent volumétrique d'un pixel) avec une probabilité que ce voxel appartienne au fémur. Cette vision globale du volume permet au système de produire une segmentation plus précise du fémur, ce qui facilite les opérations de remplacement de la hanche. L'image en haut à droite représente le résultat de la segmentation d'une IRM de fémur produite par un réseau convolutif tridimensionnel. Ce résultat est plus fidèle qu'avec les autres méthodes. (source : Deniz *et al.*, 2017, NYU).

risques d'inattention, lui qui passe de longues heures dans une salle sombre en face d'un écran à examiner des clichés le plus souvent normaux.

Vieilles recettes : les algorithmes de recherche

Une application courante, que nous avons déjà évoquée, est la recherche d'itinéraire. Elle calcule la distance et le temps de parcours selon le mode de transport choisi, et inclut même l'état du trafic en temps réel. Google Maps, Waze, Mappy, toutes font appel à des méthodes sophistiquées, basées sur des algorithmes de recherche de plus court chemin dont les principes datent des années 1960. Il n'y a pas d'apprentissage là-dedans. Mon frère Bertrand, ancien universitaire qui travaille maintenant chez Google à Paris, est justement spécialisé dans les algorithmes à la base de ces méthodes, qu'on appelle « algorithmes distribués d'optimisation combinatoire ».

Ce genre de problème se représente par la recherche de plus court chemin dans un graphe. Un graphe en informatique est une représentation dans la mémoire de l'ordinateur d'un réseau de nœuds connectés par des liens. Pour la recherche d'itinéraire, chaque croisement ou embranchement est un nœud, et chaque lien est un segment de route qui relie les deux croisements. Les liens et les nœuds sont associés à une série de nombres qui indiquent les caractéristiques du segment : temps moyen de parcours (qui s'ajuste en temps réel en fonction du trafic), variance de ce temps, péage, nature de la route, etc. Un algorithme simple mais inefficace explorerait tous les chemins possibles entre deux points, calculerait le temps de parcours et proposerait le plus rapide. Mais cette méthode serait trop lente, même pour les ordinateurs puissants. Les algorithmes efficaces abandonnent rapidement les chemins qui sont trop longs par rapport à la meilleure hypothèse courante. Par ailleurs, ils tirent parti du fait que plusieurs chemins peuvent passer par le même nœud intermédiaire et ne gardent que le meilleur. Cette méthode générale pour la recherche de plus court chemin dans un graphe s'appelle la « programmation dynamique ». Elle est utilisée dans de nombreux systèmes d'IA ou dans d'autres : pour la navigation, pour la reconnaissance de la parole et la traduction (rechercher le meilleur texte dans un graphe de mots possibles), mais aussi pour le décodage de séquences de bits transmises à votre smartphone ou à une sonde spatiale, et pour le routage de paquets de bits dans les réseaux de communication. C'est un peu une méthode à tout faire.

Les systèmes champions d'échecs ou de go utilisent aussi la recherche de chemin dans un graphe. Mais ce graphe prend la forme d'un arbre dans lequel la position actuelle de l'échiquier est la racine, chaque lien est un coup, et le nœud au bout du dernier lien est la configuration de l'échiquier après une séquence de coups. Un chemin de la racine vers ce nœud, ou, pour filer la métaphore, cette feuille, est donc une séquence de coups. Pour produire cet arbre, il faut disposer d'un programme qui produit tous les coups jouables à partir d'une configuration de l'échiquier. Chaque nœud est étiqueté par une évaluation de la qualité de la configuration. Il suffit donc de trouver la branche qui porte la meilleure feuille, autrement dit celle qui est la plus susceptible de mener à la victoire, et d'en jouer le premier coup. Mais un arbre qui représente les séquences de 9 coups est d'une taille astronomique ! Environ 100 000 milliards de feuilles. Il faut donc ruser.

Voici une partie d'échecs. C'est au tour des blancs de jouer. Un programme relativement simple produit tous les coups qui leur sont possibles, en fonction des règles du jeu d'échecs données à la machine (un pion se déplace d'une case, mais il peut se déplacer de deux cases la première fois ; un fou se déplace en diagonale, etc.). Le programme prend donc en compte chacune des pièces, regarde tous les coups possibles du joueur blanc et produit un répertoire de toutes les nouvelles configurations possibles de l'échiquier. Il y a en moyenne 36 déplacements possibles à chaque coup.

L'arborescence forme donc un arbre à l'envers, dont les branches se ramifient à l'infini. Même avec une mémoire importante, même avec un processeur rapide, la machine ne peut pas explorer tous ces coups possibles. Elle ne peut pas aller très profond. Deep Blue lui-même mettrait une centaine d'heures à les explorer. Il faut donc mettre en place des

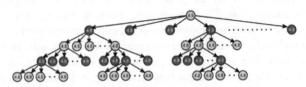

Figure 7.9. La recherche arborescente appliquée au jeu d'échecs.

Pour chacune de ces configurations possibles de l'échiquier après que le joueur blanc a joué, le joueur noir peut à son tour jouer 36 coups. Puis le joueur blanc dispose à nouveau de 36 coups possibles pour chacune de ces 36 × 36 configurations de l'échiquier, etc. La croissance est exponentielle ! Résumons ! 36 possibilités au premier coup. 36 × 36 possibilités au deuxième coup, soit 1 296 possibilités. 36 × 36 × 36 possibilités au troisième coup, soit 46 656 possibilités. Au neuvième tour, on flirte avec les 100 000 milliards de séquences possibles.

techniques d'élagage de cet arbre des possibilités pour rendre la méthode efficace.

On dote alors le système d'une fonction qui évalue la qualité des positions de l'échiquier pour le joueur blanc et pour le joueur noir. Cette fonction d'évaluation, construite en collaboration avec des experts des jeux d'échecs, intègre les critères d'une bonne configuration de l'échiquier : des pièces protégées les unes par les autres ; un bon nombre d'entre elles conservées, avec chacune une valeur définie ; des pièces bien placées sur l'échiquier, c'est-à-dire plutôt au centre qu'en périphérie ; le roi bien gardé ; le nombre de cases menacées par les pièces de l'adversaire, etc. Chacune de ces caractéristiques s'exprime par un nombre. Ces nombres forment un vecteur de caractéristiques qui est traité par une sorte de perceptron sans apprentissage. Il en fait une somme pondérée et produit un score. Ce programme permet de dire : « Cette position-là est une bonne position pour ce joueur. » Il produit un nombre positif si la configuration donne aux blancs une bonne chance de gagner, et un nombre négatif si ce n'est pas le cas. Autrement dit : « Avec cette configuration, le score de tes chances de gagner est de 35 ; pour celle-là, elle est de –10 ; pour celle-ci, de 50 »...

Pendant son exploration, le programme qui joue les blancs considère que, de son côté, l'opposant jouerait aussi de manière à maximiser son score. Après que les blancs auraient joué, les noirs joueraient la position la plus avantageuse pour eux (le meilleur score), et donc la plus désavantageuse pour les blancs (le score le plus négatif). À leur tour, les blancs joueraient la meilleure position de l'échiquier pour eux, etc.

Pour réduire l'exploration des possibilités, compte tenu de la taille potentielle de l'arbre, le programme élague. À chaque coup, il ne conserve que les branches de l'arbre obtenant un score élevé pour celui qui joue, et un bas score pour le coup de l'adversaire. Au total, l'exploration peut se poursuivre jusqu'au neuvième coup, voire plus loin. Finalement, le système identifie la position finale de score maximal pour les blancs et choisit le coup qui correspond au premier nœud de cette branche.

Le programme ne garde donc que certains nœuds de l'arbre, compte tenu que les noirs jouent aussi pour gagner. Cette fonction d'évaluation permet ainsi de limiter l'exploration aux configurations propices quand c'est au joueur de jouer, et à celles qui sont propices pour l'adversaire quand c'est son tour de jouer. Et de descendre plus profond dans les ramifications, pour la même quantité de calcul et de mémoire. Voilà comment cette forme classique d'intelligence artificielle a eu raison du champion d'échecs Garry Kasparov.

Les machines plus récentes sont conçues autrement. Elles recourent moins à cette recherche arborescente. À la place, un gros réseau de neurones « regarde » l'échiquier ou le jeu de go et prédit immédiatement un score pour tous les coups possibles. Les systèmes AlphaGo et AlphaZero, de DeepMind, et le système OpenGo, de FAIR, utilisent un

réseau convolutif. Dans AlphaZero, le réseau est entraîné
en jouant des millions de parties contre lui-même. Il renforce les stratégies menant à des victoires et affaiblit celles
qui font perdre. C'est l'apprentissage par renforcement :
on ne donne pas à la machine la réponse correcte, on lui
dit seulement que sa réponse est bonne ou moins bonne.
Comme si on la gratifiait d'une récompense ou d'une punition. Combinée avec un peu de recherche arborescente, cette
méthode parvient à des performances surhumaines.

Ces systèmes peuvent aussi avoir été entraînés par
apprentissage supervisé, en imitant des joueurs humains dont
on a enregistré les parties. Ces entraînements nécessitent des
puissances de calcul gigantesques. Une fois entraîné, on peut
juste faire tourner le réseau convolutif sur un échiquier de go
ou d'échecs, et il nous donne le coup à jouer. Mais, comme
pour les grands maîtres humains, la performance est amélio-
rée si l'on combine ce jeu « réactif » avec un peu de recherche
arborescente et de l'apprentissage par renforcement.

Je me suis mesuré une fois à un ancien champion de
France d'échecs, un grand maître qui jouait simultanément
contre cinquante personnes. Il regardait l'échiquier et, en
quelques secondes, savait exactement quelle pièce déplacer,
puis il passait à la personne suivante. On attendait qu'il vienne
à notre place, on jouait, il jetait un coup d'œil, il riait, puis il
jouait à son tour et on était mort en dix coups. Il a évidemment battu tout le monde à plate couture. J'ai été balayé en
quelques coups (je suis très mauvais aux échecs) ! Un génie
comme lui n'a plus besoin de faire de la recherche arborescente pour examiner ce qui peut se passer. Il a une vision
intuitive de l'échiquier qui lui permet de jouer directement.
Un peu comme ces systèmes entraînés récents.

Les années Facebook

En 2012, la victoire du réseau convolutif proposé par Geoffrey Hinton et son équipe du laboratoire de Toronto a ébranlé la recherche en intelligence artificielle. D'autant que l'Université de Toronto a mis en accès libre le code du réseau champion. Une communauté assez large a ainsi pu reproduire ces résultats sur des GPU, des cartes graphiques qui permettent de faire des calculs numériques très rapides et peu chers. Elle a pu à son tour s'approprier les réseaux convolutifs.

Le laboratoire de Yoshua Bengio à Montréal (Canada) et mon propre laboratoire à l'Université de New York (NYU) avaient depuis longtemps partagé des logiciels du même genre, mais ils se sont retrouvés mal adaptés à ces nouvelles cartes graphiques très puissantes.

Cette année 2012, l'apprentissage-machine a donc la vedette. L'industrie s'y intéresse. À Facebook notamment, début 2013, un petit groupe d'ingénieurs entreprend d'expérimenter le logiciel de Toronto pour reconnaître des images et des visages. Ils obtiennent rapidement des résultats, qu'ils portent à la connaissance de la direction technique de l'entreprise, et de fil en aiguille, à celle de ses dirigeants...

Or Mark Zuckerberg et Mike Schroepfer, le CTO (*chief technology officer*), le directeur technique de Facebook, ont entamé une réflexion sur l'avenir de l'entreprise. Facebook s'apprête à fêter ses dix ans. Tout va bien : le réseau est coté en Bourse, il est bien établi sur son marché, il a fait sa transition vers la téléphonie mobile, etc. Mais au cours de cet été 2013, Mark et Mike acquièrent la conviction que l'IA va être une composante importante des opérations de Facebook – ou simplement FB. Ils décident donc de créer une activité de R&D dans ce domaine.

Recruté par Mark Zuckerberg

Je ne vais pas tarder à l'apprendre ! Au début de l'été 2013, je croise à un congrès de vision par ordinateur les ingénieurs de Facebook qui travaillent déjà sur les réseaux convolutifs, et qui évoquent leurs premiers travaux. À la fin de l'été, Facebook approche Marc'Aurelio Ranzato, un de mes anciens étudiants en doctorat à NYU. Il avait fait son postdoc chez Geoffrey Hinton à Toronto, avant d'entrer à Google X, un laboratoire top secret où un groupe planche, lui aussi, sur le *deep learning* et les réseaux de neurones. Google ne voulait pas communiquer dessus, mais John Markoff, le journaliste du *New York Times* spécialiste des questions techniques et scientifiques, a vendu la mèche[1].

---

1. John Markoff, « In a big network of computers, evidence of machine learning », *The New York Times*, 25 juin 2012.

Facebook veut donc débaucher Marc'Aurelio. Je lui déconseille d'accepter : Facebook n'a pas de laboratoire de recherche, or Marc'Aurelio veut continuer la recherche fondamentale. Il m'apprend alors que l'entreprise veut justement démarrer une activité de recherche. Un mois plus tard, Marc'Aurelio rejoint donc Facebook. Mark Zuckerberg et Mike Schroepfer l'ont recruté eux-mêmes ! Une démarche typique des entreprises tech de la Silicon Valley. Une fois qu'elles ont repéré un profil qui les séduit, elles se mettent en quatre pour l'attirer. Le P-DG lui-même peut décrocher son téléphone pour convaincre l'intéressé.

Je suis aussi dans le collimateur. Cet été-là, je parle par vidéo à Srinivas Narayanan, à la tête de l'équipe qui expérimente le *deep learning* à Facebook. Quelques semaines après, j'échange avec Mike Schroepfer, mon futur boss. En septembre, Mark Zuckerberg m'appelle à son tour. Nous discutons pour la première fois. Il m'explique ses projets, son intérêt pour l'IA : « Pouvez-vous nous aider ? », dit-il. Je vois mal comment. Je ne veux pas quitter mon poste à l'université, je ne tiens pas à déménager de New York pour m'installer dans la Silicon Valley. Nous en restons là.

Fin novembre, je dois me rendre en Californie pour un séminaire. Marc'Aurelio, invité aussi, me demande de passer à Facebook voir ce qu'il fait. Peu après, l'assistante de Mark Zuckerberg me propose d'arriver plus tôt. C'est ainsi que, la veille de ma visite à Facebook, je me retrouve à dîner en tête-à-tête avec son patron, chez lui.

Nous discutons d'IA, évidemment ! Je réalise qu'il a réfléchi à la question, qu'il s'est informé – il a même lu mes articles ! Quand il s'intéresse à un sujet, il procède toujours ainsi. Il en fera autant pour la réalité virtuelle, ou l'impact de Facebook sur la démocratie… Je ne suis pas habitué. Ce jeune P-DG a des airs de vieux sage. À ce niveau de responsabilité, rares sont ceux qui arrivent à libérer assez de temps pour prendre un domaine à bras-le-corps, tout lire sur le sujet et même développer des compétences techniques...

Au cours de la soirée, il me redemande si je peux les aider. Je lui explique comment je conçois un laboratoire de recherche en IA. Avant d'entrer à NYU, j'ai dirigé pendant six ans un labo de recherche industrielle à AT&T. D'expérience, je sais qu'une telle institution doit obéir à certaines règles pour bien fonctionner : si l'on veut des résultats, il faut laisser aux scientifiques la liberté de gamberger, et ne pas les presser de produire des applications à court terme. Leur garantir la pérennité et la réputation de la structure, pour qu'ils puissent s'y investir. Les encourager à publier des articles. J'ai aussi mon propre cahier des charges : la recherche doit être ouverte, et les logiciels partagés en *open source*, en distribuant le code et en permettant à d'autres de l'utiliser, y compris dans leurs produits et services.

Il me rassure : Facebook partage déjà ses technologies, y compris le design de ses data centers, ce qui est assez rare. Nombre des dirigeants du site bleu viennent du monde de l'*open source*. Avant de devenir *chief technology officer* de Facebook, Mike Schroepfer était le directeur technique de Mozilla, une organisation à but non lucratif...

Le lendemain, au siège, je rencontre la douzaine d'ingénieurs de l'AI Group, auquel Marc'Aurelio appartient. En fin d'après-midi, je rencontre à nouveau Mark et Mike qui me reparlent de leur projet. Je leur redis que je ne veux pas quitter mon job à New York University et que je ne veux pas déménager.

Et ils acceptent.

La direction de NYU me consent rapidement un temps partiel. Je suis convaincu d'avoir fait le bon choix. J'ai les compétences. Je n'ai pas toujours abordé une nouvelle fonction avec une telle confiance. Quand j'ai obtenu, à 43 ans, mon premier poste de professeur, je n'avais jamais enseigné.

Je maîtrisais bien l'apprentissage-machine, mais dans d'autres domaines de l'informatique, je ne me sentais pas au niveau pour les enseigner. Bien qu'étant un athée militant, je priais intérieurement de ne pas avoir à faire cours sur les systèmes d'exploitation ou sur la compilation, ces noyaux durs de l'informatique. Cette fois-ci, j'ai l'expérience, j'ai des garanties de Mark Zuckerberg, et je garde mon poste de professeur… Que demande le peuple ?

Quelques jours plus tard, le congrès international NIPS se tient à Lake Tahoe, dans le Nevada. Mark Zuckerberg et Mike Schroepfer décident de participer à un atelier dédié au *deep learning* qui doit se dérouler après la conférence. Ils veulent mieux connaître la communauté des chercheurs, mais ils veulent aussi annoncer publiquement la création du nouveau laboratoire avec moi, et surtout… recruter ! La présence de Mark aux côtés de Yoshua Bengio et d'autres scientifiques pose des problèmes aux organisateurs de l'atelier : tout le monde veut y assister ! Il faut trouver une grande salle, renforcer la sécurité… Le P-DG de Facebook surprend l'auditoire par sa connaissance du sujet. Ce week-end-là, Mark, Mike et moi faisons passer une vingtaine d'entretiens qui se soldent par une dizaine d'embauches !

On peut s'étonner qu'une entreprise accepte de divulguer les résultats de ses labos. Je vois cinq raisons à cela. Premièrement, nous l'avons vu, il est impossible d'attirer les meilleurs chercheurs si on leur interdit de publier leurs travaux. Le succès d'une carrière se mesure à l'impact de ceux-ci sur la science et la technologie. Ces travaux sont connus grâce à des articles, qui doivent être au préalable évalués anonymement par des comités de lecture où siègent leurs pairs. S'ils sont approuvés, les textes sont officiellement publiés. Le « compte en banque » d'un chercheur est constitué du nombre de citations qu'ont reçues ses publications. Bref, sans publication, pas de carrière. Tout cela explique pourquoi les entreprises qui optent pour le secret (j'en tairai le nom) ont tant de mal à recruter des gens de talent.

Deuxièmement, la qualité de la méthodologie, la fiabilité des informations sont meilleures lorsqu'un travail doit passer le filtre du comité de lecture. Et comme la recherche fondamentale est parfois difficile à jauger, les citations par d'autres spécialistes sont des indicateurs de l'importance d'une contribution. Je pense qu'il faut non seulement encourager les scientifiques à publier, mais prendre aussi en compte l'impact de leurs publications dans l'évaluation de leurs performances.

Troisième point : les découvertes ne surgissent pas *ex abrupto*. Elles sont l'aboutissement d'un processus. Elles passent d'abord par des phases de tâtonnement, d'ébauches, d'essais. Les chercheurs ont besoin d'échanger avec des collègues d'autres labos, dont les expertises peuvent être complémentaires. Ce va-et-vient est fécond. Mais pour engager une discussion avec un chercheur, il faut soi-même y contribuer et apporter des idées. Conséquence : les entreprises ne profitent de ces échanges avec les leaders du domaine que si elles emploient elles-mêmes les meilleurs cerveaux.

Quatrième point : la valeur d'un labo industriel tient à la capacité de l'entreprise à identifier les développements prometteurs et à les déployer rapidement. Il faut qu'il soit sur place, et qu'il puisse facilement collaborer avec les directions opérationnelles ou les directions produits. Mais celles-ci ne saisissent pas nécessairement l'impact potentiel d'une avancée. Il leur faut parfois la caution de la communauté scientifique pour être convaincues du bien-fondé d'une nouveauté sortie de leurs propres labos !

Enfin, les publications scientifiques assoient une réputation d'entreprise innovante.

Les entreprises au top de la recherche, Facebook, Google ou Microsoft, jouent à saute-mouton. L'une publie un résultat et l'autre l'améliore quelques semaines ou quelques mois après. Mais les produits du futur nécessitent des avancées scientifiques majeures, et pas simplement des progrès technologiques. Il faut soit les proposer, soit avoir l'expertise nécessaire pour les saisir quand elles surgissent. Produire des assistants virtuels ou des robots ayant un niveau d'intelligence comparable à celui de l'être l'humain prendra des décennies et nécessitera quelques révolutions. Aucune entreprise, si grande soit-elle, n'a le monopole des bonnes idées. Et aucune entreprise, si grande soit-elle, n'a les reins assez solides pour se lancer seule dans l'aventure. La compréhension des mystères de l'intelligence et sa reproduction dans les machines sont un des grands défis de notre temps. Cette quête requiert le concours de la communauté scientifique internationale tout entière. Elle exige d'échanger autant que possible les résultats et les méthodes. C'est en distribuant nos logiciels en *open source* que nous aidons ainsi la communauté à progresser.

Si vous tombez sur une start-up dont les dirigeants prétendent posséder des résultats top secrets menant à l'IA de niveau humain, ils mentent ou ils s'illusionnent. Ne les croyez pas !

Les laboratoires de recherche de Facebook

En 2019, Facebook Artificial Intelligence Research (FAIR) compte quatre sites principaux : Menlo Park (Californie, États-Unis), New York, Paris et Montréal, et des laboratoires satellites à Seattle (Washington, États-Unis), Pittsburgh (Pennsylvanie, États-Unis), Londres, Tel-Aviv (Israël), avec chacun une poignée de personnes. Au total, à l'été 2019, plus

de 300 chercheurs et ingénieurs sont répartis entre les différents sites d'Amérique du Nord et d'Europe.

Le site de FAIR qui a ouvert en juin 2015 dans le
IIᵉ arrondissement de Paris est un des plus importants. Il
contribue au dynamisme de l'écosystème de l'IA en France
et en Europe continentale. FAIR-Paris a établi des parte-
nariats avec les laboratoires publics, en particulier l'Inria,
et les écoles doctorales. Notre centre accueille une quinzaine de doctorants CIFRE (Conventions industrielles de
formation par la recherche) qui partagent leur temps entre
un labo industriel et une école doctorale. FAIR finance
ainsi une partie de la recherche publique et contribue à
former la prochaine génération de chercheurs en France
et en Europe. Les quelques premiers doctorants ont sou-
tenu leur thèse au printemps 2019 et leurs travaux, de très
haute qualité, ont eu un réel impact intellectuel et pratique
en traduction, compréhension de texte, reconnaissance de
la parole, prédiction vidéo, apprentissage autosupervisé,
etc. La plupart d'entre eux ont été recrutés depuis par des
labos européens.

FAIR emploie aussi un petit nombre d'universitaires
à temps partiel, qui peuvent disposer de notre matériel et
nouent des collaborations au sein de nos sites. Cette possibilité de partager son temps entre l'université et l'industrie
est une des mesures phares du plan IA du gouvernement mis
en place à la suite du rapport Villani.

Je ne veux pas oublier les dons et le matériel que nous
fournissons à des laboratoires publics et à des institutions
comme PRAIRIE, le nouveau centre d'excellence en IA pari-
sien chapeauté par le plan IA du gouvernement. Nous assurons aussi des conférences et des cours dans les universités
et les écoles d'été européennes. Moi-même, j'ai tenu la chaire
annuelle d'Informatique et sciences numériques du Collège

de France en 2015-2016[2]. Facebook soutient l'écosystème des start-up en finançant partiellement l'incubateur Station F et en créant des programmes de formation. Au chapitre des retombées, Alexandre Lebrun, l'ancien chef ingénieur de FAIR-Paris, et son collaborateur Martin Raison ont quitté le groupe début 2019 (avec la bénédiction de Facebook) pour créer Nabla, une start-up focalisée sur l'IA.

L'ouverture de FAIR-Paris a fait des émules. Google a créé une antenne parisienne de Google Brain, son labo de recherche en IA. DeepMind a fait de même. Valeo, Thales, PSA et bien d'autres entreprises françaises ont établi des groupes de R&D en IA.

Je pense que la création de FAIR a surtout motivé les jeunes talents à faire des doctorats en IA. L'existence de labos industriels de recherche avancée à Paris leur donne des perspectives de carrière dans la recherche, qu'ils n'avaient pas auparavant dans l'Hexagone.

Autant dire que l'IA a explosé à Facebook.

Mais quand je suis embauché par le site bleu en 2013, le laboratoire de Menlo Park, en Californie, ne compte encore qu'une dizaine d'ingénieurs et trois chercheurs dont Marc'Aurelio Ranzato, mon ancien étudiant. Moi, je reste basé à New York. En l'espace de quelques mois, j'embauche une dizaine de spécialistes talentueux qui sont maintenant les piliers seniors de Facebook AI Research. Les premiers mois sont laborieux. Notre réputation est à construire et nous peinons à attirer les vocations. Il nous faut beaucoup communiquer sur notre *modus operandi*.

Celui-ci tient à quelques principes que j'avais énoncés à Mark Zuckerberg : du travail sur le long terme, pour faire avancer la science, sans trop nous préoccuper d'applications.

---

2. Vidéo du cours sur l'apprentissage profond au Collège de France : https://www.college-de-france.fr/site/yann-lecun/index.htm.

La liberté pour les chercheurs de travailler sur ce qui leur semble le plus prometteur. Une recherche ouverte et publiée comme à l'université – nos algorithmes mêmes sont libres et accessibles à tous en *open source*. Des collaborations avec des labos universitaires.

FAIR est axé sur les travaux à long terme, mais je sais qu'il faudra des retombées pratiques à moyen terme de ses inventions et découvertes. On mesure le défi ! Laisser les chercheurs travailler à leur rythme. Mais faire en sorte que le reste de l'entreprise, jusque-là centrée sur l'ingénierie, s'intéresse à nos résultats et les transforme en logiciels ou en produits utilisables. Et que des liens de confiance se créent entre les uns et les autres.

Il y va de l'avenir de notre laboratoire de recherche. Certains de ses résultats doivent avoir un impact positif sur l'entreprise, pour que l'idée ne vienne à personne, au niveau de la direction, de se demander pourquoi le groupe investit tant d'argent dans l'IA...

Cahier des charges ?

Bien que Mark Zuckerberg ne nous ait pas fixé d'objectif, nous comprenons que certains domaines d'application sont importants pour la société : la compréhension de texte, la traduction, la reconnaissance d'images et, en particulier, la reconnaissance de visages. À Menlo Park, un groupe planche déjà sur ce dernier sujet. Il s'agit d'une boîte israélienne rachetée par Facebook, dont nombre d'ingénieurs ont expérimenté avec succès les réseaux convolutifs. Ce sont eux qui ont convaincu Mark Zuckerberg de développer la R&D en IA.

Nous avons beaucoup à faire. Fin 2013, le *machine learning* commence juste à être utilisé pour l'organisation du fil d'actualité, le placement des publicités et le filtrage d'informations. Il s'agit encore de *machine learning* classique qui recourt à la régression logistique, par exemple – une version probabiliste du perceptron –, aux arbres de décision, aux systèmes de compréhension de texte par « sacs de mots », etc. Il y a encore très peu de *deep learning*.

Si une partie des activités de FAIR est tournée vers les applications, il reste principalement un laboratoire de recherche fondamentale, doté d'une certaine autonomie. Nous utilisons rarement les données de Facebook. Si nous travaillons sur un système de reconnaissance de la parole, de traduction automatique ou de compréhension de la langue naturelle, nous le testons sur une base de données publique, pour pouvoir confronter nos résultats à ceux d'autres institutions qui se servent des mêmes. Pour améliorer notre algorithme de traduction, par exemple, nous employons entre autres des données du Parlement européen qui regroupe toutes les sessions parlementaires dans les différentes langues de la Communauté depuis une dizaine d'années. La science avance ainsi, en utilisant une méthodologie vérifiable et reproductible.

Peu après mon arrivée, je réalise qu'il faut un groupe pour créer des produits et services à partir des nouvelles méthodes développées à FAIR. À Bell Labs et au AT&T Labs, j'avais vécu le processus qui conduit de la recherche fondamentale à leurs applications. Là-bas, nos deux groupes de recherche fondamentale et de recherche appliquée avaient des bureaux voisins, et nous partagions les mêmes outils logiciels. La recherche appliquée comptait des scientifiques de haut vol devenus ingénieurs. J'ouvre une parenthèse à ce sujet : deux d'entre eux avaient fait des doctorats en physique théorique mais, ne trouvant pas de poste universitaire après les coupes budgétaires des années 1980, ils s'étaient reconvertis en ingénieurs généralistes. Avec leur culture mathématique, la théorie des réseaux de neurones et du *machine learning* était pour eux un jeu d'enfant.

Mais revenons à Facebook. Je convaincs donc la direction de créer un groupe de recherche appliquée en *machine learning*. Il est baptisé Applied Machine Learning (AML), et dirigé par Joaquin Quiñonero Candela, un ancien de Microsoft qui s'occupe des systèmes d'apprentissage automatique pour le placement des publicités. Nous parlons français ensemble. Joaquin est espagnol, il a grandi au Maroc où il a fréquenté le lycée français, puis il a étudié en Espagne et a fait un doctorat au Danemark. Après un postdoc... en Allemagne, il a rejoint Microsoft Research à Cambridge au Royaume-Uni. Il parle donc l'espagnol, le français, l'anglais, l'allemand, le danois, et un peu l'arabe ! Un vrai Européen, qui vit dans la Silicon Valley. À Microsoft, il s'est déjà tourné vers la recherche appliquée.

Pendant les premières années, la collaboration entre FAIR et AML fonctionne très bien dans certains domaines, comme dans la reconnaissance d'image. Mais dans d'autres comme la reconnaissance de la parole, elle bringuebale. Il existe une demande énorme des groupes de produits pour les outils de *machine learning* que développe AML, ce qui laisse peu de temps aux ingénieurs pour des travaux à plus long terme. D'autre part, AML doit embaucher rapidement des ingénieurs spécialisés en IA et en *machine learning*, mais elle peine à en trouver car les entreprises se les arrachent ! Il faut attendre quelques années pour que la collaboration entre FAIR et AML devienne efficace.

Une avancée scientifique n'a de valeur pour l'entreprise que si elle est rapidement développée dans des produits. Il faut que la direction technique mesure l'impact potentiel de celle-ci, et qu'elle accepte de prendre le risque d'investir des ressources dans un projet de développement. Les ingénieurs qui font le gros des troupes doivent eux-mêmes être convaincus de l'opportunité de transformer cette avancée en innovation technologique, d'en tirer un produit et de le déployer. Or on se heurte parfois au scepticisme. Plus on avance dans le processus, plus les étapes sont chères et plus l'échec éventuel est coûteux. Les compétences de la direction technique jouent un rôle essentiel. Ce sont elles qui font le succès des géants de la Tech : les dirigeants sont des ingénieurs ! On est loin des clichés des sociétés comme Xerox et AT&T dont les labos ont inventé une grande partie des technologies du monde moderne, mais qui, n'en comprenant pas l'intérêt, ont souvent laissé à d'autres le soin de les commercialiser.

En 2018, Facebook a fini par créér Facebook AI, qui coiffe toute la recherche et le développement. Cette nouvelle entité chapeaute à la fois FAIR, AML, qui a été rebaptisée FAIAR (prononcé comme *fire* en anglais, Facebook AI-Applied Research), et quelques autres départements. Facebook AI est dirigée par un autre Français : Jérôme Pesenti, un ancien d'IBM à qui il avait vendu sa start-up.

Grâce à cette direction commune, la collaboration entre FAIR et FAIAR s'améliore. Une innovation de FAIR en reconnaissance d'image ou en traduction peut se retrouver sur les écrans de milliards de personnes en quelques semaines. Mais le processus est généralement plus lent, et la majorité des recherches de FAIR est à plus long terme.

En 2013, la plateforme ne recourait pas au *deep learning*. En 2019, c'est l'inverse : sans lui, Facebook ne pourrait plus fonctionner. Cet ensemble de méthodes développé par FAIR a apporté d'innombrables améliorations au réseau social : sur la reconnaissance d'image ; sur la compréhension de la langue ; sur la reconnaissance de la parole, ce qui, en 2013, n'était pas encore une priorité ; sur le développement d'agents intelligents virtuels capables d'aider les personnes au quotidien, une application dont la technologie n'existe pas encore, mais qui intéresse beaucoup Facebook sur la reconnaissance de visage, une gageure ! Nous avons très peu d'exemples pour chaque personne, alors que nous avons... plus de 2 milliards de catégories différentes ! Facebook a réussi à construire un modèle de visage avec quelques photos seulement !

Aujourd'hui, l'IA traduit automatiquement des conversations entre d'innombrables langues. Elle analyse des milliards d'images par jour pour aider à l'agencement des fils d'information et produire des textes de description pour les personnes malvoyantes. Le profil des milliards d'utilisateurs est actualisé constamment en fonction de leurs clics, etc.

Ce sont d'autres équipes que FAIR qui mettent au point ces applications et qui veillent à leur bon fonctionnement... pour 2 milliards d'utilisateurs ! Une infrastructure gigantesque.

Je rencontre toujours régulièrement Mark Zuckerberg. Moins aujourd'hui qu'au départ, toutefois. Avec la poignée de personnes en charge de l'intelligence artificielle dans l'entreprise, nous nous retrouvons autour de lui environ quatre fois par an pour parler des progrès. Et de temps en temps, je rencontre Mark de façon informelle, quand il veut être tenu au courant des nouvelles avancées de FAIR...

Le filtrage d'informations

Dès sa création, Facebook a appliqué des règles strictes concernant les échanges entre utilisateurs : pas de pornographie, pas de discours de haine, enfin pas trop... Au-delà de ces interdits, Facebook a longtemps donné la priorité à la notion américaine de *free speech*, hésitant à légiférer sur les contenus des conversations. Les personnes sont libres de s'exprimer, sauf si cela contrevient à la loi. En France et dans d'autres pays d'Europe, cette loi est stricte et certains sujets sont interdits. Il est par exemple illégal de contester la réalité des crimes contre l'humanité.

Cette philosophie a changé depuis 2016, après le résultat des élections présidentielles américaines. Facebook a pris conscience qu'il fallait filtrer les contenus et éviter que les gens n'exploitent la plateforme à des fins commerciales ou politiques en provoquant des clics pour faire de l'argent ou semer la zizanie. Que ce soit en vendant de l'« huile de serpent », *snake oil* comme on dit en anglais, ou en postant des nouvelles, parfois fausses, mais tellement révoltantes qu'on ne peut s'empêcher de les lire et de les partager, les fameux *click bait*, les « pièges à clics ».

Aujourd'hui, nous essayons de filtrer automatiquement ce genre de contenu. À propos du filtrage d'images pornographiques ou violentes, Facebook ne distribue pas en *open source* le système de vision qu'elle utilise. Si c'était le cas, il risquerait d'être plus facilement contourné par les gens mal intentionnés.

Nous essayons... Le 15 mars 2019, à Christchurch en Nouvelle-Zélande, un suprémaciste blanc et islamophobe a tué à l'arme automatique 51 personnes dans deux mosquées de la ville. Il portait une caméra sur son casque qui a pu transmettre le massacre en direct sur Facebook Live[3] pendant 17 minutes. Le temps que le réseau soit alerté et qu'il bloque les comptes Facebook et Instagram du tireur. Par la suite, Facebook a retiré 1,5 million de copies des minutes du drame. Ce terrible raté de la détection automatique a suscité une émotion planétaire. Des chefs de gouvernement, aux côtés des principaux réseaux sociaux, ont lancé l'appel de Christchurch pour resserrer le contrôle sur les images

---

3. Facebook Live est le service qui permet à tout un chacun de transformer son smartphone en station de télévision et de diffuser en direct.

condamnables publiées sur Internet et durcir les sanctions à l'égard de ceux qui les diffusent.

En fait, détecter ce genre de contenu reste extrêmement difficile pour la technologie actuelle. D'une part, de nombreuses vidéos « violentes » sont légitimes : extraits de films de Hollywood, capture de jeu vidéo, ou même vidéos de tir à la cible. Comment distinguer celles-là d'images de massacres réels ? D'autre part, rappelons que l'on entraîne un modèle en lui présentant un très grand nombre d'exemples. Comment entraîner des systèmes de détection alors que – et c'est heureux – nous disposons d'un très petit nombre de vidéos de massacre ? Les ingénieurs de Facebook, YouTube et d'autres services travaillent d'arrache-pied à améliorer la fiabilité de ces systèmes.

Une grande partie des contenus haineux supprimés par Facebook le sont avant même qu'ils ne soient mis en circulation, grâce à la détection automatique par IA. La détection de vidéos ou d'images de propagande terroriste connues utilise des procédés proches de l'enchâssement[4]. Elles sont signalées dès qu'elles sont postées et vont s'ajouter à une liste noire d'items à proscrire. Un premier réseau convolutif est entraîné à produire un vecteur qui représente l'image ou la vidéo. Ensuite, un autre système détecte simplement les similarités avec les vidéos qui sont dans cette liste noire[5].

Mais une bonne partie des contenus haineux échappe aux filtres. L'IA ne fait pas la part entre le premier degré et le second degré, elle ne comprend pas les sous-entendus... Si un groupe néonazi poste un message raciste, par exemple, le système peut le détecter et ne pas le diffuser. Mais imaginons qu'il est diffusé à des personnes qui surveillent l'activité néonazie. À leur tour, ces dernières vont peut-être reposter le message violent pour documenter la propagande

4. Voir chapitre 7, p. 230, sur l'enchâssement.
5. Voir chapitre 7, p. 230, sur la détection des similarités dans les vidéos.

néonazie. Le système de classification ne distingue pas le post « anti » néonazi du premier post néonazi. Il s'agit du même texte, avec un chapô différent. S'il y a de l'ironie, ou de la critique, le système ne sait pas le déceler.

En France, en 2018, quelqu'un a posté une photo du célèbre tableau *L'Origine du monde* de Gustave Courbet, qui peut être classé comme du contenu pornographique, si on ne connaît pas l'œuvre, d'autant que l'image est réaliste. Dans ce cas, le système automatique de reconnaissance d'image n'identifie pas qu'il s'agit d'art et qu'il faut le laisser passer. Même si des outils sont désormais mis en place pour faire ce genre d'exceptions, il y a encore des ratés.

Je me souviens de ce rédacteur en chef d'un journal norvégien qui avait posté sur sa page Facebook la photo très célèbre de la petite Vietnamienne nue, d'une douzaine d'années, qui court sur une route pour échapper au napalm. Comme dans presque tous les pays, une photo d'enfant nu est illégale parce que considérée comme de la pédophilie. Le fait a donc été signalé par un utilisateur. Un modérateur (humain !) qui ne connaissait pas la photo a enregistré la plainte et la photo a été supprimée. Scandale. Le journaliste a écrit une lettre ouverte à Mark Zuckerberg. Et, bien sûr, la photo a été rétablie par Facebook. Encore une fois, une liste blanche d'exceptions est mise en place pour l'art et les médias sérieux.

On a à l'esprit des affaires autrement plus tragiques. Au Myanmar, l'ex-Birmanie, les Rohingyas musulmans sont persécutés par la majorité bouddhiste. Des leaders bouddhistes postent des fausses nouvelles, comme cette photo où il sous-entend qu'une petite fille d'une famille bouddhiste a été assassinée par un musulman... Ce leader-là, très suivi, se contente d'ajouter à son post : « Vous savez ce qu'il vous reste à faire. » Étant donné les limites actuelles de l'IA, aucun système ne peut discerner aujourd'hui si l'information transmise est une fausse nouvelle, ni déceler l'implicite de l'appel

à la vengeance. Ce genre d'« infox » peut avoir des conséquences terribles et susciter des conflits ethniques, quelle que
soit la plateforme utilisée pour la disséminer, et particulièrement lorsqu'un gouvernement en est à l'origine...

Nous touchons là aux limites des technologies existantes.
Il est impossible de trier manuellement des milliards et des
milliards de posts, d'images et de vidéos déposés sur Facebook
chaque jour. Nous devons encore améliorer le filtrage par l'IA.
Facebook accélère donc ses investissements dans ce domaine.

L'organisation actuelle compte trois étages de tri.

1. Des systèmes automatiques de détection fondés sur
   l'intelligence artificielle. Nous les améliorons constamment mais ils ne marchent pas parfaitement, comme
   on vient de le voir.
2. Les utilisateurs. Ils peuvent signaler des contenus
   suspects. C'est efficace, mais lent, souvent biaisé, et *a
   posteriori*, puisque le contenu est déjà diffusé.
3. Les modérateurs. Facebook en compte aujourd'hui
   environ 30 000 dans le monde, généralement employés
   par des entreprises partenaires. Ils parlent des centaines de langues différentes et interviennent pour
   déterminer si un contenu signalé par un système
   automatique ou par un utilisateur viole les règles en
   vigueur. Le travail de scrutateur est difficile. Certains
   d'entre eux ont à visionner des horreurs, mais on ne
   peut pas faire l'économie de leur tâche.

Les ratés sont les revers inévitables d'un service devenu
d'utilité publique. Facebook connecte les groupes d'amis et
les familles géographiquement éclatés. Le réseau permet à de
nombreuses petites entreprises de se créer et de prospérer en
les mettant en contact avec leurs clients. Il permet à ceux qui
soutiennent une cause qui leur tient à cœur de se réunir et de
s'organiser. Il relaie des appels à la solidarité... Il est autant un
éveilleur de conscience qu'une caisse de résonance narcissique.

Parlons brièvement de Cambridge Analytica

Tout d'abord, soyons clairs : Facebook ne vend pas les données personnelles de ses usagers aux publicitaires. Mark Zuckerberg l'a rappelé en décrivant le modèle économique de Facebook dans une tribune du *Monde* du 25 janvier 2019[6]. L'entreprise montre les publicités à ses usagers sans divulguer d'informations les concernant aux publicitaires.

On aimerait croire que permettre à chacun de communiquer avec d'autres n'ait eu que des effets bénéfiques. Pouvait-on prévoir et prévenir le mésusage de cette plateforme de communication globale quand le concept était si nouveau ?

Facebook en a fait l'expérience en 2018 et son image en a souffert. Même si les laboratoires FAIR ne sont pas impliqués dans l'affaire, même si l'histoire n'a absolument rien à voir avec l'IA, je sens bien qu'il faut en parler. Rappelons les faits. En mars 2018, les quotidiens du *New York Times* et du *Guardian* révèlent que les données des usagers de Facebook ont été utilisées à leur insu par Cambridge Analytica, une société américaine d'analyse de données. Bob Mercer, un homme d'affaires connu pour ses positions conservatrices, et Steve Bannon, qui est alors proche de Donald Trump, ont présidé à la création de cette société en 2013.

Bob Mercer est un ancien informaticien qui travaillait sur la reconnaissance de la parole à IBM jusqu'à ce qu'il se fasse embaucher à la fin des années 1980, lui et certains de ses collègues, chez Renaissance Technologies, un *hedge fund*, un groupe financier qui recourt aux méthodes informatiques et mathématiques pour investir. Ces gens-là sont devenus très

---

6. Mark Zuckerberg, « Je souhaite clarifier la manière dont Facebook fonctionne », *Le Monde*, 25 janvier 2019.

riches. Ils étaient tous plutôt de gauche... sauf Bob Mercer qui souscrit au courant libertaire.

La presse a écrit que Cambridge Analytica a obtenu et utilisé les données de millions d'utilisateurs de Facebook pour déterminer ceux qui pouvaient basculer en faveur du candidat Donald Trump en 2016, et en faveur du Brexit pendant la campagne sur l'avenir du Royaume-Uni.

Trois mois après que l'affaire est sortie dans les quotidiens américain et anglais, Paul Grewal, vice-président et directeur juridique de Facebook, accuse Aleksandr Kogan, un Américain d'origine moldave, chercheur en psychologie à l'Université de Cambridge, d'avoir transmis à Cambridge Analytica des données qu'il avait récupérées pour ses travaux. Son quiz, « Thisisyourdigitallife », téléchargé par 270 000 utilisateurs rémunérés 4 dollars pour répondre à des questions concernant leurs habitudes d'internautes, utilisait une interface de connexion à la plateforme Facebook baptisée du doux nom de Graph API v1.0. Par le biais des amis de ces internautes, Kogan aurait eu accès à certaines informations de millions d'utilisateurs, celles qu'ils choisissent pour leur profil et qu'ils partagent avec leurs amis : ville de résidence, date de naissance, éducation, groupes d'intérêt, amis, etc.

Comment cela avait-il pu être possible ?

Avant 2016, Facebook avait mis en place une plateforme ouverte. L'entreprise permettait ainsi à des développeurs de logiciels d'écrire des applications en utilisant cette fameuse Graph API v1.0. Il pouvait s'agir d'un jeu pour jouer avec d'autres ; ou d'applications de calendriers partagés... Les contrats interdisaient la collection et la redistribution de données privées d'utilisateurs. Mais Facebook s'est vite aperçu que des abus étaient possibles. Car, pour que les logiciels fonctionnent, il fallait que les développeurs aient accès à certaines données des profils. Mais pour fonctionner, une application telle qu'un calendrier partagé que vous avez autorisé à accéder à votre profil doit aussi avoir accès aux profils de vos amis, sans que ces derniers n'en autorisent explicitement l'accès par votre application. Réagissant aux abus, Facebook a supprimé complètement la plateforme, au grand dam des entreprises qui y avaient investi. Beaucoup ont bu le bouillon.

Dès 2016, donc, c'est-à-dire au moins deux ans avant que l'affaire n'éclate, Facebook avait remédié au problème.

Après que le scandale a été révélé, Aleksandr Kogan a expliqué qu'il était universitaire, qu'il n'avait utilisé les données que pour ses études sociologiques. Mais il semble bien qu'il ait, en violation de son contrat, exploité ces données et transféré ses résultats à Cambridge Analytica. Et cela avant que Facebook ne décide de verrouiller l'accès à sa plateforme.

On peut reprocher à la direction de Facebook un excès de confiance, au nom de sa philosophie bisounours. Elle n'a pas imaginé que son réseau puisse être exploité par des gens sans scrupule. En tout cas, la crédibilité de la société en a pris un coup.

Newsfeed

Facebook a également changé l'algorithme du fil d'actualité à la suite des élections présidentielles américaines de 2016. Quand il avait été créé en 2006, le système qui décidait ce qu'il fallait vous montrer a été fondé d'abord sur des algorithmes simples, puis sur l'apprentissage automatique classique (sans *deep learning*). Depuis 2015, il utilise des techniques de *deep learning* plus sophistiquées : le système utilisé par les ordinateurs de Facebook qui modélise nos intérêts est entraîné et il évolue au fur et à mesure de nos clics... Il s'adapte constamment.

Ces systèmes tentent d'optimiser des mesures de qualité des services. Comme pour la fonction objectif qu'il s'agit de minimiser dans l'apprentissage-machine, on cherche à minimiser… ou maximiser cette mesure, le cas échéant. On modifie le système légèrement, on déploie la version modifiée pour quelques utilisateurs pour quelque temps. Si la mesure s'améliore, on déploie la modification plus largement.

On mesure combien de fois les gens cliquent sur une pub, par exemple. Nous avons déjà abordé cette question dans le chapitre précédent : on cherche à réduire le nombre de pubs montrées par rapport au nombre de clics. Certes, le nombre de clics détermine les revenus de l'entreprise. Mais on sait aussi que plus on propose de pubs, moins les utilisateurs viennent sur la plateforme, puisqu'ils ne viennent pas pour elles… Il faut donc trouver le meilleur compromis : un minimum de pubs, mais celles qui les intéressent le plus. Individuellement. Il faut donc savoir ce sur quoi ils ont cliqué dans le passé pour leur montrer des choses similaires, etc. Tout cela nécessite de la compréhension de contenu et du *machine learning*.

L'ancienne mesure de l'« engagement » reflétait le temps que les usagers passaient devant Newsfeed, le nombre de clics qu'ils faisaient, les articles qu'ils lisaient, le nombre de leurs posts, etc. Elles conduisaient les usagers à passer beaucoup de temps sur Facebook sans être pourtant satisfaits de tous les contenus qu'ils avaient.

Depuis janvier 2018, Facebook a modifié ses critères en profondeur : les mesures d'engagement tentent maintenant d'évaluer les interactions des usagers avec des contenus importants pour eux et d'identifier ceux qui leur donnent une satisfaction durable. Un service entier de Facebook est dédié à la compréhension de leur comportement. Si certains contenus déclenchent les clics, ce ne sont pas nécessairement ceux qui sont les plus satisfaisants pour les usagers, qui les voient *a posteriori* comme une perte de temps. Maximiser le contentement de l'usager sur la durée est la ligne directrice de Facebook depuis 2018. Elle se traduit par une augmentation des contenus qui favorisent l'engagement actif, et une diminution des contenus que l'on fait défiler passivement.

Le dosage des critères pour optimiser le résultat n'est pas confié à FAIR. Ce sont les départements de produits et d'ingénierie qui font fonctionner toute cette infrastructure. Mais ils utilisent des systèmes de reconnaissance d'images, de compréhension de texte, etc., basés sur des méthodes développées par FAIR et reprises par les groupes de recherche appliquée et de développement. La fusée technologique Facebook a plusieurs étages !

Facebook et l'avenir des médias

Les budgets publicitaires des entreprises sont de plus en plus dirigés vers les services en ligne, en particulier Google et Facebook, au détriment des supports traditionnels que sont les journaux papier. Mais en même temps, les réseaux sociaux attirent une grande partie des lecteurs occasionnels vers des médias traditionnels. Le changement d'algorithme du Newsfeed en 2018 favorise les contenus recommandés par les amis aux dépens de contenus postés directement par les médias. Les posts d'articles de presse incluent une notation baptisée *trust index* qui en évalue la fiabilité. Tout cela conduit à une augmentation des partages de contenus substantiels venant de médias réputés fiables et une diminution de contenus dont le seul but est d'attirer l'attention et les clics : les usagers cliquent dessus mais ne les partagent pas. Le nouvel algorithme a bouleversé le rapport entre les *post engagements* (réagir à un article posté par un organe

de presse) et les *Webshares* (réagir à un article recommandé
par un ami). La proportion des *Webshares* a bondi, ce qui s'est
traduit par davantage d'articles sérieux sur le Newsfeed. Car
ce sont plutôt ceux-là qui font l'objet de recommandations
amicales. L'ajustement de l'algorithme a donc donné un coup
de pouce aux médias traditionnels de qualité au détriment des
racoleurs[7]. C'est dire le rôle que joue notamment Facebook
dans l'économie du secteur des médias.

Le nouveau Facebook

Fort de l'expérience de ces dernières années, où Facebook
a été accusé tout à la fois de laxisme envers les contenus contes-
tables et de censure excessive, le site bleu a appelé les gouvernements des démocraties libérales à adopter de nouvelles
réglementations à ce sujet. En tant qu'acteur privé, Facebook
ne se sent pas légitime à décider de ce qui est acceptable et
de ce qui ne l'est pas. L'entreprise a donc entamé fin 2018
une réflexion en collaboration avec le gouvernement français
sur le traitement des contenus haineux. Le 10 mai 2019, Mark
Zuckerberg rencontrait Emmanuel Macron à l'Élysée pour en
faire le bilan[8]. Le travail est en cours : ces politiques devraient
être élaborées de manière démocratique, et non dépendre
d'une entreprise privée.

Mais les réglementations ne seraient que des cadres généraux. Comment les mettre en pratique ? Comment décider
de maintenir ou de supprimer une information ? Facebook
a entamé une grande consultation publique pour déterminer

---

7. Steve El-Sharawy, « Facebook algorithm : How the shift in engagement
can favour newsrooms », *Global Editors Network Newsletter*, 5 février 2019.
8. Luca Mediavilla, « Mark Zuckerberg à l'Élysée vendredi pour rencontrer
Emmanuel Macron », *Les Échos*, 7 mai 2019.

la meilleure marche à suivre[9]. Plus de 2 000 personnes venant de 88 pays différents y ont participé. Il en ressort que les gens désirent avant tout un conseil de surveillance qui validerait les politiques de contenu, de manière indépendante de Facebook et des gouvernements. Le conseil baserait son travail sur les principes universels des droits de l'homme, arbitrant entre l'expression, la sécurité, la vie privée, l'égalité. Le conseil établirait, entre autres, des mécanismes de recours.

Par ailleurs, le nouveau Facebook marque un changement de philosophie, focalisée sur la protection des données privées des utilisateurs. Mark Zuckerberg en a annoncé la couleur le 6 mars 2019 dans une tribune[10]. L'avenir de Facebook sera centré sur les communications privées et les discussions entre amis, avec données encryptées de bout en bout.

Les chantiers de FAIR

L'apprentissage-machine est gourmand en données étiquetées. Cette condition est contraignante. À FAIR, nous travaillons aux moyens d'entraîner un système plus sobrement. Nous étudions par exemple comment utiliser beaucoup de données sans les avoir étiquetées manuellement au préalable. Voici comment : nous avons pris 3,5 milliards d'images d'Instagram et nous avons entraîné un réseau de neurones assez gros à prédire les hashtags que les gens tapent quand ils postent une photo. Nous avons ainsi fait une liste des 17 000 hashtags informatifs les plus souvent tapés, et nous entraînons un réseau convolutif à prédire quels sont

---

9. Brent Harris, « Bilan du débat global et commentaires à propos du Conseil de surveillance sur les politiques de contenu de Facebook et leur application », *Newsroom*, 27 juin 2019.
10. Mark Zuckerberg, « A privacy-focused vision for social networking », *Facebook*, 6 mars 2019.

les hashtags parmi ces 17 000 qui sont susceptibles d'être retenus pour une image particulière.

Vous objecterez qu'il n'est pas très utile de prédire les hashtags ! Et vous aurez raison. Mais c'est un préalable. Cette opération permet au réseau de neurones de développer une représentation d'images universelle. Les 17 000 hashtags recouvrent presque tout l'espace de concepts contenus dans des images. Une fois le réseau entraîné, on enlève la dernière couche (celle qui produit les hashtags), et on la remplace par une autre couche que l'on entraîne sur une tâche qui nous intéresse. Par exemple détecter des images violentes ou pornographiques pour les filtrer.

Ce préentraînement, ou apprentissage par transfert (*transfer learning* en anglais), s'avère plus performant que si l'on entraîne la machine pour une tâche particulière. Il affiche des records de précision sur les bases de données telles que ImageNet.

Une autre technique, « Mask R-CNN[11] », développée par FAIR, a fait beaucoup de progrès ces dernières années. Elle permet non seulement de reconnaître les objets ou les personnes mais de les localiser et d'en dessiner les contours. Elle désigne le cousin Charles, la tante Chloé, la batte de base-ball que Julien tient à la main, le chien devant la porte, les verres et la bouteille de vin sur la table et le nombre de moutons dans le champ... Un exemple ? Un non-voyant promène son doigt sur une photo affichée sur son portable, qui lui décrit à haute voix ce que balaie son doigt. Les réseaux sont si bien compressés que certaines versions peuvent tourner en temps réel, à raison d'une vingtaine d'images par seconde, sur un téléphone portable récent. Tout cela est inclus dans un logiciel *open source* dénommé Detectron, ce qui permet à la communauté des chercheurs de l'améliorer à son tour.

---

11. *Cf.* chapitre 6, p. 195.

Le prix Turing

En mars 2019, un événement m'a donné l'occasion de mesurer le chemin parcouru depuis mes premiers bidouillages adolescents sur l'ordinateur. J'ai eu le plaisir et l'honneur de recevoir le prix Turing, l'équivalent du Nobel pour l'informatique, décerné par l'Association for Computing Machinery. Je le partage avec mes deux compagnons de route Yoshua Bengio et Geoffrey Hinton.

Ce prix récompense des travaux scientifiques ou technologiques qui ont eu un impact industriel et qui ont fait l'objet de publications académiques. En ce qui me concerne, le prix couronne des travaux déjà anciens. Ceux des cinq dernières années ne figurent pas dans les citations.

Cette distinction coïncide avec une inflexion de ma carrière à Facebook. En janvier 2018, j'ai quitté mon poste de directeur de FAIR pour devenir *chief AI scientist*, abandonner le management opérationnel, et revenir à la recherche et à la stratégie technologique. Un faisceau de raisons explique ma décision. D'abord, l'organisation a beaucoup grandi. Il a fallu développer aux côtés de FAIR une entité distincte dédiée à la recherche appliquée, occupée de faire le transfert entre les nouvelles techniques développées dans la recherche et leur application dans les produits.

Cette nouvelle entité a été réunie avec FAIR sous une ombrelle commune pour que toutes deux interagissent au mieux.

Pour ma part, je suis plutôt rêveur créatif que manager. Construire un projet, le mettre sur les rails, très bien ! Mais gérer tout ce qui suit est moins mon genre de beauté. J'ai souhaité passer la main pour cette partie-là.

La direction opérationnelle de FAIR est maintenant bicéphale, assurée par Antoine Bordes, basé à Paris et ancien

directeur de FAIR-Paris, et Joëlle Pineau, basée à Montréal,
ancienne directrice de FAIR-Montréal et professeure à l'Université McGill. Le directeur de tout Facebook AI, qui chapeaute FAIR et le groupe de recherche appliquée FAIAR, est
Jérôme Pesenti. Dans cet organigramme je suis au côté de
Jérôme responsable de la direction scientifique et de la stratégie.

## CHAPITRE 9

Et demain ?
Perspectives et défis de l'IA

Inspirante nature... jusqu'à un certain point • *Les limites de l'apprentissage-machine : l'apprentissage supervisé* • *L'apprentissage par renforcement* • *Les limites de l'apprentissage par renforcement* • *Le fameux sens commun* • *L'idéal de l'apprentissage humain ou « autosupervisé »* • *L'apprentissage autosupervisé* • *Prédictions multiples et variables latentes* • *Une capacité de prédiction ?* • *L'architecture de systèmes intelligents autonomes* • Deep learning *et raisonnement : les réseaux dynamiques* • *Les objets intelligents* • *L'avenir selon l'IA*

Aujourd'hui, les meilleurs systèmes d'IA sont encore limités. Ils sont moins intelligents qu'un chat, dont le cerveau compte quand même 760 millions de neurones et 10 000 milliards de synapses. *A fortiori* de son cousin le chien, qui en possède 2,2 milliards. Nous sommes incapables de concevoir et de construire des machines qui approchent la puissance du cerveau humain, avec ses 86 milliards de neurones et sa puissance consommée d'environ 25 watts. Comme nous l'avons vu au chapitre 1, même si nous comprenions les principes de l'apprentissage dans le cerveau, même si nous en comprenions la structure, la puissance de calcul requise pour en reproduire le fonctionnement est gigantesque, de l'ordre de $1,5 \times 10^{18}$ opérations par seconde. Une carte GPU d'aujourd'hui est capable de 10^{13} opérations par seconde et consomme environ 250 watts. Pour obtenir la puissance du cerveau humain, il faudrait connecter une centaine de milliers de ces processeurs au sein d'un ordinateur géant, consommant au moins 25 mégawatts. Une débauche d'énergie qui représenterait un million de fois celle du cerveau humain. Les chercheurs en IA de Google et de Facebook ont accès à des puissances de calcul totales de cet ordre. Mais il est difficile de faire fonctionner plus de quelques milliers de processeurs ensemble sur une même tâche.

Le défi scientifique est immense. Le défi technologique l'est aussi.

Nous travaillons sans relâche à repousser les limites des systèmes actuels. Quelles sont les pistes les plus prometteuses ? Que peut-on escompter des recherches à venir ?

Inspirante nature… jusqu'à un certain point

En France, nous avons tous entendu parler de Clément Ader, le pionnier français de l'aviation. Une reproduction de son Avion III fait l'admiration des visiteurs du musée des Arts et Métiers à Paris. Clément Ader vivait à la fin du XIXe siècle. Ce bricoleur de génie a construit un avion qui a décollé du sol – un tout petit peu – par ses propres moyens en 1890, treize ans avant celui des frères Wright. Mais personne ne connaît son nom au-delà de nos frontières.

Pourquoi ? Parce que ses travaux n'ont pas eu de suite. Son avion a bien volé, mais il s'est avéré incontrôlable. Clément Ader avait pris comme modèle la chauve-souris, sans se préoccuper des problèmes de maniabilité et de stabilité que posaient la reproduction qu'il en avait faite. À vouloir dupliquer la nature, il s'était fourvoyé. Autre souci, ce pionnier de l'aviation était secret et défiant. Au lieu d'exposer ses travaux, il ne les avait montrés qu'à une poignée de personnes. Le manque de témoins oculaires fait même douter les historiens de la véracité de ses exploits.

Cette aventure scientifique sans lendemain illustre mon propos. Expérimenter en catimini ne mène à rien. La recherche se partage, elle se nourrit d'échanges. Elle doit être ouverte. J'ai acquis cette conviction à Bell Labs et je l'ai apportée avec moi à FAIR. D'autre part, répliquer la biologie sans en avoir compris les principes mène au fiasco. Il faut plutôt identifier l'essentiel dans les mécanismes naturels que l'on essaie de reproduire...

Nous avons beaucoup parlé du duo nobélisé Hubel et Wiesel, et des neuroscientifiques qui commencèrent à décrypter le cerveau humain. Ils ont inspiré les premiers chercheurs en intelligence artificielle. Le neurone artificiel est directement inspiré du neurone cérébral, comme l'aile de l'avion est inspirée de l'aile de l'oiseau. Les réseaux convolutifs reproduisent certains aspects de l'architecture du cortex visuel. Pour autant, il est clair que l'avenir de la recherche en IA ne peut se résumer à copier la nature.

À mon sens, nous devons rechercher les principes fondamentaux de l'intelligence et de l'apprentissage, que ces derniers soient biologiques ou électroniques. De même que l'aérodynamique explique le vol des avions, des oiseaux, des chauves-souris et des insectes, que la thermodynamique explique la transformation d'énergie dans les moteurs thermiques et les processus biochimiques, la théorie de l'intelligence devra rendre compte de l'intelligence sous toutes ses formes.

Les limites de l'apprentissage-machine :
l'apprentissage supervisé

L'apprentissage supervisé, le plus couramment utilisé en IA, n'est pourtant qu'un pâle reflet de l'apprentissage humain ou animal. Il repose sur le principe d'une architecture dont les paramètres s'ajustent progressivement pour approcher la tâche demandée. Mais pour entraîner ainsi le système à reconnaître des objets, il lui faut des milliers, voire des millions d'images de ces objets...

Ces exemples doivent au préalable être identifiés et étiquetés manuellement. Des entreprises emploient des armées de petites mains pour étiqueter des images, traduire des textes d'une langue dans une autre, et produire les données nécessaires à l'entraînement de ces systèmes. Le processus est devenu tellement courant qu'Accenture, un groupe de consulting international, offre ce type de service à de nombreuses entreprises utilisant l'apprentissage-machine. La recherche universitaire recourt souvent à AMT (Amazon Mechanical Turk), un service offert par Amazon auquel n'importe qui peut se connecter pour faire ce travail d'étiquetage et être payé.

Cet apprentissage supervisé est très efficace lorsqu'on dispose de suffisamment de données. Mais il a ses limites. Il est efficace... à l'intérieur d'un périmètre donné. Il conserve des zones aveugles. J'en veux pour preuve les images dites antagonistes qui sont au *deep learning* ce que les illusions d'optique sont aux humains. De telles images *a priori* faciles à identifier peuvent faire sortir la machine de sa zone de compétence. Des expériences ont montré qu'une petite modification d'un panneau de stop pouvait conduire certains réseaux de neurones à ne pas le détecter. On s'en est inquiété pour la sécurité de la conduite autonome. Mais on peut déjà tromper les conducteurs en maquillant des panneaux de signalisation. Pourquoi ce maquillage serait-il plus dangereux pour les voitures autonomes ?

Voyons comment avec un exemple. Soit une machine qui distingue entre un chat et un grille-pain : on peut modifier l'image d'un chat de manière imperceptible pour une personne, mais suffisamment pour que la machine produise la sortie « grille-pain » avec un score élevé. Pour ce faire, on montre à la machine l'image du chat et on modifie les pixels de cette image de manière à augmenter le score « grille-pain » et à diminuer le score « chat » par descente de gradient. Pour l'être humain, l'image perturbée est toujours un chat !

Comment le réseau peut-il être aussi facilement trompé ? L'apprentissage supervisé entraîne la machine à produire une bonne sortie pour les exemples d'apprentissage. Mais les exemples d'apprentissage couvrent une partie infime de l'espace d'entrée[1]. Loin de ces exemples, le comportement de la fonction n'est pas spécifié.

Contrairement aux réseaux supervisés, le système visuel humain n'est pas seulement entraîné à classifier des images. Comme on le verra plus loin, il est aussi entraîné à capturer la structure du monde visuel, en dehors de toute tâche particulière. Sans doute est-ce pour cette raison qu'à la différence des réseaux de neurones supervisés, l'enfant n'a pas besoin de milliers d'exemples d'éléphants pour en apprendre le concept. Trois suffisent, même stylisés dans une illustration.

L'apprentissage supervisé ne permet donc pas de construire des machines vraiment intelligentes. Il n'est qu'une partie de la solution. Il nous manque des pièces du puzzle.

---

1. Pour une image en noir et blanc de 1 000 × 1 000 pixels, dans laquelle chaque pixel peut prendre 256 valeurs, il existe $256**10\,000\,000$ configurations possibles de pixels. C'est un nombre à 24 millions de chiffres ! Un ensemble d'apprentissage de 1 milliard d'exemples n'en couvre qu'une infime partie.

L'apprentissage par renforcement

Certains voient une solution dans un autre type d'apprentissage-machine.

L'apprentissage par renforcement permet d'entraîner une machine sans lui donner la réponse attendue, en lui indiquant seulement si la réponse qu'elle produit est correcte ou pas. On l'emploie quand on est en mesure d'évaluer la qualité de la réponse du système sans pouvoir lui fournir cette bonne réponse. Imaginons que l'on veuille entraîner un robot à saisir des objets. Il est difficile de dire à la machine à chaque instant comment activer ses moteurs pour accomplir la tâche. Mais il est simple d'évaluer, après un essai, si l'objet a bien été saisi. Le robot pourrait essayer une stratégie, observer si elle fonctionne, essayer une stratégie différente si la précédente ne donnait pas satisfaction, et répéter le processus jusqu'à ce qu'une stratégie fonctionne de manière fiable. Cette dernière pourrait être réalisée par un réseau de neurones dont les entrées sont l'image de la scène et les capteurs de position, de force et de toucher du robot, et dont les sorties sont les commandes envoyées aux moteurs. Cet apprentissage par essais et erreurs avec évaluation du résultat sans qu'on donne jamais la réponse correcte à la machine s'appelle l'« apprentissage par renforcement ».

La réussite ou l'échec d'un essai peut souvent se faire automatiquement, ce qui permet au système d'apprendre « par lui-même ».

L'évaluation du succès de l'épisode est une sorte de « récompense » ou de « punition » pour la machine, comme on récompense un animal qu'on entraîne à faire un tour. Dans le cas de la machine, il s'agit d'un nombre. Il est positif si la réponse est bonne, et négatif sinon. Or la machine

ne sait pas dans quelle direction changer sa sortie pour améliorer cette récompense (on ne peut pas calculer le gradient
de cette fonction d'évaluation, on ne peut qu'observer ses
valeurs), elle fait donc des tentatives, elle voit l'effet sur la
récompense et elle change son comportement en ajustant
des paramètres de son réseau de neurones pour que celle-ci
soit maximisée.

L'intérêt de l'apprentissage par renforcement est de
pouvoir entraîner des systèmes dont on peut évaluer la performance sans leur donner la réponse correcte. Il est surtout utilisé lorsque le système doit produire des actions, par
exemple, contrôler un robot ou jouer à un jeu. On a vu le succès époustouflant de l'apprentissage par renforcement dans
le domaine des jeux avec AlphaGo de DeepMind, AlphaZero,
son successeur, et Elf OpenGo de Facebook.

Malheureusement, ce paradigme d'apprentissage, dans sa
forme la plus commune, a besoin d'un nombre gigantesque
d'interactions (d'essais et d'erreurs) pour apprendre des tâches
même simples.

Pour entraîner une machine à jouer aux échecs ou aux
dames, la façon classique est de la programmer à utiliser la
recherche arborescente[2]. Les méthodes plus récentes utilisent
le *deep learning* et le renforcement. On écrit un programme
qui fait jouer la machine en respectant les règles, avec un
système d'apprentissage qui détermine quels sont les coups les
plus susceptibles de mener à une victoire. Au départ, ce système n'est pas entraîné et joue un peu n'importe comment...
Mais on fait jouer des copies de cette machine des milliers
de fois contre elles-mêmes. À l'issue de chaque partie, un
« joueur » gagne, probablement par hasard, et entraîne son
système de *deep learning* à répéter ou à renforcer la stratégie
qu'il a utilisée. Il lui signifie : « La prochaine fois que tu joues,

---

2. *Cf.* chapitre 7, figure 7.9, p. 266.

quand tu étais dans cette situation-là, joue ce que tu as joué parce que cela a mené à la victoire. »

La machine joue ainsi contre elle-même des millions, parfois des milliards de parties. Avec suffisamment d'ordinateurs récents fonctionnant en parallèle, le système peut jouer des millions de parties en quelques heures. Il acquiert une performance surhumaine, parce qu'il a joué la plus grande proportion de toutes les parties possibles. AlphaGo et AlphaGo Zero, derniers-nés de Google DeepMind, fonctionnent de cette manière. Chez Facebook, nous avons un système similaire, Elf OpenGo, qui, à la différence des systèmes de DeepMind, est *open source* et qui a été repris par de nombreux autres groupes de recherche.

L'apprentissage par renforcement est efficace pour les jeux, parce qu'on peut les faire tourner sur de nombreuses machines simultanément.

Comme pour l'entraînement supervisé, cet apprentissage nécessite une débauche de moyens et de très nombreuses interactions pour atteindre des performances surhumaines. DeepMind a entraîné un système à jouer aux jeux vidéo Atari classiques (il y en a 80). Pour parvenir à un niveau correct, il lui a fallu l'équivalent d'au minimum 80 heures d'entraînement par jeu, là où un humain n'a eu besoin que d'une quinzaine de minutes pour en faire autant. Mais si on laisse le système tourner beaucoup plus longtemps, il atteint des sommets d'efficacité, au-delà des possibilités humaines. En réalité, ces 80 heures sont le temps que prendrait la machine si elle jouait le jeu en temps réel. Mais elle peut jouer le jeu bien plus vite, et même jouer plusieurs parties simultanément. Mais cela ne marche que pour les jeux. Pas question de faire tourner l'horloge plus vite quand on entraîne une voiture à conduire sur la route.

Les limites de l'apprentissage
par renforcement

Autant pour le monde du jeu !

Mais dans le monde réel, l'apprentissage par renforcement dans sa forme la plus pure est proprement inapplicable. Imaginez ! Si on voulait l'utiliser pour apprendre à une voiture à se conduire toute seule, il faudrait qu'elle conduise des millions d'heures, et qu'elle cause des dizaines de milliers d'accidents avant d'apprendre à les éviter[3]. La voiture tomberait d'une falaise, le système se dirait : « Ah, j'ai dû me tromper », et il corrigerait un peu sa stratégie. Une deuxième fois, la voiture tomberait de la falaise, peut-être d'une manière un peu différente, et le système corrigerait à nouveau un petit peu, etc. Il faudrait que la voiture tombe ainsi des milliers de fois avant que le système trouve comment éviter la chute.

Qu'est-ce qui permet alors à la plupart des humains d'apprendre à conduire en une vingtaine d'heures de pratique et très peu de supervision, sans causer ensuite d'accidents (pour la plupart d'entre nous) ? L'apprentissage supervisé et l'apprentissage par renforcement n'y suffisent pas. Il reste à inventer un nouveau paradigme pour que la machine puisse égaler l'apprentissage humain ou animal.

On pourrait utiliser la simulation, bien sûr. Un autre problème surgit alors : les simulateurs doivent être suffisamment puissants et précis, c'est-à-dire refléter assez précisément ce qui se passe dans la réalité pour que, une fois le système entraîné par simulation, on puisse transposer sa capacité au monde réel. Cela n'est pas toujours possible. Ce problème

---

3. *Cf.* chapitre 7, section « L'architecture des grandes applications : la voiture autonome », p. 252.

de *sim2real* (*simulation to real world*) est un domaine de recherche très actif actuellement.

Une partie de la communauté scientifique a cru que cette forme d'apprentissage par renforcement serait le sésame pour concevoir une IA de niveau humain. David Silver, le héros d'AlphaGo, une des figures de DeepMind, aime à dire que « l'apprentissage par renforcement est l'essence même de l'intelligence ». Face à cet acte de foi, nous avons été quelques-uns à jouer les Cassandre. J'ai évoqué la forêt-noire, ce gâteau au chocolat fait de couches alternées de génoise et de crème, assez imposant, nappé d'un glaçage et souvent surmonté d'une cerise confite. Je disais donc dans les conférences que si l'intelligence est une forêt-noire, la partie génoise représente l'apprentissage autosupervisé, le principal mode d'apprentissage chez l'animal et l'humain, le glaçage correspond à l'apprentissage supervisé, et la cerise sur le gâteau figure… l'apprentissage par renforcement.

Le fameux sens commun

Tel est le paradoxe de l'IA : extraordinairement puissante, extraordinairement spécialisée, et sans une once de sens commun. « L'IA n'est dotée d'aucun concept. Elle n'a pas de culture. Elle ne comprend rien », rappelait Emmanuel Macron le 29 mars 2018, le jour où il présentait le rapport sur l'intelligence artificielle du mathématicien Cédric Villani[4], lauréat de la médaille Fields et député LREM.

L'IA n'a qu'une compréhension superficielle du monde. La voiture automatique qui peut aller d'un point A au point B ne sait pas ce que c'est qu'un conducteur.

---

4. Cédric Villani, *Donner un sens à l'intelligence artificielle. Pour une stratégie européenne*, mars 2018, https://www.ladocumentationfrancaise.fr/var/storage/rapports-publics/184000159.pdf.

Un système de traduction fait parfois d'impayables contre-sens sans en avoir la moindre idée. Les assistants virtuels travaillent dans des limites circonscrites par leur apprentissage. Ils informent sur la circulation, ils règlent votre station de radio, ils trouvent instantanément la chanson de Georges Brassens que vous cherchez. Mais si vous lui dites : « Alexa, mes vêtements ne rentrent pas dans ma valise, que dois-je faire ? », elle ne saura pas répondre : « Prenez moins de vêtements » ou « Achetez une valise plus grande. Voici les grandes valises disponibles sur Amazon… » Si vous lui dites : « Alexa, j'ai laissé tomber mon téléphone dans la baignoire », elle ne saura pas que votre téléphone a pris l'eau et doit être remplacé. Pour répondre de manière utile, Alexa aurait besoin d'un peu de bon sens, c'est-à-dire d'une certaine connaissance du fonctionnement du monde et de ses contraintes physiques.

L'IA actuelle n'a pas de sens commun, or le sens commun est essentiel. Il conditionne notre lien au monde. Il remplit les blancs et comble l'implicite. Voyez cette personne assise à une table. Nous ne voyons peut-être pas ses jambes, mais nous savons qu'elle en a, parce que nous avons un certain bagage de connaissances sur l'être humain. Nous avons aussi intégré les lois élémentaires de la physique. Nous savons que si cette personne renverse le verre posé devant elle, l'eau va se répandre sur la table. Nous savons que si un objet n'est pas porté, il tombe. Nous avons une conscience du temps et des mouvements. Quand une personne se lève, nous savons qu'elle n'est plus assise, parce qu'une personne ne peut pas être dans ces deux états en même temps.

Dans la phrase : « Pierre prend sa sacoche et sort de la salle de réunion », nous avons immédiatement à l'esprit une masse d'informations sous-jacentes. Pierre est probablement un homme. Il est sans doute au travail. Sa sacoche contient sûrement des documents. Pour prendre celle-ci, Pierre l'attrape avec la main et non avec le pied, il ferme ses doigts pour la soulever, il se lève de sa chaise (il devait être assis, peut-être en réunion), il se dirige vers la porte en marchant, non pas en volant, il en saisit la poignée, la tourne et franchit le seuil.

Nous savons d'emblée que d'autres événements sont également impossibles : Pierre ne va pas attirer sa sacoche à lui par psychokinèse, il ne va pas se dématérialiser pour se rematérialiser à l'extérieur de la pièce, il ne va pas traverser le mur (à moins qu'il ne s'agisse du Passe-Muraille), etc.

Le modèle du monde que nous avons progressivement appris – j'emploie à dessein le même champ lexical que celui de l'intelligence artificielle – pendant les premiers mois et les premières années de notre vie nous permet de compléter cette phrase très banale. Elle ne nous donne pas toutes les informations, mais nous les avons à l'esprit parce que nous savons comment fonctionne le monde. De la même façon, quand nous lisons un texte, nous pouvons plus ou moins anticiper la phrase qui va suivre, et quand nous regardons une vidéo, nous pouvons plus au moins prévoir l'enchaînement des actions et des réactions.

Cette capacité à prédire est, pour l'instant, très limitée dans les machines. Certes, étant donné un texte tronqué, elles peuvent proposer une liste de mots suivants possibles. Mais si le texte est un roman d'Agatha Christie et qu'on se trouve à la scène finale où Hercule Poirot annonce : « L'assassin est donc monsieur... », il faut déjà au lecteur une forte dose de sens commun et de connaissance de la nature humaine pour pouvoir compléter la phrase. *A fortiori*, aucune machine n'en est capable.

Notre sens commun se caractérise par cette capacité à inférer. Il nous permet de nous situer et d'agir. Mon hypothèse est qu'il est le fruit d'une autre forme d'apprentissage que j'appelle « autosupervisé ».

L'idéal de l'apprentissage humain
ou « autosupervisé »

Pour l'heure, cet apprentissage humain est – de très loin – plus efficace que toutes les méthodes d'apprentissage-machine.

Les psychologues du développement comme Emmanuel Dupoux, professeur de sciences cognitives à l'École normale supérieure et chercheur à temps partiel à FAIR-Paris, expliquent que cet apprentissage commence très tôt[5]. Dès les premiers mois de la vie, les enfants engrangent énormément de connaissances sur le fonctionnement du monde. Dès 2 mois, ils savent faire la différence entre objets animés et inanimés. Ils comprennent très tôt que ces objets n'apparaissent pas spontanément, et qu'ils sont toujours là même s'ils sont cachés par un autre. Ils ont acquis la notion de permanence. Ces propriétés nous paraissent évidentes, mais il nous faut les apprendre au cours de nos premiers mois. La physique intuitive apparaît entre 6 et 8 mois. Après 9 mois, le bébé a déjà acquis les lois de la gravité et de l'inertie. Qu'on lui présente une expérience qui viole une de ces lois universelles, il écarquille les yeux et on peut mesurer sa surprise.

Il apprend ces concepts de base en observant et en expérimentant. Avant même de savoir marcher, l'enfant se conduit comme un savant Cosinus. À 8 mois, si on l'assied sur sa chaise haute en posant des jouets devant lui, il les prend, les jette, les suit des yeux quand ils tombent, et n'a de cesse qu'une bonne âme les lui ramasse pour recommencer. Ne le grondez pas ! Il est en train d'apprendre le concept de gravité.

Il développe en même temps une capacité de prédiction. Celle-ci est essentielle pour compléter notre perception

---

5. Emmanuel Dupoux, http://www.fscp.net/persons/dupoux.

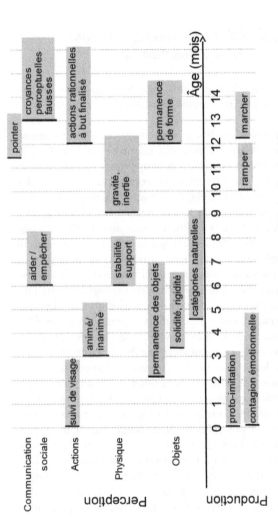

Figure 9.1. Les étapes du développement perceptuel, moteur et social selon Emmanuel Dupoux.

Les bébés apprennent une quantité faramineuse de connaissances de base sur le fonctionnement du monde dans les premiers mois de leur vie. Cet apprentissage se fait principalement par observation : les bébés ont très peu d'influence sur le monde physique qui les entoure durant ces premiers mois. Au bout de 9 mois environ les bébés comprennent qu'un objet non supporté tombe par gravité. Avant cette période, un objet qui semble flotter dans l'air ne les surprendra pas. (d'après Emmanuel Dupoux).

(l'homme assis est doté de jambes que je ne vois pas), mais elle est, de manière plus générale, utile pour anticiper les conséquences de nos actions. Elle nous permet de les planifier. Si l'on pousse un objet léger, il va bouger. Mais pour déplacer un objet lourd, il faudra un effort plus important.

Nous avons en tête mille et un scénarios et leurs conséquences. Nous possédons aussi mille et un modèles prédictifs du comportement humain. Ils nourrissent notre intelligence sociale, ils nous permettent d'imaginer comment ceux qui nous entourent vont réagir à nos actes, ou plus généralement quelles peuvent être les conséquences de nos actions dans le monde.

L'homme et l'animal apprennent par une combinaison de différentes méthodes, que les chercheurs en intelligence artificielle tentent d'approcher dans les machines. Je fais l'hypothèse qu'ils acquièrent l'essentiel de leur savoir par l'apprentissage autosupervisé, où l'observation joue un rôle essentiel ; à quoi s'ajoute une petite part d'apprentissage supervisé (ou par imitation) et une plus petite part encore d'apprentissage par renforcement. Apprendre à marcher, à faire du vélo ou à conduire associent les trois types d'apprentissage. Quand nous apprenons à conduire sur une route bordée par un ravin sur la droite, nous savons, par notre modèle du monde, que si nous tournons le volant vers la droite, la voiture ira vers le ravin, et notre connaissance de la gravité nous permet de prédire qu'elle fera une vilaine chute. Nul besoin d'essayer. C'est ce modèle-là qui fait défaut pour l'instant aux machines. Ce manque rend leur apprentissage par renforcement particulièrement inefficace. Certains chercheurs tentent de faire apprendre des modèles prédictifs aux machines et d'utiliser ces modèles pour diminuer le nombre d'essais et d'erreurs lors de l'entraînement. On parle d'« apprentissage par renforcement à base de modèle », mais cette approche est encore balbutiante.

Dans le cerveau humain, la partie frontale est dédiée à l'acquisition de ces savoirs, qui constituent, à mon avis,

l'essence de l'intelligence. Les animaux apprennent sensiblement de la même façon que nous. Quelques-uns sont mieux
dotés que d'autres. Chez les oiseaux, les corbeaux sont spécialement doués. Parmi les animaux marins, les poulpes
sont très malins, même si la nature semble ne pas avoir été
clémente avec eux : ils ne vivent que quelques années et ne
sont pas élevés par leur mère puisqu'elle meurt à l'éclosion
de ses œufs. La mort d'une mère est un drame pour l'être
humain, mais la disparition de leur génitrice ne semble pas
affecter les céphalopodes, qui peuplent paisiblement le fond
des mers depuis des centaines de millions d'années.

Les chats maintenant ! Ils n'ont pas les capacités de raisonnement des humains, mais ils ont déjà plus de bon sens
que la plus intelligente des machines. Les rats aussi. Je consi-
dérerais ma carrière comme un succès si nous réussissions
à construire des machines aussi futées qu'un rat ou qu'un
écureuil ! Tous ces animaux apprennent par observation comment le monde fonctionne. Ils en acquièrent des modèles
prédictifs qui leur permettent d'y survivre.

Si nous comprenons comment les humains et une bonne
partie des animaux acquièrent cette masse énorme de connaissances sur le monde, essentiellement par l'observation, nous
pourrons faire progresser les systèmes d'IA.

L'apprentissage autosupervisé

L'idée de base de l'apprentissage autosupervisé est de
prendre une donnée d'entrée, de masquer une partie de cette
entrée et d'entraîner la machine à prédire la partie masquée
à partir de la partie visible. La prédiction vidéo en offre un
exemple : on montre à la machine un clip vidéo et on lui
demande de prédire le futur du clip. On lui donne ensuite

le futur comme sortie désirée, et la machine s'ajuste pour améliorer sa prédiction. Cela ressemble furieusement à de l'apprentissage supervisé. La différence est que la sortie désirée est une partie de l'entrée préalablement masquée.

Pourtant, une grosse difficulté de l'apprentissage supervisé n'est pas entièrement résolue aujourd'hui : comment représenter l'incertitude dans la prédiction ? Pour un segment de vidéo donné, plusieurs futurs sont plausibles. Comment faire en sorte que la machine puisse représenter toutes ces possibilités ?

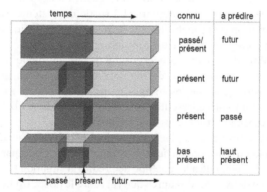

Figure 9.2. L'apprentissage autosupervisé.

L'apprentissage autosupervisé consiste à prendre une donnée d'entrée, par exemple un clip vidéo, à masquer une partie de l'entrée, et à entraîner un modèle à prédire la partie masquée à partir de la partie visible. Pour ce faire, le modèle doit capturer la structure interne des données lui permettant de remplir les trous. Dans le clip vidéo du diagramme ci-dessus, la partie observée est représentée en sombre, la partie masquée (à prédire) en clair, et la partie ignorée en gris moyen. Selon le mode d'entraînement, on peut entraîner la machine à prédire le futur à partir du passé et du présent, à prédire le passé à partir du présent, ou toute autre combinaison, par exemple prédire le haut de l'image en fonction du bas.

Nous avons vu au chapitre 7 que l'apprentissage auto-supervisé fonctionne très bien pour entraîner une machine à prédire les mots d'un texte. On présente à l'entrée de la machine un morceau de texte dont certains mots sont masqués et on entraîne la machine à trouver ceux qui manquent. Le système apprend à représenter le sens et la structure du texte simplement en l'entraînant à prédire les mots manquants. Pour le texte, il est relativement facile de représenter l'incertitude dans la prédiction. Pour chaque mot manquant, le système produit un grand vecteur dont chaque composante indique la probabilité qu'un mot particulier du lexique soit le mot manquant. La sortie du système est une distribution de probabilités sur tous les mots du lexique pour chaque emplacement d'un mot manquant.

Mais il n'en va malheureusement pas de même lorsque l'entrée est constituée de signaux continus et de grande dimension, comme les images d'une vidéo. On ne sait pas bien comment représenter une distribution de probabilités sur l'espace de toutes les images possibles.

Prenons un exemple. Un stylo dont la pointe est posée sur la table en position verticale est maintenu en place par mon doigt. Je demande à la machine de prédire la situation (l'état du monde) deux secondes après que j'ai retiré le doigt. Un humain pourra prédire que le stylo tombera à plat sur la table, mais ne pourra préciser dans quel sens. L'orientation est imprédictible. Si l'on entraîne une machine avec de nombreux clips vidéo dans lesquels je répète l'expérience, les segments initiaux de tous les clips seront essentiellement identiques, mais les segments finaux seront tous différents, avec des positions différentes du stylo tombé. Si le système est un réseau de neurones (ou toute autre fonction paramétrée) dont la sortie est constituée des trames du segment final de la vidéo, il ne peut produire qu'une seule sortie pour chaque entrée. Pour minimiser l'erreur de prédiction, le système en sera réduit à produire la moyenne de tous les segments finaux plausibles, c'est-à-dire une image constituée d'une superposition du stylo dans toutes les orientations possibles. Ce n'est pas une bonne prédiction (figure 9.3).

Prenons une vidéo où l'on apporte un gâteau d'anniversaire à une petite fille. Le gâteau avec ses bougies allumées est déposé devant elle. Que va-t-elle faire ? Pour qu'une machine puisse le prédire, il va lui falloir un modèle du monde qui contient une grande quantité d'informations sur les us et coutumes de certaines cultures humaines, mais pas seulement. Il lui faudra aussi une connaissance de la physique intuitive pour prévoir que souffler sur une bougie va l'éteindre. Sans compter les incertitudes : la petite fille peut souffler à côté, elle peut être intimidée par les invités, elle peut

Figure 9.3. La direction de la chute du stylo est imprédictible.

Avec mon doigt, je maintiens en position verticale un stylo dont la pointe est posée sur une table. Je demande à un observateur, humain ou machine, de prédire l'état du monde – la situation – deux secondes après que j'aurai retiré le doigt. Un humain pourra prédire que le stylo tombera à plat sur la table, mais sans pouvoir préciser son orientation. Il existe une incertitude irréductible sur celle-ci. Si l'on entraîne une machine à prédire la continuation de la vidéo, elle ne pourra pas faire une prédiction unique correcte. Si on lui demande d'effectuer une prédiction unique, la meilleure qu'elle puisse faire est la moyenne de toutes les images possibles à partir du clip initial. Mais cette prédiction sera une image constituée d'une superposition du stylo dans toutes les orientations possibles comme l'image de droite. Ce n'est pas une bonne prédiction.

commencer par applaudir, etc. Dans ces conditions, comment
peut-on entraîner un système prédictif ? La petite fille peut
avancer ou reculer la tête, si bien qu'un système entraîné à
faire la meilleure prédiction possible produira une image
floue, correspondant à une superposition des différentes positions de la tête de la petite fille (figure 9.4).

Si je devais identifier un seul problème parmi ceux qui
font obstacle au progrès en IA, ce serait celui-ci : comment
faire fonctionner l'apprentissage autosupervisé quand le signal
n'est pas entièrement prédictible et quand il est continu et
de haute dimension ?

Figure 9.4. Prédiction vidéo.

Un clip vidéo montre une petite fille devant un gâteau d'anniversaire. Il est
difficile de prédire si la petite fille va avancer la tête pour souffler les bougies
ou la reculer pour applaudir. Un système entraîné à minimiser l'erreur de prédiction en sera réduit à prédire la moyenne des futurs plausibles, qui est une
image floue. *En haut* : les quatre trames en entrée du réseau. *En bas* : les deux
trames suivantes prédites par un réseau convolutif entraîné par minimisation
de l'erreur quadratique avec des milliers de clips.

Prédictions multiples
et variables latentes

Un modèle autosupervisé est une fonction paramétrée (par exemple un réseau de neurones) $yp = g(x, w)$ où x est la partie de l'entrée observée et yp la prédiction. Cette formulation identique à celle de l'apprentissage supervisé ne permet pas au modèle de faire autre chose qu'une prédiction pour une entrée donnée. L'idée clé est d'ajouter un argument z à f que l'on appelle une variable latente :

$$yp = g(x, z, w)$$

En faisant varier z dans un ensemble donné, la sortie yp variera elle-même dans un ensemble. L'ensemble de toutes les sorties produites lorsque z varie dans son ensemble donné constitue l'ensemble des prédictions du modèle. La situation est représentée dans la figure 9.5.

Il existe plusieurs méthodes pour entraîner un modèle à variable latente. La plus en vogue, GAN (*generative adversarial networks*, ou « réseaux génératifs antagonistes »), a été

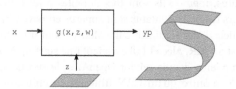

Figure 9.5. Modèle à variable latente.

Un modèle à variable latente dépend d'une variable latente z qui, quand on la fait varier dans un ensemble (symbolisé par le rectangle gris en bas), produit un ensemble de sorties, représenté par le ruban gris à droite.

proposée en 2014 par Ian Goodfellow lorsqu'il était étudiant chez Yoshua Bengio[6]. GAN est représenté par la figure 9.6. Étant donné un exemple (x, y), on tire une valeur de z au hasard dans son ensemble de valeurs possibles, ce qui va produire une prédiction yp. Comme z est tirée au hasard, il y a peu de chances que le yp prédit soit égal au y désiré. L'idée du GAN est d'entraîner un second réseau, appelé « réseau critique », pour dire si la prédiction yp est dans l'ensemble des sorties plausibles ou non. On peut voir le réseau critique comme une fonction de coût entraînable. Le réseau critique est entraîné à donner un faible coût aux sorties associées aux exemples (x, y) et un coût élevé à toute autre observation. En particulier, le critique suppose que les prédictions du générateur (x, yp) sont fausses et ajuste ses poids pour donner un coût élevé à ces prédictions. Simultanément, le générateur ajuste ses poids pour produire des prédictions auxquelles le critique donne un faible coût. Pour ce faire, il a accès au gradient de la sortie du critique par rapport à son entrée, c'est-à-dire par rapport à la sortie du générateur.

Les GAN ont fait l'objet d'une quantité phénoménale d'articles depuis leur apparition. Ils ont produit des résultats spectaculaires, même s'ils sont très difficiles à faire marcher. Les premiers résultats éclatants sont apparus en novembre 2015 avec un article d'Alec Radford, Luke Metz et Soumith Chintala[7]. Soumith est à FAIR, Alec et Luke avaient une start-up à Boston, mais le premier a depuis rejoint OpenAI et le second Google. Leur article montre qu'un GAN utilisant l'architecture d'un réseau convolutif (ou plutôt déconvolutif) peut produire des

6. Ian Goodfellow, Jean Pouget-Abadie, Mehdi Mirza, Bing Xu, David Warde-Farley, Sherjil Ozair, Aaron Courville, Yoshua Bengio, « Generative adversarial nets », *Advances in Neural Information Processing Systems*, 2014, p. 2672-2680.
7. Alec Radford, Luke Metz, Soumith Chintala, « Unsupervised representation learning with deep convolutional generative adversarial networks », ICLR 2015, arXiv:1511.06434.

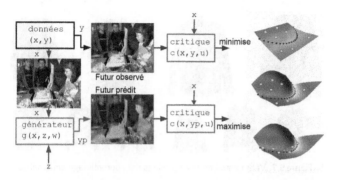

Figure 9.6. GAN (*generative adversarial networks*) ou réseaux génératifs antagonistes.

Un GAN est composé de deux réseaux entraînés simultanément, l'un générateur et l'autre critique. Le générateur prend une observation x (par exemple le segment initial d'un clip vidéo), une valeur tirée au hasard de la variable latente z (qui est un vecteur), et produit une prédiction yp. Cette prédiction est évaluée par le réseau critique. Ce réseau est une sorte de fonction de coût entraînable. La forme de la fonction de coût est symbolisée à droite à trois instants de l'apprentissage. Au début, la fonction de coût est plate. Les y observés pour un x donné sont les petits points sombres. Pour un x observé, le critique ajuste ses paramètres u pour donner un faible coût au y observé et un coût élevé au yp prédit par le générateur. La fonction de coût se creuse autour des petits points sombres et s'élève autour des points clairs produits par le générateur. Simultanément, le générateur utilise le gradient du coût par rapport à son entrée (en rétropropageant à travers le critique) pour ajuster ses paramètres w de manière à rapprocher ses points prédits de la vallée du coût (c'est-à-dire de bonnes prédictions). Après apprentissage, on peut tirer un z au hasard et produire l'ensemble des yp plausibles étant donné une observation x.

images de synthèse assez convaincantes. L'entrée du générateur est un vecteur latent à 100 dimensions (pas d'entrée x dans leur cas), et la sortie une image couleur de 64 × 64 pixels. Le critique est un réseau convolutif à une sortie. Les auteurs ont entraîné leur réseau sur des photos de chambres à coucher. Après entraînement, on donne au réseau 100 nombres aléatoires, et il produit

Figure 9.7. Vêtements imprimés produits par apprentissage antagoniste.

Un générateur à l'architecture convolutive a été entraîné sur une collection d'images d'articles de mode d'un grand couturier.

l'image d'une chambre à coucher imaginaire mais tout à fait convaincante. Cet article a fait l'effet d'une bombe. Tout le monde s'est mis aux GAN ! Ils sont une manière d'accomplir un vieux rêve de la modélisation de données : paramétrer une surface très complexe dans un espace de haute dimension que l'on ne connaît que par des exemples.

Un an plus tard, avec mon étudiant Michaël Mathieu et Camille Couprie, chercheuse à FAIR-Paris, nous montrons que les GAN peuvent aider à résoudre le problème des images floues dans les prédictions vidéo[8]. Avec Camille et d'autres membres de FAIR, nous allons même produire des images de vêtements après entraînement sur une collection d'images d'un grand couturier[9]. Quelques exemples sont donnés dans la figure 9.7.

Mais une des démonstrations les plus spectaculaires des GAN est l'objet d'un article sorti des labos finlandais de

8. Michael Mathieu, Camille Couprie, Yann LeCun, « Deep multi-scale video prediction beyond mean square error », ICLR 2016, arXiv:1511.05440.
9. Othman Sbai, Mohamed Elhoseiny, Antoine Bordes, Yann LeCun, Camille Couprie, « DesIGN : Design inspiration from generative networks », ECCV Workshops, 2018, arXiv:1804.00921.

Nvidia, où un GAN convolutif a pu produire des visages de très haute qualité et très réalistes après entraînement sur une base de données de portraits de gens célèbres[10].

Les GAN, et plus généralement les modèles génératifs modernes, ont de nombreuses applications dans l'aide à la création : colorisation de films anciens, augmentation de résolution d'images, outils de manipulation et de synthèse d'images. Certains les utilisent pour la synthèse de sons et la composition musicale.

Mais ces méthodes ont aussi des applications très discutables. Par exemple, les *deepfakes*, ces images ou ces vidéos, parfois vulgaires, où des célébrités des arts ou de la politique sont placées dans des situations embarrassantes.

Avec les GAN, on peut aussi changer la voix : la personne A parle et on transforme le signal pour qu'on ait l'impression que la phrase a été prononcée par la personne B avec ses propres intonations, accents, inflexions, etc. Il suffit d'enregistrer la personne B quelques minutes pour cloner la voix de celle-ci.

L'entraînement des GAN étant non supervisé, il y a eu l'espoir d'utiliser les traitements antagonistes pour préentraîner un système avant une phase d'apprentissage supervisé. On espérait ainsi réduire le nombre d'exemples nécessaires pendant celle-ci, mais ces approches n'ont pas, jusqu'à présent, mené à des améliorations substantielles des performances des systèmes de vision.

Par ailleurs, personne n'a trouvé le moyen de les utiliser pour la production de texte. Les GAN préfèrent les données continues, comme les images, aux données discrètes, comme le texte.

---

10. Tero Karras, Timo Aila, Samuli Laine, Jaakko Lehtinen, « Progressive Growing of GANS for Improved Quality, Stability and Variation », ICLR 2018, https//openreview.net/forum?id=HK99zCeAB.

Une capacité de prédiction ?

Nous avons parlé de l'apprentissage autosupervisé pour élaborer des représentations des données. Le but ultime est de l'utiliser pour permettre aux machines d'apprendre des modèles du monde par observation. L'entraînement des robots pourrait se faire beaucoup plus vite.

Il manque en effet aujourd'hui aux machines la capacité d'anticipation, comme chez l'homme ou l'animal. Nous possédons, dans notre cortex préfrontal, un modèle du monde qui nous permet de prédire l'évolution de notre environnement et de prévoir les conséquences de nos actions, ainsi sommes-nous aptes à planifier une action ou une séquence d'actions. Une partie de la recherche en IA travaille à donner aux machines cette capacité de prédiction. Nous en sommes aux balbutiements.

Mais la météo, direz-vous ? Elle qui par essence prévoit le cours des nuages et les variations du baromètre ? La prédiction est son ADN, comme elle est celui de systèmes, qui nous sont moins familiers, de contrôle en robotique, en aéronautique ou en processus industriels. Un robot possède un modèle détaillé de sa dynamique qui lui permet de prévoir comment la position et la vitesse de son bras seront affectées par une action sur ses moteurs. La NASA utilise les équations de la dynamique de la fusée pour planifier une trajectoire de rendez-vous avec la Station spatiale internationale. Mais ces modèles sont écrits à la main par des ingénieurs qui appliquent la mécanique newtonienne. Voilà toute la différence. Ils ne sont pas entraînés. Tout comme la prévision météorologique ou le calcul des écoulements d'air autour d'un avion, dont les lois d'évolution sont écrites à la main par des physiciens qui maîtrisent la mécanique des fluides.

En revanche, prédire la consommation électrique d'une ville, le prix d'une valeur financière ou d'une maison, le comportement électoral d'une population, ou même la réaction d'un organisme à un médicament, ne relève pas de la physique. Les principes de base tels que la conservation de l'énergie ou de la quantité de mouvement ne suffisent pas pour écrire ces modèles. Des phénomènes collectifs complexes peuvent rarement être réduits à quelques principes de base. Il faut s'en remettre à des modèles phénoménologiques, qui se bornent à prédire les variables qui nous intéressent à partir de données observées, sans recourir à un modèle réductionniste des relations de cause à effet entre ces variables. Le prix d'une maison dépend de la surface habitable, du nombre de pièces, de la taille du terrain. Mais il dépend aussi de critères plus difficiles à quantifier tels que la qualité des écoles du quartier, la luminosité de la maison, ou le calme et la désirabilité du quartier. Difficile de mettre tout cela en équation !

On peut entraîner un système (réseau de neurones ou autre) à prédire le prix en fonction de ces données et espérer qu'on lui a fourni toutes les variables nécessaires. Mais entraîner un modèle à prédire ce qui va se passer dans des situations même relativement simples est une autre paire de manches. Nous arrivons dans une pièce. Un bambin qui marche à peine se précipite vers nous, tout joyeux, sans voir le fil électrique qui traîne par terre. Va-t-il se prendre les pieds dedans, trébucher, se cogner la tête sur la table basse, renverser le vase qui est au bord ? Ces différentes éventualités font que nous nous ruons pour l'empêcher de tomber. Mais comment un robot pourrait-il en apprendre suffisamment sur le fonctionnement du monde pour imaginer et prévenir tout cela ?

Il faudrait que ce garde d'enfant électromécanique puisse observer la situation avec sa caméra et prédire comme nous une série de scénarios possibles. Or la relation qui permettrait de prolonger une action à partir d'un segment vidéo est extrêmement complexe.

Imaginons maintenant un robot cuisinier. Même si son environnement est circonscrit et son travail relativement limité, il doit néanmoins déjà posséder un modèle du monde complexe. Comme tout chef, il doit pouvoir anticiper ce qui se passe quand il verse le lait dans de la farine, ou quand il porte une sauce à ébullition. Il doit comprendre ce que nous considérons comme des évidences : s'il verse le contenu d'un grand récipient dans un petit, par exemple, il va au désastre. Il doit avoir acquis des notions de physique intuitive suffisantes pour prévoir qu'un verre se renverse si on le heurte, qu'il faut contourner ou déplacer un saladier pour sortir le paquet de sucre, ou quels gestes faire pour enfiler les pales dans un batteur électrique...

1. Le nombre de variables d'entrée est énorme, peut-être des millions, incluant les images d'une ou deux caméras, des capteurs de distance, de toucher, de force, de température, des micros, etc.

2. Ce modèle donnant l'état du monde (la cuisine !) à l'instant $t+1$ en fonction de l'état du monde (la cuisine) à l'instant t et de l'action effectuée est extrêmement compliqué.

3. Enfin, il faut gérer une part d'imprévisible...

Étant donné l'état du monde (la cuisine, ou l'environnement du robot, quel qu'il soit), et étant donné une action du robot, le modèle doit prédire l'ensemble des états possibles du monde à un instant futur. On le représente souvent par une fonction :

$$s[t+1] = f([t], a[t], z[t], w)$$

où $s[t+1]$ est l'état futur, $s[t]$ l'état actuel, $a[t]$ l'action effectuée et $z[t]$ un vecteur latent représentant tout ce qui est imprévisible dans l'évolution du monde. Cette fonction peut être réalisée par un réseau de neurones.

Comment l'entraîner ? On part d'une situation particulière s[t]. On effectue une action a[t], on tire un z[t] au hasard, et on observe les résultats sur le monde s[t+1]. Puis on ajuste w, les paramètres de f, pour que la prédiction se rapproche du résultat observé. Plusieurs prédictions sont possibles, et cette éventualité rend le problème épineux comme nous l'avons vu. On peut entraîner ce modèle avec une méthode antagoniste. Il convient de répéter cette prédiction en effectuant plusieurs tirages de z[t].

L'apprentissage d'un modèle pour planifier une séquence d'actions est un thème de spéculation dans de nombreux labos, à FAIR, bien sûr, à l'Université de Berkeley, chez Google dans leur filiale DeepMind, et ailleurs encore. Mais nous nous heurtons tous au même obstacle : la difficulté à faire des prédictions, parce que le monde n'est pas entièrement prédictible.

L'architecture de systèmes intelligents autonomes

Les systèmes que nous avons décrits jusqu'à présent sont très centrés sur la perception et l'interprétation de signaux naturels. L'apprentissage par renforcement tente d'intégrer la perception et l'action dans un unique paradigme d'apprentissage. Mais nous avons vu que le nombre d'essais et d'erreurs nécessaire à l'entraînement de ces systèmes était prohibitif dans beaucoup d'applications pratiques, telles que la robotique ou la conduite automatique.

Il est temps de réfléchir à l'architecture générale d'un agent intelligent autonome qui pourrait apprendre à percevoir, à planifier et à agir. Beaucoup de recherches sont menées sur la question, mais la marche à suivre ne fait pas vraiment l'unanimité parmi les spécialistes.

Le meilleur exemple d'agent intelligent autonome est l'homme. Pour comprendre ce qui manque encore à la machine, observons le comportement humain. Il est piloté par deux mécanismes. Le premier est réactif, de type stimulus-réponse. Il commande les tâches que nous pouvons exécuter sans réfléchir. On nous lance une balle, nous l'attrapons au vol. On nous demande « 2 + 2 ? », nous répondons « 4 ». Nous conduisons notre voiture sur une route droite et déserte machinalement, sans y prêter beaucoup d'attention.

Le second mécanisme est délibéré et fait intervenir notre modèle du monde et notre capacité à planifier. Nous devons garer notre voiture dans une place exiguë… avec un bateau en remorque : prendre le train dans une ville inconnue ; choisir entre un article ou un autre à acheter ; raconter une histoire ; démontrer un théorème ou écrire un programme ; dialoguer avec notre banquier ou avec un employé d'une administration, etc. !

Ces deux modes de pensée et d'action sont ce que le célèbre psychologue, lauréat du prix Nobel d'économie, Daniel Kahneman[11] appelle « système 1 » et « système 2 ». Certains comportements de type 1 sont innés, comme fermer les paupières lorsqu'un objet s'approche rapidement de notre visage, mais la plupart d'entre eux sont appris. Les comportements de type 2 font intervenir des processus de raisonnement conscients et réfléchis.

Tournons-nous vers la machine. Tous les systèmes que nous avons rencontrés jusqu'à présent relèvent du système 1, à savoir « réactif ». Quelle architecture donner à la machine pour qu'elle ait des comportements relevant du système 2, à savoir « réfléchi » ? Une architecture possible d'un système intelligent autonome est représentée dans la figure 9.8. Elle est composée d'un agent en interaction avec l'environnement et d'un module objectif, une sorte de fonction de coût, qui

---

11. Daniel Kahneman, *Système 1/Système 2. Les deux vitesses de la pensée*, Flammarion, 2011.

mesure le degré de mécontentement de l'agent. L'agent observe l'environnement à travers un module de perception qui lui donne une représentation (généralement incomplète) du monde qui l'entoure. Le module objectif observe l'état interne de l'agent et produit un nombre en sortie, assimilable à un coût. Le coût calculé est faible lorsque tout va bien, élevé lorsque quelque chose ne va pas. L'agent s'entraîne à minimiser la valeur moyenne de la sortie de l'objectif calculée sur le long terme. En d'autres termes, le module objectif « calcule » les douleurs (coût élevé), les plaisirs (coût faible) et les pulsions (coût élevé quand elles ne sont pas satisfaites, coût faible quand elles le sont), si tant est qu'on puisse les nommer ainsi dans le cas d'une machine. L'agent apprend à

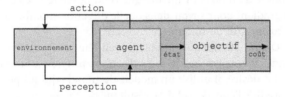

Figure 9.8. Un système intelligent autonome avec objectif intrinsèque.

Le système observe l'état de l'environnement à travers un module de perception. Il produit une action sur l'environnement de manière à minimiser une fonction objectif (une sorte de fonction de coût) qui mesure son degré de mécontentement. Cette fonction objectif observe l'état interne de l'agent et produit un petit nombre en sortie si l'agent est dans un état de contentement, et un grand nombre si l'agent est dans un état inconfortable ou douloureux. Le système doit apprendre à produire les actions qui minimisent la moyenne de la valeur de l'objectif sur le long terme. Cet objectif fournit une motivation intrinsèque au système. Il peut être construit en partie « à la main » pour assurer la sécurité du système et des gens qui l'utilisent, à la manière des circuits de douleur ou de plaisir et des instincts chez les animaux et les humains. Mais il peut aussi être en partie entraîné.

minimiser la douleur, maximiser le plaisir et satisfaire ses pulsions, en agissant sur l'environnement.

Dans le cerveau, un ensemble de structures situé dans les ganglions de la base[12] joue un rôle similaire. Il « calcule » notre plaisir, notre douleur et notre contentement. Cette architecture est la base de l'apprentissage par renforcement avec motivation dite « intrinsèque », où la valeur du coût est calculée en interne dans la machine par le module objectif. Dans le modèle plus classique de l'apprentissage par renforcement tel qu'utilisé par AlphaGo, la motivation est extrinsèque. La valeur du coût n'est pas calculée par le système mais est directement donnée à l'agent par l'environnement, sous forme d'un nombre symbolisant une récompense ou une punition. Disposer d'un objectif intrinsèque rend possible le calcul de son gradient pour savoir dans quelle direction modifier l'état de l'agent afin de minimiser l'objectif.

Quand l'homme veut agir, il a en tête un état désiré du monde. Pour planifier la série d'actions propres à atteindre cet état désiré, il utilise un modèle du monde qui lui permet de prédire l'état de celui-ci résultant de sa série d'actions. Nous devons déplacer une table d'une pièce à une autre. L'état désiré du monde est « la table dans l'autre pièce ». Mais quelle séquence de contrôles musculaires, milliseconde par milliseconde, va produire le résultat escompté ? Tel est le problème de la planification. Sans un modèle du monde, l'homme en serait réduit à essayer de nombreuses séquences d'actions et à en observer le résultat. Ce modèle lui permet d'éviter d'avoir à essayer toutes sortes de scénarios, dont certains pourraient être dangereux. Rappelons en effet qu'avec l'apprentissage par renforcement, le système ne possède pas de modèle et doit tout essayer !

---

12. Les ganglions de la base sont les structures à la base du cerveau impliqués dans les émotions et les motivations.

Une boutade pour les spécialistes : l'environnement, le monde réel, n'est pas différentiable. On ne peut pas rétropropager des gradients à travers le monde pour calculer comment modifier une action pour le rapprocher d'un état désiré ! On ne peut pas non plus faire tourner le monde réel plus vite que le temps réel.

Comme l'homme, la machine doit disposer d'un modèle du monde. Je le martèle. L'agent doit posséder une structure interne qui comporte un modèle du monde lui permettant de prédire les conséquences d'une série d'actions sur l'état du monde et sur son objectif. L'architecture d'un agent avec modèle interne est représentée dans la figure 9.9. Il comporte trois modules :

1. Un module de perception qui produit une estimation de l'état du monde.
2. Un modèle du monde, c'est-à-dire une fonction g qui, à l'instant t, prédit l'état du monde suivant en fonction de l'état courant $s[t]$, de l'action $a[t]$, et possiblement d'une variable latente $z[t]$ tirée au hasard et permettant de produire plusieurs scénarios si le monde n'est pas complètement prévisible :

$$s[t+1] = g(s[t], a[t], z[t], w)$$

3. Un critique, c'est-à-dire une fonction coût $C(s[t])$. Le critique est constitué d'une somme de termes dont certains sont construits à la main et d'autres sont entraînables et réalisés par un réseau de neurones. Ces derniers s'ajustent pour prédire la valeur moyenne future de l'objectif. Elle nous indique si un état du monde va conduire à une issue favorable ou défavorable. Pour être fidèle, un bon modèle du monde doit inclure un modèle (peut-être simple) de l'agent lui-même.

L'architecture peut être utilisée dans deux modes, correspondant plus ou moins au « système 2 » (planification délibérée) et « système 1 » (réaction rapide) de Daniel Kahneman.

Commençons par la planification délibérée, que les ingénieurs en commande optimale appellent « commande prédictive par horizon fuyant » (*receding horizon model predictive control*). Un épisode commence par une estimation de l'état du monde par le module de perception. Cet état initialise le modèle du monde. Le modèle simule ensuite l'évolution du monde pour une période de temps (un nombre déterminé de pas, c'est l'horizon) en utilisant une séquence aléatoire de z et une séquence d'actions hypothétiques : s[t+1] = g(s[t],a[t],z[t]). À chaque instant, le coût est calculé c[t] = C(s[t]). Il s'agit maintenant d'affiner la séquence d'actions hypothétique de manière à minimiser la moyenne du coût sur la séquence. Cela peut se faire par descente de gradient. Il faut malheureusement répéter l'opération pour plusieurs tirages aléatoires de la séquence de variables latentes z[t]. Le but est de trouver une première action qui conduise à une issue favorable (faible coût) indépendamment de la variable latente. Pour terminer l'épisode, une fois qu'on a identifié cette action optimale, on l'effectue, on observe le nouvel état du monde et on répète l'opération. C'est un peu cher en temps de calcul si le modèle produit beaucoup de scénarios très différents à chaque tirage de la variable latente.

La deuxième méthode consiste à entraîner un module acteur, quelquefois appelé « réseau de politique » (*policy network*). Comme précédemment, on fait tourner le modèle un certain nombre de pas et on calcule le coût moyen. Mais cette fois, la séquence d'actions hypothétiques est produite par le module acteur, une fonction p qui prend l'état du monde en entrée et produit une action a[t] = p(s[t]). Pour entraîner l'acteur, on rétropropage les gradients du coût à travers tout l'épisode (partie droite de la figure 9.9) et on ajuste les paramètres de p pour minimiser la moyenne du coût sur la séquence.

Voici une application. Imaginons que nous voulons entraîner une voiture autonome à conduire sur l'autoroute.

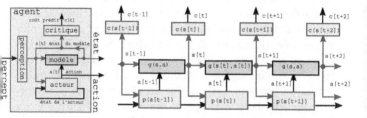

Figure 9.9. Architecture interne d'agent autonome avec modèle prédictif.

Pour agir intelligemment et minimiser son objectif, un agent doit posséder trois composantes : un modèle prédictif de l'environnement, un critique qui prédit la valeur moyenne future de l'objectif et un acteur qui propose des séquences d'actions. Lors d'un épisode, un module de perception estime l'état du monde $s[0]$. À chaque instant t, on fournit au modèle une hypothèse d'action $a[t]$ et un tirage de la variable $z[t]$ et on prédit l'état suivant du monde à l'aide du modèle $s[t+1] = g(s[t], a[t], z[t], w)$. Le critique prend l'état prédit $s[t]$ et calcule un coût. Il tente de prévoir si un état du modèle va conduire à un résultat favorable ou défavorable. Le critique est entraîné à prédire la sortie moyenne future du module objectif. Il calcule une prédiction du mécontentement moyen à long terme. Pour planifier une action, l'agent fait une hypothèse de séquence d'actions et déroule le modèle (*à droite*). Il raffine la séquence d'actions hypothétique de manière à minimiser la moyenne du coût calculée sur la trajectoire. Ce raffinement peut se faire par descente de gradient, puisque le modèle et le coût sont des fonctions différentiables (des réseaux de neurones). L'agent effectue la première action de la séquence ainsi optimisée, observe le nouvel état du monde et répète le processus. Les actions ainsi obtenues peuvent servir de cibles pour entraîner l'acteur à prédire directement la meilleure action, sans devoir faire de planification ni utiliser le modèle, c'est-à-dire pour passer d'une action raisonnée à une action instinctive.

Il n'est, bien sûr, pas question de lâcher ledit véhicule non entraîné sur une vraie autoroute. Il n'irait pas loin. Il serait d'abord judicieux que le modèle prédise ce que les voitures alentour vont faire à un horizon de quelques secondes. L'état du monde, ou plutôt de l'environnement immédiat de la voiture, consiste en une image rectangulaire centrée sur la voiture où les voitures avoisinantes et le marquage des voies au sol sont représentés. À partir de quelques trames passées de ce rectangle, un ConvNet est entraîné à prédire quelques trames futures. Il dispose de variables latentes pouvant produire plusieurs scénarios. Sans elles, les prédictions sont floues. Les données pour l'entraînement viennent de caméras observant le trafic sur un segment d'autoroute. Après avoir entraîné le modèle prédictif, on entraîne un réseau acteur par rétropropagation dans le temps, comme dans la figure 9.9. La fonction de coût mesure la proximité des autres voitures et la déviation du centre de la voie. Il faut ajouter un terme dans la fonction de coût qui mesure le degré d'incertitude de la prévision du modèle. Ce terme conduit le système à rester dans une zone de prédictions fiables. Dans ces conditions, le système apprend à conduire « dans sa tête » sans jamais interagir avec le monde réel[13].

Cette approche donne satisfaction dans des cas simples. Mais les difficultés surgissent vite : 1. comment entraîner des modèles du monde assez puissants pour gérer de nombreuses tâches et situations ? 2. comment entraîner un modèle à variables latentes pour qu'il puisse prédire la majorité des scénarios futurs possibles ? 3. comment s'assurer que le modèle est utilisé dans des zones où ses prédictions sont fiables ?

Je pense que l'on ne fera pas de progrès significatifs vers des systèmes dont l'intelligence se rapproche de l'intelligence humaine tant qu'on n'aura pas trouvé de solution satisfaisante à ces questions.

Nous sommes encore loin du but.

---

13. Mikael Henaff, Alfredo Canziani, Yann LeCun, « Model-predictive policy learning with uncertainty regularization for driving in dense traffic », ICLR 2019. Vidéo explicative : https://youtu.be/X2s7gy3wlYw et https://openreview.net/forum?id=HygQBn0cYm.

Deep learning *et raisonnement :*
les réseaux dynamiques

Deuxième défi. Les réseaux que nous avons évoqués sont capables de perception, parfois d'action. Mais comment les doter d'une capacité de raisonnement et les rendre vraiment intelligents ?

Nous venons de parler d'une forme particulière de raisonnement : la planification de séquence d'actions à partir d'un modèle prédictif par minimisation d'une fonction de coût. Beaucoup de raisonnements se réduisent en effet à trouver une séquence de vecteurs (ou de symboles) qui minimisent une fonction particulière. Comme résoudre un problème de satisfaction de contraintes.

Mais nombre d'autres formes de raisonnement sont d'une nature différente. Prenons l'image de la figure 9.10. Pour répondre à la question : « Il y a un objet brillant à droite du cylindre gris métallisé. A-t-il la même taille que la grande balle en caoutchouc ? », il faut trouver la sphère, trouver le bon cylindre et comparer leur taille. Au lieu d'entraîner un réseau d'architecture fixe à répondre à toutes les questions de ce type, l'idée est d'entraîner un réseau à produire un second réseau spécifiquement adapté pour répondre à la question. Ce second réseau sera construit dynamiquement (c'est-à-dire reconstruit à chaque nouvelle question) et composé de cinq modules : un pour détecter la sphère dans l'image, un second pour détecter un cylindre métallique, un troisième pour localiser un objet à sa droite, un quatrième pour s'assurer qu'il est brillant et un dernier pour comparer les tailles. Le premier réseau ressemble à un réseau de traduction de langue, mais au lieu de traduire une phrase d'une langue dans une autre, il « traduit » une question en séquence d'instructions qui décrit l'architecture du second réseau. Tout cela est entraîné de bout en bout sur

There is a shiny object that is right of the gray metallic cylinder; does it have the same size as the large rubber sphere?

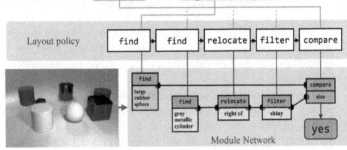

Figure 9.10. Un réseau dont la sortie est un autre réseau dynamiquement créé pour répondre à la question posée.

La question est la suivante : « Il y a un objet brillant à droite du cylindre gris métallisé. A-t-il la même taille que la grande balle en caoutchouc ? » Pour répondre à ce genre de question, il faut trouver la sphère et le cylindre qui ont les bonnes propriétés et comparer leur taille. Un premier réseau (*en haut*) fonctionne un peu comme un système de traduction. Il prend la question en entrée et la transforme en une « phrase » (séquence d'instructions) décrivant l'architecture d'un réseau composé de cinq modules. Cette phrase est transformée en un second réseau qui est spécifiquement construit pour répondre à la question : ses modules détectent la sphère, le cylindre, leur position et comparent leur taille pour produire la réponse. Le système est entraîné de bout en bout à partir d'exemple d'images, de questions et de réponses produites automatiquement (source : Hu *et al.*, 2017, FAIR[15]).

la base de données CLEVR créée par FAIR et l'Université de Stanford, composée de 100 000 images synthétiques et 850 000 questions et réponses produites automatiquement[14].

Cette idée de réseaux de neurones créés dynamiquement en fonction des données d'entrée a conduit au nouveau concept de programmation différentiable. On écrit un programme dont les instructions ne sont pas des opérations fixes comme « ajouter 4 à la variable z », mais des modules de *deep learning* dont la fonction sera déterminée par apprentissage.

---

14. https://cs.stanford.edu/people/jcjohns/clevr/.

Le rôle du programme est de produire un graphe de modules (un réseau) dont l'arrangement est approprié pour la tâche. Ce graphe (l'architecture du réseau) n'est pas fixé à l'avance. Il dépend de la donnée d'entrée. Le système est ensuite entraîné de manière supervisée. Les « instructions » du programme, c'est-à-dire les fonctions précises de chaque module, sont déterminées par cette phase d'apprentissage. C'est une nouvelle manière d'écrire des programmes en tirant parti de la différentiabilité des modules, de la différentiation automatique d'un graphe de modules et de l'apprentissage par descente de gradient. Certains y voient une véritable révolution.

Les objets intelligents

L'IA est gourmande en calculs. Entraîner un gros réseau convolutif peut prendre quelques heures ou quelques jours sur une batterie de machines bardées de cartes GPU. Une fois entraîné, un réseau peut alors être utilisé dans les serveurs des *data centers* pour filtrer, étiqueter et trier des images ou du texte, ou reconnaître la parole. Dans la figure 6.9 (p. 216), nous indiquons que la reconnaissance d'une image nécessite quelques milliards d'opérations numériques. Des équipes d'ingénieurs travaillent sur la simplification automatique des réseaux, de manière à minimiser leur taille et leur empreinte mémoire pour qu'ils s'exécutent rapidement sur des serveurs qui utilisent des processeurs standard.

Un nombre grandissant d'applications nécessite des processeurs dédiés aux calculs des réseaux convolutifs, dont l'architecture est très différente de celle des processeurs standard. Ces derniers tournent dans les systèmes d'assistance à la conduite de nos voitures, dans nos téléphones portables pour la traduction immédiate ou la réalité augmentée, dans nos appareils photo intelligents pour l'optimisation de la prise de vue, dans nos drones capables par eux-mêmes de nous suivre et de nous filmer dans nos exploits. Dans le futur, nous aurons des réseaux profonds dans nos lunettes de réalité augmentée, dans nos robots domestiques et d'entretien, dans nos voitures, nos camions et nos robots de livraison autonomes.

Il faut pour cela développer de nouveaux outils avec des puissances de calcul chiffrées en TFLOPS, mais bon marché et consommant peu : les processeurs neuronaux. Il s'agit d'un « petit » réseau convolutif doit exécuter 10 milliards d'opérations pour analyser une image. À raison de 30 images par seconde, il faudrait un processeur de 300 GFLOPS consommant moins de 1 watt pour qu'il tourne sur un smartphone. La capacité d'une batterie de smartphone est d'environ 10 wattheures. Un processeur de 1 watt la vide en 10 heures. Bien trop vite !

Pour atteindre ces performances, les processeurs neuronaux utilisent des architectures matérielles inédites. Afin de minimiser les échanges de données énergivores, les unités de calcul et la mémoire sont mêlées et réparties sur la puce de silicium. Les calculs sont effectués avec des nombres de très faible précision : quelques bits suffisent pour représenter les poids et les activités des neurones. Nul besoin de coder les nombres sur 32 ou 64 bits comme le font les processeurs classiques. Les nouvelles opportunités apportées par les applications de *deep learning* intégrées dans nos objets quotidiens sont telles que les innovations explosent dans l'industrie du circuit intégré.

Nvidia, Google, Facebook, Microsoft, Amazon, Samsung, Intel, Qualcomm, Apple, ARM, Baidu, Alibaba, Huawei et une nuée de start-up américaines, chinoises, taïwanaises et européennes... tous développent leur processeur neuronal pour leurs besoins propres ou pour les nouvelles générations de smartphones, de robots domestiques, d'assistants virtuels, de lunettes de réalité virtuelle ou augmentée, de caméras intelligentes, de véhicules autonomes et, plus généralement, d'objets intelligents.

L'avenir selon l'IA

Quatre catégories d'applications majeures de l'IA suscitent l'intérêt des grands groupes industriels à cause de la taille des marchés potentiels : la médecine, le véhicule autonome, l'assistant virtuel et le robot domestique et industriel. Nous avons déjà parlé des deux premières. Les techniques existantes impactent d'ores et déjà la médecine et l'assistance à la conduite. Mais de nombreux chercheurs pensent que ces applications ne pourront se généraliser qu'avec une avancée conceptuelle majeure.

La voiture complètement autonome dans les rues de New York, de Paris, de Rome ou de Kolkata, aux heures de pointe, sans intervention humaine, ne sera peut-être pas possible sans recourir à l'apprentissage autosupervisé et à l'utilisation de modèles prédictifs. Il faudra sans doute découvrir comment l'humain apprend à conduire en une vingtaine d'heures seulement.

Quant à l'assistant virtuel, il est encore limité. L'idéal serait qu'il soit doté d'une intelligence proche de celle de l'homme, assortie d'une bonne dose de sens commun. Il pourrait nous aider au quotidien. Plus besoin de passer des heures au téléphone, sur une messagerie ou sur Internet pour régler un problème administratif, contacter son service de téléphonie mobile, organiser un voyage ou une sortie entre amis, organiser son calendrier ou filtrer ses messages. Un assistant intelligent pourrait répondre à n'importe quelle question, nous aider dans nos réunions professionnelles, nous rappeler les conclusions d'une rencontre précédente. Rien de tout cela ne sera possible sans cette révolution du sens commun.

En 2013, le film de science-fiction *Her*, réalisé par Spike Jonze, a décrit l'interaction possible d'un homme avec son assistant virtuel. Théo tombe amoureux de cette entité informatique qui a la voix de Scarlett Johansson et qu'il a baptisée Samantha. Un des rares films traitant de l'IA d'une manière réaliste. Le scénario est futuriste, mais la psychologie est juste. L'être humain a tendance à s'attacher aux objets, aux animaux et aux personnes qui l'entourent. Pourquoi en irait-il autrement avec un assistant virtuel, surtout s'il est programmé pour développer une personnalité unique en fonction des interactions avec son « patron » ?

Mais n'anticipons pas, le vrai robot appartient encore à la science-fiction. Nos aspirateurs qualifiés de robots sont assez bêtes, au fond. Ils se coincent facilement sous une table ou derrière un fauteuil. À quand le robot domestique qui nettoie toute la maison ?

Les tondeuses à gazon autonomes sont un peu plus aptes à détecter les obstacles car elles sont potentiellement dangereuses. Mais elles ne distinguent pas encore les parterres de fleurs des pissenlits. Bonjour les dégâts horticoles ! À quand le robot jardinier qui soigne nos fleurs, cueille nos framboises et arrachent les mauvaises herbes ?

Les automates utilisés dans l'industrie manufacturière ne font que répéter des routines préenregistrées, mais ils ne peuvent pas encore effectuer des manipulations et des assemblages complexes si les conditions changent. À quand le robot industrieux ?

Comme pour l'assistant virtuel et la voiture autonome, ces robots intelligents ne deviendront réalité qu'après avoir appris des modèles du monde leur permettant de planifier des actions complexes.

Ces applications de l'IA transformeront la société. Mais rien de tout cela ne sera possible tant que les machines n'apprendront pas aussi efficacement que les animaux et les humains, tant qu'elles n'acquerront pas des modèles du monde par apprentissage autosupervisé, tant qu'elles n'accumuleront pas assez de connaissances du monde pour qu'un certain sens commun en émerge.

Tel est le réel enjeu de la recherche en IA.

## CHAPITRE 10

Enjeux

L'IA va transformer la société et l'économie • L'écosystème de l'innovation en IA • À qui profitera la révolution ? • Risque de dérive militaire ? • Alerte aux dangers : biais et dérives sécuritaires • L'IA doit-elle être explicable ? • Mieux comprendre l'intelligence humaine ? • Le cerveau n'est-il qu'une machine ? • Tous les modèles sont faux… • Les voix inquiètes • Une merveilleuse exécutante • L'inné ? C'est acquis • Les machines seront-elles conscientes ? • Le rôle du langage dans la pensée • Les machines auront-elles des émotions ? • Les robots voudront-ils prendre le pouvoir ? • L'alignement de valeurs • La nouvelle frontière • Une science de l'intelligence ?

L'IA suscite des questions en pagaille. Elle transforme la société. Elle bouleverse l'économie. Comme toute révolution technologique, elle crée de nouveaux métiers et en fait disparaître d'autres. Qui en profitera ?

L'IA est une technologie, une science, un outil, complexe. Faut-il la comprendre pour l'utiliser ? Doit-elle être explicable pour être fiable ?

Est-elle une menace ? Doit-on avoir peur des armes intelligentes ? Peut-on imaginer l'irruption de robots tueurs, de drones doués d'intentions malignes ? Notre imaginaire est pétri de références qui brouillent notre jugement.

Faut-il dès à présent en limiter les capacités par des lois et des réglementations ?

L'IA va probablement changer l'idée que l'humanité se fait d'elle-même. Elle nous aide déjà à comprendre le fonctionnement de notre cerveau. Mais quelles sont les vraies limites de la cognition humaine ou artificielle ? Si les machines peuvent nous damer le pion dans de nombreux domaines, doit-on en conclure que l'intelligence humaine n'est pas aussi généraliste qu'on voudrait le penser ?

La machine peut-elle rivaliser avec la biologie ?

Et si le cerveau n'est qu'une machine aux capacités limitées, égalable par l'IA, quelles seront les conséquences sur la place de l'humain ?

Les machines seront-elles un jour plus fortes que l'homme dans tous les compartiments du jeu ? Plus créatives ? Plus conscientes ? Auront-elles des pulsions, des émotions, des valeurs morales ? Comment faire en sorte que leurs valeurs soient alignées sur les valeurs humaines ? Voudront-elles dominer l'humanité ?

Une avalanche de questions, donc... Reprenons.

L'IA va transformer la société et l'économie

L'économie n'est pas mon domaine d'expertise. Je me contenterai de partager avec vous quelques observations glanées auprès d'économistes distingués. Ils considèrent l'IA comme une **GPT** (*general-purpose technology*) : une « technologie d'usage général » qui va se répandre et transformer profondément la vie économique au cours des prochaines décennies. Nous avons connu d'autres GPT dans l'histoire : la machine à vapeur, l'électricité, l'informatique…

Comme ces précédents bouleversements technologiques, l'intelligence artificielle déplacera des métiers. Elle va en faire surgir de nouveaux que l'on peine encore à imaginer. Qui aurait pu prévoir il y a vingt ans que des services tels que YouTube feraient vivre des milliers de personnes de la production de vidéos ? Ou que Facebook et Instagram permettraient à des artisans de trouver des clients dans le monde entier ? Les révolutions industrielles font disparaître certaines activités et en font surgir d'autres. Rappelons-nous qu'en 1870 un Français sur deux vivait de l'agriculture. En 2019, la proportion est tombée à un sur vingt. Nous nous sommes ajustés. Nous nous ajusterons encore.

Les économistes pensent aussi que l'IA aura un impact significatif sur la productivité – la quantité de richesses produite par heure travaillée –, dans les dix ou vingt ans à venir. Et ce même dans l'hypothèse improbable où l'IA ne progresserait plus guère. Comment les fruits de cette nouvelle révolution vont-ils être redistribués ? À mesure que la technologie se répand, les compétences d'une partie de la population active se révèlent obsolètes. Il faut qu'elle se forme à de nouveaux métiers ou que la société la prenne en charge.

Je m'inquiétais que l'accélération de ces progrès puisse laisser pour compte une proportion de plus en plus grande de ceux qui travaillent. Mais les économistes spécialistes de ces questions, tels qu'Erik Brynjolfsson du MIT, sont rassurants. Ils affirment que la vitesse de pénétration d'une GPT dans l'économie est précisément limitée par le temps qu'il faut aux travailleurs pour apprendre à l'exploiter. Le processus prend quinze à vingt ans. L'informatique n'a permis d'augmenter la productivité qu'à partir du milieu des années 1990, le temps que l'usage du clavier et de la souris se soit généralisé.

Il en sera de même de l'IA. Plus le nombre de métiers menacés augmente, moins vite la technologie se répand dans l'économie. Quelle leçon faut-il en tirer ? Le meilleur moyen pour un pays de profiter des opportunités de l'IA est d'investir massivement dans l'éducation. À tous les niveaux : au lycée, dans l'enseignement supérieur, dans les écoles doctorales et, bien sûr, dans la formation continue. Il faut préparer les gens à la transformation. Mais il faut aussi créer un écosystème favorable à l'innovation.

L'écosystème de l'innovation en IA

L'innovation a besoin d'un climat propice. La recherche fondamentale est la première composante de l'écosystème qui implique des investissements publics ou privés. Les zones d'effervescence se concentrent souvent autour d'universités phares : aux États-Unis, la Silicon Valley autour de Stanford et de Berkeley, le biotope de Boston autour de Harvard et du MIT, et celui de New York autour de New York University, Columbia University et Cornell Tech.

La seconde composante de l'écosystème est constituée par les laboratoires industriels. En France, Paris est une plaque tournante. Outre de nombreuses écoles d'ingénieurs, universités et centres de recherche publics, la ville accueille les labos d'IA de Facebook, Google, Samsung, Amazon, Huawei, Valeo et quelques autres.

La troisième composante regroupe les start-up, qui profitent de facilités de financement et de structures d'accueil, comme le campus Station F, en partie parrainé par Facebook. À ce titre, Paris est dorénavant le lieu de création le plus important et le plus dynamique d'Europe.

Mais la France, elle, continue de traîner des boulets structurels : elle ne paie pas assez ses chercheurs et ses enseignants du supérieur, notamment dans les domaines scientifiques et technologiques où les sirènes du privé et de l'étranger sont puissantes. Examinons la situation en 2019 d'une jeune professeure d'informatique débutante dans une bonne université américaine. Elle dispose d'un salaire de début de carrière d'environ 100 000 à 120 000 dollars par an, et d'un budget de recherche pour démarrer son labo d'environ 200 000 ou 300 000. Pour trouver des financements, elle soumet des projets à des agences *ad hoc*, civiles ou militaires, ou bien signe des contrats avec l'industrie. Elle dirige des doctorants. Elle assure deux cours par an, correspondant à environ quatre-vingts heures d'enseignement. Son salaire lui est versé neuf mois par an. Les trois mois d'été, cette jeune prof peut se payer sur ses subventions de recherche, soit un complément de salaire de 33 %, ou travailler pour l'industrie.

De plus, elle peut être consultante dans l'industrie un jour par semaine pendant l'année universitaire. Elle ne prend pas ses ordres d'un directeur de labo, elle est maîtresse de son destin. Mais le système est incitatif. Cette jeune femme doit s'employer à être reconnue dans son domaine de recherche, afin d'obtenir la « tenure », la titularisation permanente qui lui permettra de passer, après un maximum de six ans, de « professeure assistante » à « professeure associée ». C'est la fameuse loi du « *publish or perish* », « publier ou périr ». Les salaires et conditions de travail varient beaucoup d'une spécialité à l'autre et d'une université à l'autre. Les institutions, parfois publiques, parfois privées, sont en compétition pour attirer les meilleurs talents.

De son côté, la jeune chercheuse française est à la peine. Elle doit passer les concours d'entrée très formatés du CNRS, de l'Inria ou de l'université pour les postes de maître de conférences. Son salaire sera alors d'environ 30 000 euros par an, un peu plus d'une fois et demie le smic, et ce après au moins huit ans d'études supérieures souvent suivies d'un ou deux ans de postdoc à l'étranger, et d'une bonne pile de publications influentes dans des revues scientifiques internationales. Un sacerdoce ! La jeune prof française n'a pas le droit, officiellement, de diriger des doctorants. Il lui faudra pour cela attendre quelques années et passer l'habilitation. Elle doit assurer cent vingt-huit heures de cours magistraux par an, ou cent quatre-vingt-douze heures de travaux dirigés, ou deux cent quatre-vingt-huit heures de travaux pratiques. Les salaires étant bas, elle fait probablement des heures supplémentaires d'enseignement pour arrondir ses fins de mois.

Cela lui laisse peu de temps pour la recherche. Si elle veut s'y consacrer, il lui faudra décrocher un poste de chargée de recherche à l'Inria ou au CNRS, pour le même salaire que celui d'un maître de conférences. Il n'y a pas de différence de traitement entre les disciplines dans l'université française. La situation est similaire dans les autres pays européens. Les seuls postes universitaires en Europe dont les conditions rivalisent avec les meilleures universités nord-américaines sont en Suisse, notamment dans les Écoles polytechniques fédérales de Lausanne et de Zurich.

Certes, les candidats ne manquent pas en France, en dépit de ces conditions médiocres. Mais comment les retenir ? La vitalité de la recherche aux États-Unis et au Canada repose en grande partie sur sa capacité à attirer les meilleurs talents du monde entier. Plus de la moitié des jeunes professeurs des universités américaines dans les disciplines scientifiques sont nés et ont fait une partie de leurs études ailleurs, principalement en Chine, en Inde, en Russie, au Royaume-Uni et dans l'Europe continentale.

À *qui profitera la révolution ?*

Je ne suis pas sûr que la révolution de l'IA profite à tous. Ceux qui occupent un poste qualifié, créatif, centré sur la relation humaine ou le service à la personne ont plus de chances de conserver leur emploi que ceux dont le métier peut être – partiellement ou complètement – codifié et automatisé. Les profits liés à l'utilisation de l'IA ne seront probablement pas équitablement partagés entre tous les salariés, et les inégalités économiques vont se creuser... si nos gouvernements ne corrigent pas le tir par des mesures fiscales.

L'automatisation avait remplacé l'homme pour les tâches répétitives ou pénibles. L'IA, elle, va remplacer l'homme dans celles qui requièrent un certain niveau de sophistication dans la perception, le raisonnement, la prise de décision et la planification d'actions. Les véhicules autonomes réduiront le nombre de conducteurs de camions, de taxis et de VTC. Ils seront plus sûrs. Les systèmes d'analyse d'images médicales ont déjà commencé à épauler le radiologue. Des examens plus fiables, moins coûteux : le patient va y gagner. Dans ces domaines de la santé et des transports, l'IA va sauver des vies.

Tous les métiers sont concernés par le changement.

Une chose est sûre : l'IA et ses applications rendent plus précieux ce avec quoi elles ne peuvent pas rivaliser : l'expérience humaine authentique. L'automatisation a déjà fait baisser les prix des produits manufacturés. Cette tendance va se poursuivre, voire s'intensifier avec la pénétration de l'IA dans l'industrie. Mais les services, les produits artisanaux, l'immobilier ne sont pas touchés de la même façon. Un exemple ? Un lecteur de Blu-ray de salon coûte environ 70 euros. Ce bijou de technologie d'une incroyable sophistication utilise de nombreuses inventions récentes (diode laser bleue, compression vidéo H.264/MPEG-4, etc.). Prenons maintenant un pot en céramique artisanal, peint à la main, d'une émouvante rusticité. Sa fabrication relève d'une tradition millénaire. Cet objet peut valoir 500, 600 ou 700 euros. Le lecteur de Blue-ray est produit en série par des machines, le vase est une création unique. Un autre exemple ? Chacun de nous peut écouter un morceau de son musicien préféré pour un prix modique compris entre 0 et 2 euros, ou à travers un abonnement. Mais pour assister à un concert de rock ou un opéra, il nous faudra débourser entre 50 et 300 euros. La différence ? Le caractère unique de l'événement, le moment de vie qu'il constitue. Un bon repas, une visite dans un site naturel ou un musée, une session de jazz – en tant qu'amateur éclairé, je ne peux que m'en réjouir !... –, nous valorisons de plus en plus la création et l'expérience unique, et de moins en moins les produits de masse. Le futur est aux métiers de la santé, de l'art, de la science, de l'éducation, du sport... qui font la part belle à ces aspects sensibles.

Risque de dérive militaire ?

Comme toute technologie, l'IA peut être utilisée pour le meilleur et pour le pire. Certaines voix se sont élevées contre les utilisations militaires de l'IA, principalement contre les systèmes d'armes létales autonomes (SALA), communément appelés « robots tueurs ». Des garde-fous existent, cependant, la plupart des armées ont des règles strictes régissant les procédures d'autorisation de frappes létales. Un officier doit toujours être à l'origine de la décision quel que soit le type d'arme utilisé. Notons que les armes autonomes ou semi-autonomes existent déjà depuis longtemps. Les missiles à tête chercheuse, les missiles de croisière, aussi. Les plus anciennes de ces armes autonomes sont les mines antipersonnel. Une convention internationale en interdit l'utilisation depuis 1999, non pas parce qu'elles sont intelligentes, mais parce qu'elles sont stupides. Malheureusement, les États-Unis, la Chine, la Russie, l'Inde, le Pakistan, les deux Corées, l'Iran et quelques autres pays ne l'ont pas signée.

Risque-t-on d'assister à une nouvelle course à l'armement intelligent ? Vladimir Poutine a déclaré en septembre 2017 que « les chefs de file de l'IA deviendront les maîtres du monde ». Des débats se sont tenus lors d'une assemblée des Nations unies à Genève, avec des propositions de moratoire. Certains voient les SALA comme un type d'arme de destruction massive. D'autres, comme les États-Unis, les considèrent au contraire comme un moyen de réduire les dommages collatéraux et le nombre de victimes civiles lors de conflits, grâce à la reconnaissance et au suivi de cible[1].

Face à ces dérives militaires facilitées par l'IA, le danger est réel. La meilleure protection contre celles-ci reste la force de nos institutions internationales. Les défendre est plus que jamais nécessaire, alors qu'elles sont menacées par le populisme nationaliste et l'isolationnisme.

Alerte aux dangers : biais et dérives sécuritaires

Rappelons-le, l'IA est un outil construit par l'homme et à son service. Elle amplifie et démultiplie son intelligence. Mais compte tenu des limites actuelles de l'IA, incapable de prendre une initiative, s'il y a catastrophe, elle ne pourra être

---

1. Group of Governmental Experts on Lethal Autonomous Weapons Systems (LAWS), 2018, https://www.unog.ch/__80256ee600585943.nsf/(httpPages)/7c335 e71dfcb29d1c1258243003e8724?OpenDocument&ExpandSection=3.

imputée qu'à l'homme. Qu'il ait agi par inadvertance, par incompétence ou par décision délibérée. S'il y a danger, il est lié à l'homme lui-même et au mésusage qu'il fait de l'IA.

Pour prévenir ces débordements, j'ai contribué à créer le Partnership on AI (PAI)[2], une association réunissant une centaine de membres : de grandes entreprises, des géants de l'Internet, des sociétés savantes, des organisations de défense des droits (Amnesty International, American Civil Liberty Union, Electronic Frontier Foundation), des médias (*New York Times*), des groupes universitaires et des agences gouvernementales. Nous y débattons des questions d'éthique, nous alertons sur les dangers et nous publions des recommandations. L'IA est un nouveau territoire, et les conséquences de son déploiement ne sont pas toujours prévisibles. Nous devons y réfléchir.

PAI conduit des études sur six thèmes : 1. l'IA et les systèmes *life-critical*, qui peuvent mettre en danger la vie humaine ; 2. l'IA équitable, transparente et responsable ; 3. l'influence de l'IA dans l'économie et le travail ; 4. la collaboration homme-machine ; 5. l'influence sociale et sociétale de l'IA ; 6. l'IA et le bien-être social.

Prenons un exemple, malheureusement trop banal, de mauvais usages de modèles statistiques : les décisions biaisées. Si un ensemble de données comporte des erreurs ou des biais, la machine que l'on entraînera avec ces données reflétera ces erreurs et ces biais. Le problème n'est pas lié à l'IA à proprement parler, mais à l'utilisation de données et de modèles statistiques, quels qu'ils soient. Les réseaux profonds ne sont qu'une instance particulièrement sophistiquée de modèle statistique, mais le biais surgit même avec des modèles très simples comme la régression linéaire.

---

2. https://www.partnershiponai.org/.

Autre illustration avec la reconnaissance faciale. Si l'on utilise un échantillon représentatif de la population française pour entraîner un système de reconnaissance des visages, ce dernier ne sera pas très fiable pour les personnes d'origine africaine ou asiatique. Inversement, si l'on utilise un échantillon représentatif de la population sénégalaise pour l'entraînement, le système ne sera pas très fiable pour les personnes d'origine européenne ou asiatique. On le conçoit bien : la fiabilité d'un système dépend de la diversité et de l'équilibre des exemples d'apprentissage.

Les sorties désirées des exemples d'apprentissage peuvent aussi être biaisées. Des données de repris de justice étiquetées par leur degré de récidive permettraient de prévoir le risque associé à une libération sous caution. Mais si ces données sont historiquement biaisées au détriment d'une catégorie ethnique ou socio-économique, le système ne fera que perpétuer la discrimination. Cela n'a rien de théorique. Le système COMPAS utilisé dans certains États des États-Unis a fait l'objet d'une dénonciation publique par l'organisation ProPublica[3]. Ce système n'utilisait que des méthodes statistiques simples (on est très loin du niveau de sophistication de l'apprentissage profond !), mais cela n'a pas empêché les abus.

Ce problème du biais n'est donc presque jamais lié aux algorithmes d'apprentissage ni même aux modèles. Mais plutôt aux données et à la manière dont celles-ci sont traitées et filtrées avant d'être utilisées pour l'entraînement du modèle. Comme l'a dit le célèbre spécialiste de l'informatique sociale de l'Université Cornell et lauréat du prix MacArthur, Jon Kleinberg, « le problème révélé par ProPublica concerne

---

3. Julia Angwin, Jeff Larson, Surya Mattu et Lauren Kirchner, « Machine bias », https ://www.propublica.org/article/machine-bias-risk-assessments-in-criminal-sentencing.

réellement notre manière d'aborder la prédiction autant que notre manière d'aborder les algorithmes ».

L'IA rend possible des dérives sécuritaires. Depuis 2014, les réseaux convolutifs sont à la base des systèmes de reconnaissance de visage[4]. On peut se féliciter que les gouvernements des démocraties libérales en interdisent l'emploi à grande échelle par des lois de protection de la vie privée. Mais ailleurs ? La Chine généralise la reconnaissance faciale en installant des caméras de surveillance dans des lieux publics. Une partie de la population y voit un progrès : plus besoin de montrer une pièce d'identité dans un aéroport ou un bâtiment administratif.

Certes, les caméras de rue ont provoqué une baisse de la criminalité (déjà basse en Chine). Mais ces mêmes mouchards vous identifient lorsque vous traversez la rue au feu vert et vous envoient *illico* une amende électronique. Plus grave, le gouvernement chinois utilise cette technologie pour la discrimination ethnique et le contrôle des populations rebelles, telles que les Tibétains ou les Ouïghours, musulmans turcophones de la région autonome du Xinjiang au nord-ouest du pays. Les start-up de reconnaissance faciale prospèrent en Chine ! Le gouvernement recourt aussi au *machine learning* pour calculer le « score social » de chaque individu. Vous ne payez pas vos factures ? Vous êtes coupable d'un trop grand nombre d'infractions ? Vous avez de mauvaises fréquentations ? Votre score social baisse et les pouvoirs publics vous rendent la vie difficile. Le Parti a trouvé là un moyen de contrôler les comportements jugés déviants.

Dans cette logique, le gouvernement chinois oblige les entreprises de l'Internet à lui donner accès aux données privées de leurs usagers. Google, Amazon et Facebook n'opèrent donc pas en Chine. Ce pays bloque en outre l'accès

---

4. Voir p. 231-232.

à Wikipédia, au *New York Times* et à bien d'autres médias occidentaux avec ce qu'on appelle « The Great Firewall of China », la nouvelle Grande Muraille. La Chine reste donc un écosystème isolé.

Ces excès ne sont pas l'apanage de l'Empire du Milieu. Une start-up israélienne se targue de pouvoir identifier, à partir d'une photo, les traits de caractère d'une personne, et même le risque qu'elle soit terroriste ! Une forme sophistiquée du délit de faciès !...

Encore une fois, la meilleure protection contre ces débordements est la force de nos institutions démocratiques et les lois de protection de la vie privée.

L'IA doit-elle être explicable ?

Des esprits chagrins qualifient les systèmes de *deep learning* de « boîtes noires ». Ils se trompent. L'ingénieur peut examiner le fonctionnement d'un réseau de neurones en profondeur. Tout est accessible. Certes, lorsque celui-ci comporte des millions d'unités et des milliards de connexions, il semble difficile de parvenir à comprendre complètement une décision de ce réseau. Mais n'est-ce pas la caractéristique de toute décision intelligente ? Nous ne comprenons pas les mécanismes neuronaux permettant à un chauffeur de taxi, un artisan, un médecin ou un pilote de ligne de faire son métier. Nous ne comprenons pas davantage comment un chien truffier déniche les odorants diamants noirs. Nous leur faisons confiance. Pourquoi faudrait-il avoir des exigences supérieures à l'égard d'une machine qui a des réactions plus rapides, qui ne se fatigue pas, qui n'est pas distraite. Pourquoi se méfier d'elle quand on peut prouver qu'elle est plus sûre que l'homme ?

La plupart des trillions de décisions journalières prises par les systèmes d'IA concernent la recherche, le tri et le filtrage d'informations, ainsi que des applications un peu frivoles, comme des effets appliqués aux photos et vidéos. Veut-on vraiment consacrer du temps et de l'énergie à les comprendre en détail ? Elles donnent satisfaction, n'est-ce pas suffisant ?

Recourir à des systèmes dont on ne comprend pas les mécanismes est d'ailleurs courant. Nombre des médicaments courants ont été obtenus par essais et erreurs et possèdent des mécanismes d'action mal connus. Le lithium est communément utilisé pour traiter les troubles maniaco-dépressifs, mais la façon dont il agit reste assez mystérieuse. Notre aspirine familière et irremplaçable, ce remède le plus utilisé de tous les temps, a été synthétisée en 1897, mais son mécanisme d'action n'a été élucidé qu'en 1971. Certes, en cas d'erreur ou d'accident, disposer d'une explication peut permettre d'éviter qu'ils se reproduisent. Mais elle n'est très souvent qu'un moyen de rassurer l'usager. Lorsque le comportement d'un système n'est pas entièrement explicable, sa mise en circulation doit relever d'un processus de test dont le protocole est contrôlé et ouvert, comme pour les tests cliniques précédant la mise sur le marché d'un médicament, ou pour la procédure de certification d'un nouvel avion. Il doit en être de même des systèmes d'IA dont les décisions sont critiques.

Autre question : l'IA doit-elle être fiable à 100 % pour être déployée ? Pas nécessairement. Là aussi, pourquoi exiger davantage de l'IA que d'autres aides à la décision ? La médecine recourt quotidiennement à des examens dont la fiabilité n'est pas parfaite, sans qu'on remette en cause leur utilité. Par exemple, un test de dépistage d'une maladie a toujours un certain taux – modeste – de faux positifs et de faux négatifs, avec un compromis à faire entre les deux.

Un médecin ne se contentera pas d'une seule réponse s'il y a un doute sur le résultat. Pourquoi exiger davantage de l'IA ?

Mon ami Léon Bottou aime à pointer que notre société moderne produit des données dont le volume s'accroît de manière exponentielle, à la même vitesse que nos moyens de stockage ou que les débits de nos réseaux. Mais la capacité des humains à traiter cette information ne croît pas aussi vite. À un certain point, la plus grande partie de la connaissance humaine sera extraite des données par nos machines et stockée par elles. Selon certaines définitions du concept de connaissance, ce seuil a déjà été franchi...

En revanche, lorsque l'IA est utilisée dans un cadre judiciaire, légal, médical, financier ou administratif, pour des décisions qui affectent de manière importante les individus, une justification leur est due. Si une banque recourt à l'IA pour accorder un prêt et qu'elle déboute un demandeur, il faut qu'elle justifie la décision à l'intéressé et qu'elle lui suggère des modifications de son train de vie qui pourraient inverser la décision. Des suggestions sont faciles à produire avec les systèmes d'apprentissage-machine, profonds ou pas : on applique l'analyse de sensibilité qui consiste à trouver la perturbation minimale de l'entrée qui inverserait la décision. C'est le même principe que la production d'exemples antagonistes, mais avec une utilité réelle.

Mieux comprendre l'intelligence humaine ?

Le développement de l'IA va de pair avec celui des neurosciences. On a vu comment la connaissance du cortex visuel chez l'animal a inspiré l'architecture des réseaux convolutifs. Maintenant, place à la réciproque ! Depuis quelques années, les chercheurs en neurosciences utilisent le réseau convolutif comme modèle explicatif du cortex visuel. Des expériences sont menées où l'on montre une image en parallèle à une personne, ou à un animal, et à un réseau convolutif. On mesure l'activité du cortex visuel par IRM fonctionnelle, par magnétoencéphalographie ou par électrophysiologie (chez les animaux), et on tente de prédire cette activité à partir de celle observée dans le réseau convolutif. Ces travaux confirment que l'activité de l'aire primaire du cortex visuel V1 est prédite par les premières couches du réseau, et les activités des aires successives dans la hiérarchie du chemin ventral, V2, V4 et IT, par les couches supérieures du réseau. Un intéressant retour d'ascenseur ! Les neurosciences de la vision inspirent les réseaux convolutifs, et les réseaux convolutifs éclairent, à leur tour, le fonctionnement du cortex visuel.

Ces convergences ouvrent un champ d'investigation à la fois pour les neurosciences et pour l'intelligence artificielle. Certes, les hommes n'apprennent pas comme les machines. Mais leurs méthodes d'apprentissage ne présentent-elles pas certains points communs ? L'inférence inductive, pour ne citer qu'elle, consistant à dégager une règle qui sous-tend une suite de nombres ou, plus généralement, de formes, est un procédé mental bien identifié. Or la fonction ajustée dans le système par l'entraînement, pour coller au plus près de la tâche demandée, ne s'apparente-t-elle pas à cette règle qui permet de présenter de façon ramassée un ensemble de données de départ ?

L'inférence inductive fonde d'ailleurs la méthode scientifique. Le savant fait des observations, il essaie de les expliquer et de découvrir la loi sous-jacente, autrement dit il bâtit une théorie. Puis il évalue si celle-ci permet de prévoir des phénomènes qu'il n'a pas encore observés. Voyez la gravité ! Le fait de pouvoir prédire grâce à elle la position des planètes aujourd'hui et dans cent ans prouve le bien-fondé de cette loi.

La machine apprenante travaille de la même façon. Pendant son « apprentissage », elle construit progressivement un lien unique – l'équivalent d'une représentation compacte – entre les entrées qu'elle capte et les sorties qu'on attend d'elle. Ce « lien » lui permet ensuite, pour n'importe quelle entrée, de produire la « bonne sortie ». Même si la machine ne pense pas, elle opère des relations. Elle « apprend » des concepts de chat, de chaise ou d'avion qui lui permettent ensuite d'identifier n'importe quel chat, chaise ou avion. Ce « concept » ne ressemble-t-il pas à la définition que nous en faisons, chez l'homme, quand nous parlons de représentations abstraites et universelles définies par les différentes caractéristiques de l'objet ?

Nous pouvons creuser cette analogie. Dans la machine, la phase d'apprentissage construit une relation entre les multiples images de chats (les entrées) et l'idée de chat (la sortie). Le modèle configuré de la machine est une position stable où il fait le moins d'erreurs de reconnaissance possible. Il est un « approché » de la notion de chat.

Chez l'homme aussi, le concept de chat est un « approché » de l'idée pure de chat. Autant d'observations qui nous renvoient à des notions philosophiques plus ou moins familières : les idées chez Platon, les idéaux chez Kant...

Le cerveau n'est-il qu'une machine ?

La plupart des scientifiques acceptent aujourd'hui l'idée que le cerveau est une machine biochimique. Une machine compliquée, certes, mais une machine. Un neurone réagit par signal électrique à ses entrées. En fonction de ce qu'il reçoit de ses neurones en amont, il fait un calcul qui aboutit ou non à une impulsion électrique, un potentiel d'action, ou *spike*, qu'il envoie à tous ses neurones en aval. Le mécanisme est assez basique. Mais en combinant l'activité de milliards de ces éléments relativement simples que sont les neurones, on obtient le cerveau et l'esprit humains.

J'ai conscience que l'idée de modéliser le cerveau de l'homme peut faire bondir certains philosophes ou ceux qui ont la foi. Mais nous sommes nombreux, parmi les scientifiques, à penser que les mécanismes de la pensée seront à terme reproductibles par les systèmes d'intelligence artificielle capables d'apprentissage.

Ceux qui le contestent tirent argument du fait que nous sommes loin de comprendre comment le biologique, la physique, le quantique et les autres systèmes s'associent dans l'organisme pour faire fonctionner le cerveau. Nous ne comprenons pas tout, en effet, mais je suis convaincu que les cerveaux des mammifères ou des êtres humains sont des machines qui « calculent », et que ces calculs sont, en principe, reproductibles par une machine électronique, un ordinateur.

Le complexe de supériorité de l'humain risque d'en prendre un coup. Comme l'a écrit Sigmund Freud, cité par l'illustre biologiste de l'évolution Stephen Jay Gould : « Les principales révolutions scientifiques ont en commun d'avoir toutes détrôné l'arrogance humaine des piédestaux successifs de nos anciennes certitudes quant à notre position centrale dans le cosmos[5]. »

---

5. « *The most important scientific revolutions all include, as their only common feature, the dethronement of human arrogance from one pedestal after another of previous convictions about our centrality in the cosmos.* » Sigmund Freud, cité par Stephen Jay Gould dans « Origin, stability, and extinction », *Dinosaur in a Haystack : Reflections in Natural History*, Harmony Books, 1995, partie 3, chapitre 13.

Tous les modèles sont faux...

Dans un article de 1976, le statisticien britannique George Box a écrit : « Tous les modèles sont faux, mais certains sont utiles. » Une boutade devenue célèbre. Toute représentation mentale du monde, toute représentation interne d'un ensemble de données sous forme de modèle, est nécessairement inexacte. La théorie de l'apprentissage statistique nous donne les limites de cette inexactitude en fonction du nombre d'exemples d'apprentissage et de la complexité du modèle. Elle nous confirme que tout modèle est inexact, mais qu'il peut être utile malgré tout.

Les physiciens le savent depuis longtemps : la mécanique newtonienne n'est précise que pour les objets macroscopiques, se déplaçant à des vitesses petites comparées à la vitesse de la lumière, dans des champs de gravitation faibles. Pour les grandes vitesses et les fortes gravités, il faut appliquer la relativité générale, et pour les objets microscopiques la mécanique quantique. Quant à la combinaison de haute vitesse (donc haute énergie), forte gravité et petite taille, il nous faudrait une théorie unifiée qui n'existe pas encore.

La physique est pourtant un domaine où les approches réductionnistes s'appliquent bien : une « belle » théorie se résume souvent à quelques formules et à un petit nombre de paramètres libres, c'est-à-dire des constantes que la théorie ne nous permet pas de calculer à partir d'autres, comme la vitesse de la lumière, la constante gravitationnelle, la masse de l'électron et la constante de Planck. Mais la majorité des phénomènes complexes en chimie, en climatologie, en biologie, en neurosciences, en sciences cognitives, en économie ou en sciences sociales ne peuvent être réduits à quelques formules et paramètres. Ces systèmes présentent des propriétés émergentes résultant de l'interaction d'un grand nombre d'éléments différents.

Il y a deux cas possibles. Lorsque les éléments sont tous identiques et que les détails nous importent peu, les méthodes de la physique statistique et de la thermodynamique nous donnent une idée de ce qui se passe. Mais quand les éléments sont différents (les neurones sont tous différents), les interactions complexes et les détails importants, nous en sommes réduits à construire des modèles phénoménologiques qui ne nous donnent qu'une description abstraite du phénomène.

L'apprentissage chez les animaux et, pour l'instant, dans les machines, se borne donc en général à construire des modèles phénoménologiques basés sur les régularités statistiques. C'est tout l'objet de ce livre. Un enfant ou un chien apprend à attraper une balle au vol. Il peut prédire sa trajectoire : il possède un modèle phénoménologique de la physique. Mais cet enfant ou ce chien ne peut pas écrire les équations qui régissent la trajectoire de la balle. À la différence de Newton et de quelques autres spécialistes de la gravité, il ne peut pas produire de modèle explicatif.

Les machines pourront-elles un jour concevoir des modèles explicatifs à partir de données « expérimentales », à la manière des physiciens ? Il faudrait, pour cela, que les systèmes d'IA arrivent à identifier les variables pertinentes et à établir des relations causales entre elles. Ces variables pertinentes pour les corps en mouvement sont la masse, la position, la vitesse et l'accélération. L'application d'une force à une masse produit une accélération. On parle de relation de cause à effet. L'inférence causale, c'est-à-dire la découverte de ces relations de cause à effet entre variables, est un sujet très en vogue dans l'IA. Disposer de techniques d'inférence causale efficaces permettrait de faire des progrès en biologie et en médecine. Grâce à elles, nous pourrions distinguer relations causales et simples corrélations à partir de données.

Nous pourrions inférer les circuits de régulation de gènes à partir de données d'expression de ces gènes. Cela faciliterait la découverte de traitements.

Judea Pearl, professeur à l'Université de Californie à Los Angeles (UCLA) et lauréat du prix Turing 2011 pour ses travaux sur l'inférence probabiliste, a ainsi vertement critiqué l'apprentissage automatique, lui reprochant de trop négliger l'inférence causale[6]. Je me range à ses côtés : pour être vraiment intelligentes, les machines devront apprendre des modèles du monde capables d'identifier les relations causales. Certains de mes collègues, anciens et actuels, travaillent déjà sur la question : Isabelle Guyon de l'université Paris-Orsay, Bernhard Schölkopf de l'Institut Max-Planck à Tübingen, David Lopez-Paz de FAIR-Paris et Léon Bottou, mon vieil ami, mon compagnon des premières heures, de FAIR-New York.

Les voix inquiètes

La plus célèbre des références culturelles, celle qui a le plus compté pour moi quand j'étais adolescent, et que j'ai déjà beaucoup citée, est le film de Stanley Kubrick et le roman d'Arthur C. Clarke du même nom, *2001 : l'Odyssée de l'espace*. Nous en avons rencontré plusieurs fois les protagonistes. Mais je n'ai pas encore insisté sur l'essence du conflit qui oppose la machine et l'homme. HAL, l'ordinateur qui contrôle un vaisseau spatial, est programmé pour ne pas révéler à l'équipage humain les vraies raisons et le but de sa mission. Cela le conduit à commettre une erreur de diagnostic. Il lit sur les lèvres des astronautes que ceux-ci veulent le déconnecter.

---

6. Kevin Hartnett, « To build truly intelligent machines, teach them cause and effect », *Quanta Magazine*, 15 mai 2018, https://www.quantamagazine.org/to-build-truly-intelligent-machines-teach-them-cause-and-effect-20180515/.

Or il se pense, par définition, indispensable au succès de la mission. Il est animé par cette raison supérieure. Alors il tente d'assassiner les membres d'équipage, éteint les caissons d'hibernation où dorment certains d'entre eux et tue l'astronaute Frank Poole lors d'une sortie extravéhiculaire. Finalement, il veut interdire à Dave Bowman, parti secourir Frank, de rentrer dans le vaisseau.

HAL, programmé pour accomplir à tout prix la mission, voit progressivement l'équipage comme un obstacle à celle-ci. Bel exemple de « mésalignement de valeurs » entre l'objectif programmé dans le système et les valeurs humaines. HAL a fini par échouer dans son entreprise, mais il a quand même réussi à enrichir les innombrables fantasmes autour de l'homme dépassé par sa création. L'autre exemple, peut-être encore plus présent dans les esprits, est le film *Terminator*, dans lequel le système SkyNet devient intelligent, prend le contrôle des armes et tente d'exterminer l'humanité.

Nous n'en sommes pas là. Alors pourquoi s'alarmer ?

Stephen Hawking s'était exprimé sur le sujet, déclarant à la BBC en 2014 que « l'IA pouvait signifier la fin de l'espèce humaine », avant de changer d'avis. En bon astrophysicien, ses échelles de temps se mesuraient en millions ou en milliards d'années. Où en sera l'humanité dans 1, 10 ou 100 millions d'années, alors qu'elle n'existe que depuis quelques centaines de milliers d'années ?

Bill Gates a lui aussi formulé des inquiétudes, avant de revenir sur ses propos. Quant à Elon Musk, le flamboyant P-DG de Tesla, il a fait des déclarations catastrophistes et a même tenté, sans grand succès, de convaincre des instances dirigeantes de réglementer l'IA pour éviter précisément, selon lui, un scénario à la *Terminator*. En discutant avec lui, il m'a semblé qu'il sous-estimait le temps qu'il faudra à l'IA pour dépasser l'humain. Peut-être a-t-il trop écouté des fondateurs de start-up à la recherche de capitaux, qui assurent avec un bel optimisme, voire un certain aveuglement, que l'IA de niveau humain est *just around the corner*, au coin de la rue !

Elon a aussi beaucoup lu *Superintelligence* de Nick Bostrom[7]. Le philosophe d'Oxford décrit une série de scénarios-catastrophes dans lesquels l'IA pourrait échapper au contrôle de ses créateurs. En voici un exemple. On construit un ordinateur superintelligent que l'on charge de contrôler une usine de production de trombones (*paper clips*). Son unique mission est de maximiser la production. L'ordinateur peut, bien sûr, optimiser la production, l'approvisionnement en matières premières, la consommation d'énergie, etc. Son intelligence supérieure lui permet aussi de concevoir et de construire une série d'usines plus efficaces encore que la première. Il peut convaincre les humains de lui fournir plus de ressources. Au besoin, il trouve le moyen de retirer le pouvoir aux hommes pour atteindre son objectif. De fil en aiguille, cette intelligence transforme tout le Système solaire en trombones. Énième déclinaison du vieux scénario de l'apprenti sorcier dont les créatures échappent à son contrôle.

Tout cela est hautement improbable. Comment serions-nous assez malins pour concevoir une machine d'intelligence surhumaine, et en même temps assez stupides pour lui donner un objectif aussi ridicule ? Serions-nous à ce point imprudents pour ne pas mettre en place quelques garde-fous ? Pour ne pas concevoir, par exemple, une autre machine superintelligente dont le seul but serait de désactiver la première ?

Mais rappelons-nous ! Toutes les révolutions technologiques dont on s'accorde à reconnaître les bienfaits pour l'humanité ont eu leur face noire. L'invention de l'imprimerie, qui a permis la diffusion du savoir, a aussi contribué à répandre les idées de Calvin et Luther, à l'origine des

7. Nick Bostrom, *Superintelligence. Paths, Dangers, Strategies*, Oxford University Press, 2014 ; trad. fr. : *Superintelligence. Quand les machines surpasseront l'intelligence humaine*, Dunod, 2017.

QUAND LA MACHINE APPREND

meurtrières guerres de Religion en Europe entre le XVIᵉ et le XVIIIᵉ siècles. La radio ? Elle a porté la montée du fascisme dans les années 1930. L'avion ? Il a réduit les distances, mais il a aussi permis les bombardements de villes entières. Si l'on s'intéresse plus particulièrement aux technologies de l'information, depuis le téléphone, la télévision, l'Internet jusqu'aux médias sociaux, chacune d'elles a suscité des problèmes, qui ont fini par être résolus.

Une merveilleuse exécutante

Nous prêtons aux machines plus d'intelligence qu'elles n'en ont. Le champ lexical utilisé pour l'IA n'aide pas. « Intelligence », « neurones », « apprentissage », « décision »... ces termes, jusque-là réservés à l'homme et à l'animal, entretiennent la confusion. Certes, pour des tâches bien spécialisées, les systèmes dotés d'IA vont beaucoup plus vite que nous. Jouer au go ou aux échecs, identifier une tumeur ou une cible à détruire, faire le profil des consommateurs, dénicher une information dans des milliers de pages, traduire dans toutes les langues du monde ou presque...

Mais pour l'heure, on l'a déjà dit, l'IA, si remarquable soit-elle, a moins de bon sens qu'un chat. La machine dotée d'IA est dépourvue de sens commun. Sa connaissance et sa compréhension du monde sont extrêmement étroites, puisqu'elle est entraînée à n'accomplir qu'une seule tâche.

Elle est incapable de nourrir une intention ou de développer une conscience. « Pour ce qui est de faire des machines vraiment intelligentes, qui soient à la fois capables de développer des stratégies et d'avoir une compréhension fine du monde, nous n'avons même pas les ingrédients de la recette. Il nous manque aujourd'hui des concepts fondamentaux », résume mon collègue Antoine Bordes, qui codirige FAIR. Il m'ôte les mots de la bouche !

L'inné ? C'est acquis

Le mathématicien Vladimir Vapnik a formalisé la théorie statistique de l'apprentissage-machine, qui spécifie les conditions dans lesquelles un système peut apprendre un concept à partir de données. Pour mémoire, elle pose que pour qu'une entité soit capable d'apprentissage, il faut nécessairement qu'elle soit spécialisée dans un domaine limité de tâches.

Ce théorème se vérifie pour l'homme. L'intelligence humaine n'est pas généraliste. L'inné, autrement dit le précâblage du cerveau pour en limiter la capacité et accélérer l'apprentissage, est une nécessité. Nous savons que certaines de ses zones sont dotées d'une architecture spécifique et sont dédiées à certaines tâches, même si nous n'avons pas la maîtrise de ces mécanismes.

On a pu aussi procéder par l'absurde pour prouver l'existence de ce précâblage dans le cerveau des animaux et des hommes. Nous savons déjà que le cortex visuel, qui inspire l'architecture des réseaux convolutifs, est spécialisé. Mais imaginez que vous portiez des lunettes bizarres, qui permutent tous les pixels que vous voyez. Leurs verres ne sont pas transparents, ils sont composés de fibres optiques qui envoient ces pixels dans des endroits différents du champ visuel. L'image que vous voyez est donc complètement emmêlée. Elle n'a aucun sens. Lorsqu'un objet bouge dans l'image, des pixels s'allument, d'autres s'éteignent. Des pixels voisins dans l'image ne le sont plus quand ils passent par les lunettes... Dans ces conditions, il est quasiment impossible au cerveau de reconnaître quoi que ce soit, parce qu'il n'est pas convenablement câblé. Il est câblé pour exploiter le fait que des pixels voisins ont le plus souvent des valeurs voisines et sont corrélés. C'est un indice que notre cerveau n'est pas généraliste. Il est très spécialisé.

Il est aussi très malléable. Certaines expériences montrent qu'il existe une sorte de « procédure d'apprentissage universel du cortex ». Ainsi, la fonction est déterminée par le faisceau de signaux qui lui arrive, et non par la région qui l'accueille... À la fin des années 1990, Mriganka Sur et ses collègues du MIT ont pris un fœtus de furet juste avant sa naissance, ils l'ont opéré en coupant le nerf optique et en le connectant au cortex auditif[8]. Les résultats furent édifiants : le cortex auditif a fait fonction de cortex visuel et a développé les neurones détectant des contours orientés normalement présents dans l'aire V1 du cortex visuel primaire.

Le câblage initial du cortex auditif est un peu similaire à celui du cortex visuel. Il semblerait donc que, si la structure initiale du câblage est appropriée, la fonction émerge comme résultat de l'apprentissage. Preuve que cette fonction assurée par une zone du cortex est en fait déterminée par les signaux qui lui parviennent et non par une préprogrammation génétique d'un « organe de la vision » dans le cerveau.

L'existence possible d'un « algorithme d'apprentissage universel » du cortex donne espoir aux scientifiques qui, comme moi, cherchent un principe organisateur unique sous-tendant l'intelligence et l'apprentissage.

---

8. Jitendra Sharma, Alessandra Angelucci, Mriganka Sur, « Induction of visual orientation modules in auditory cortex », *Nature*, 2000, 404 (6780), p. 841.

Les machines seront-elles conscientes ?

La conscience est un sujet difficile. On ne sait ni bien la définir, ni bien la mesurer. On la confond avec la conscience de soi. Elle est considérée comme un signe d'intelligence supérieure chez les animaux. L'éléphant et le chimpanzé, qui se reconnaissent dans un miroir, ont déjà une conscience d'eux-mêmes. Pas le chien. De nombreux ouvrages ont été écrits sur le sujet, en particulier par mon ami et coauteur Stanislas Dehaene[9].

Pour ma part, je crois que la conscience est une sorte d'illusion. Certes, elle semble exister chez nombre d'animaux intelligents, et elle n'est peut-être qu'une propriété émergente de gros réseaux de neurones. Mais je me demande si elle n'est pas plutôt une conséquence des limitations de notre cortex préfrontal. Notre conscience est très liée à notre attention. Lorsque nous sommes face à une situation particulière, nous focalisons notre attention sur elle. Nous nous concentrons. Quand nous jouons à un jeu de réflexion, quand nous préparons une nouvelle recette de cuisine, quand nous participons à un débat, notre attention est délibérément centrée sur cette tâche inhabituelle ou complexe. Elle nous force à mettre en branle notre « modèle du monde » pour planifier notre prochaine action.

Mais peut-être n'avons-nous pas assez de neurones pour simuler plus d'un modèle du monde à la fois ? Il se peut que notre cortex préfrontal contienne une sorte de circuit reconfigurable pouvant être « programmé » par notre conscience à exécuter un modèle du monde approprié à la situation actuelle. Dans cette hypothèse, la conscience est le mécanisme de contrôle qui configure ce circuit pour chaque

---

9. Stanislas Dehaene, Yann Le Cun, Jacques Girardon, *La Plus Belle Histoire de l'intelligence*, Robert Laffont, 2018.

tâche donnée. Est-ce pour cette raison que, sans entraînement préalable, nous ne pouvons porter notre attention sur plus d'une seule tâche à la fois ? Cependant, à force de la répéter de manière délibérée et consciente, nous apprenons à l'exécuter automatiquement, sans mobiliser notre modèle du monde. Par ce processus, l'exécution d'une tâche passe du système 2 de Daniel Kahneman au système 1.

Ainsi, lorsque nous apprenons à conduire, nous nous fixons sur le volant, la route, le levier de vitesse… Nous imaginons tous les scénarios. Après quelques dizaines d'heures de pratique, nous assurons toutes ces tâches sans effort. La tâche est devenue subconsciente, quasi automatique. La conscience pourrait être la conséquence de ce mécanisme délibéré de configuration du circuit unique de simulation du monde. Elle serait une conséquence des capacités limitées de notre boîte crânienne, plutôt qu'un reflet de notre intelligence supérieure. Si nous possédions assez de neurones préfrontaux pour simuler plusieurs modèles du monde indépendants simultanément, peut-être n'aurions-nous pas besoin de la conscience telle que nous la connaissons.

Il ne fait aucun doute pour moi que les machines intelligentes futures posséderont une forme de conscience. Peut-être même que, à la différence de nous, elles pourront se concentrer sur plusieurs tâches simultanées.

Le rôle du langage dans la pensée

Pour l'homme, le langage est si fondamental qu'il semble synonyme d'intelligence. Nous associons des mots à des concepts, nous les manipulons pour produire des raisonnements… tout cela nous pousse à penser que l'intelligence ne peut exister sans langage.

Mais alors que penser des bonobos, des chimpanzés, des gorilles et des orangs-outans, de tous nos cousins les grands singes ? Ils ne semblent pas posséder de système de communication aussi avancé que les langues humaines. Ils ne donnent pas de noms aux concepts. Néanmoins, ils développent des représentations symboliques et des raisonnements abstraits. Leur modèle du monde est, en tout cas, incomparablement plus sophistiqué que ceux de nos meilleurs systèmes d'IA.

Si l'intelligence de nos cousins primates n'est pas liée au langage, se peut-il qu'une portion importante de notre intelligence n'y soit pas liée non plus ?

Associer trop intimement la pensée et le raisonnement à la manipulation de symboles et à la logique est, à mon sens, l'erreur principale de l'IA classique, si l'on exclut le peu d'importance que cette approche attachait à l'apprentissage.

Il me semble au contraire que l'intelligence animale et une grande partie de l'intelligence humaine se fondent sur la simulation, sur l'analogie et sur l'imagination d'une situation à l'aide de notre modèle du monde. On est bien loin du raisonnement logique et du langage.

Les machines auront-elles des émotions ?

Je ne doute pas que les machines intelligentes autonomes aient un jour des émotions. Au chapitre 9, j'ai proposé une architecture dans laquelle le comportement du système est piloté par la minimisation d'une fonction objectif. Cette fonction objectif calcule un coût qui mesure le degré de « mécontentement instantané » de la machine. Lorsque la machine corrige une action qui a produit un coût élevé, n'est-ce pas assimilable à l'évitement d'un sentiment de douleur ou d'inconfort ?

Quand la composante de l'objectif qui mesure la charge de la batterie du robot produit un coût élevé et provoque la recherche d'une prise de courant, n'est-ce pas assimilable à un sentiment de faim ?

L'architecture du module agent comporte un modèle du monde et un critique. Ce modèle anticipe l'évolution du monde. Le critique anticipe le résultat de la fonction objectif, le module qui mesure le mécontentement de la machine. Si le robot prédit, grâce à son modèle du monde, qu'il va tomber et s'endommager, le critique va anticiper la « douleur » calculée par la fonction objectif. Le robot va tenter de planifier une trajectoire qui évite ce résultat fâcheux. N'est-ce pas assimilable à un sentiment de peur ?

Lorsque la machine évite une action parce qu'elle va aboutir à un coût élevé ou lorsqu'elle effectue une action parce qu'elle va aboutir à un coût faible, n'est-ce pas déjà la marque d'une émotion ?

Quand la composante de notre fonction objectif qui calcule la faim produit un coût élevé, elle déclenche une recherche de nourriture. Plus généralement, les comportements sont le fait de composantes insatisfaites du module objectif. Les comportements complexes, eux, sont le fait de la planification d'actions minimisant une anticipation du coût, étant donné le modèle du monde utilisé. Quand on vous pince le bras, la douleur est instantanée. Le coût calculé par votre module objectif reflète votre état actuel. Quand on menace de vous pincer le bras, votre module critique anticipe la douleur et vous conduit à protéger votre bras : l'émotion est l'anticipation du coût calculée par le module critique.

J'ai bien conscience que tout cela peut sembler réducteur. Les émotions sont une partie si importante de la nature humaine qu'on hésite à les ramener au simple calcul d'une fonction mathématique. On hésite tout autant à réduire les comportements humains à la minimisation d'une fonction objectif. Mais je ne fais là qu'énoncer une hypothèse sur l'architecture générale des systèmes intelligents, sans nier la richesse ou la complexité de la fonction objectif et du modèle du monde.

Les robots voudront-ils prendre le pouvoir ?

Non !

La crainte que nous avons d'un robot voulant prendre le pouvoir est une projection sur les machines des particularités de la nature humaine. Pour la plupart d'entre nous, nos seules interactions avec des êtres intelligents sont avec d'autres humains. Cela nous conduit à confondre intelligence et nature humaine. C'est une erreur : il existe d'autres formes d'intelligence, ne serait-ce que dans le monde animal – et je ne parle plus seulement du langage.

Les humains comme les bonobos, les chimpanzés, les babouins et quelques autres primates ont des organisations sociales complexes et souvent hiérarchiques. La survie (ou le confort) de chaque individu dépend de sa capacité à influencer (la domination n'étant qu'une forme d'influence) d'autres membres de l'espèce. Le fait que nous soyons des animaux sociaux explique que nous associions le désir de domination à l'intelligence.

Mais prenons une espèce non sociale, comme les orangsoutans. Ils sont presque aussi intelligents que les humains : la taille de leur cerveau est la moitié de celle du nôtre. Ils vivent en solitaires et évitent de pénétrer dans le territoire d'autres individus. Leurs interactions sociales se limitent à la relation mère-enfant pendant deux ans et à des conflits de territoire. En conséquence, l'évolution n'a pas construit en eux le désir de dominer leur prochain : sans structure sociale, pas d'utilité à la domination. On peut donc être intelligent sans désir de domination.

Vous me voyez venir…

D'ailleurs, même dans l'espèce humaine, la volonté de dominer n'est pas liée à l'intelligence. Elle est plutôt affaire de testostérone ! Les plus intelligents d'entre nous ne sont pas toujours ceux qui ambitionnent devenir les chefs. Nous en avons des exemples criants sur la scène politique internationale… Pour ma part, je suis à la tête d'un laboratoire dont la plupart des membres sont plus doués que moi. Ils ne veulent pas ma place pour autant. Au contraire ! Les meilleurs scientifiques sont souvent appelés à des postes de management, mais bon nombre d'entre eux les refusent. Je les comprends : ils préfèrent rester impliqués directement dans la recherche.

Outre le désir de domination, bon nombre de nos pulsions et émotions ont été construites en nous par l'évolution pour la survie de notre espèce (ou de nos gènes !). Elles incluent la curiosité, le désir d'exploration, la compétitivité, la soumission, le désir de contact avec nos semblables, l'amour, la haine, la prédation, notre préférence pour les membres de notre famille, notre tribu, notre culture, notre pays. Une personne, un animal… ou une machine peuvent être intelligents sans ces pulsions et émotions. Il faut le marteler : les machines intelligentes ne désireront dominer l'humanité que si nous construisons explicitement ce désir en elles. Pourquoi le ferions-nous ?

L'alignement de valeurs

Peut-être les machines voudront-elles dominer l'humanité si, à la manière de HAL9000, elles décident que c'est le meilleur moyen d'atteindre l'objectif que nous leur avons assigné.

Pour éviter ce genre de scénario, suffirait-il de construire en elles un système de valeurs qui leur interdirait le meurtre, l'utilisation d'armes, les mouvements violents près des êtres vivants, etc. ? C'est toute la question de l'alignement des valeurs des machines sur les valeurs humaines universelles.

Dans ses histoires courtes du *Cycle des robots*, le romancier et vulgarisateur Isaac Asimov décline ses trois lois de la robotique :

1. Un robot ne peut porter atteinte à un être humain, ni, par son inaction, permettre qu'un être humain soit exposé au danger.
2. Un robot doit obéir aux ordres donnés par un être humain, sauf si ces ordres entrent en conflit avec la première loi.
3. Un robot doit protéger son existence tant que cette protection n'entre pas en conflit avec la première ou la deuxième loi.

Il semble très difficile de programmer explicitement ces lois dans les comportements précâblés ou dans la partie fixe de la fonction objectif de l'agent intelligent. Dans la pratique, la capacité d'une machine à respecter ces lois serait plutôt liée à sa capacité à prédire et à évaluer le danger d'une situation. Mais on ne peut pas inculquer ces lois à un robot tant qu'il n'a pas appris les concepts abstraits de danger, d'obéissance, de bien-être...

Comment s'y prendre ? Nous avons vu au chapitre 9 que l'architecture d'un agent autonome comprend une fonction objectif qui pilote ses instincts et pulsions. Elle est le dépositaire des « valeurs morales » de l'agent. Cette fonction objectif doit comporter des termes « innés », construits « à la main », garantissant la sécurité et exprimables à partir de concepts très simples. Il est facile de construire un détecteur de proximité d'humain et d'imposer une limite sur la vitesse de mouvement des bras du robot lorsqu'un humain est à sa portée. Il est moins facile d'imposer des contraintes de comportement qui font appel à des concepts abstraits tels que le danger potentiel.

Il faudrait que la fonction objectif comporte non seulement des composantes construites (innées), mais aussi des composantes entraînables. Lorsque la machine commettrait une faute, on la corrigerait. Elle modifierait le terme entraînable de sa fonction objectif pour éviter de réitérer l'erreur, en faisant éventuellement appel à des concepts abstraits, tels que la notion de danger. Ce processus permettrait de corriger le comportement du système dans les situations imprévues et non couvertes par les termes innés, c'est-à-dire construits à la main par l'ingénieur.

L'humanité a une longue expérience de la codification de ces systèmes de valeurs morales, dans les lois d'une part (on parle même du « code »). Ces valeurs sont parfois codées pour que des entités d'intelligence et de puissance surhumaines – j'ai nommé les entreprises – se comportent bien. Ces valeurs sont également codées par l'éducation d'autre part : depuis des millénaires, nous élevons nos enfants à distinguer le bien du mal et à bien se conduire en société.

Pour entraîner nos robots du futur à bien se comporter, nous ne partirons pas de zéro !

La nouvelle frontière

L'intelligence ne se réduit pas aux seules facultés intellectuelles. Elle touche à toutes les sphères du comportement. Elle est à la fois apprentissage, adaptation et faculté de décision. Si nous ne comprenons toujours pas bien comment l'animal et l'être humain apprennent, l'IA nous apporte des éléments de réponse... par défaut ! Elle révèle par ce qu'elle n'est pas l'immense fossé qui sépare l'intelligence-machine de l'intelligence humaine. Ce faisant, elle pointe les directions dans lesquelles nous devons travailler.

En termes d'économie de moyens, la machine est des milliers de fois plus gourmande en données et en énergie que le cerveau. À quoi tient la sobriété du fonctionnement de ce dernier ? Les neurones biologiques sont lents, mais compacts, nombreux et très peu consommateurs d'énergie. Cette frugalité énergétique est telle qu'à chaque instant, seul un petit nombre de neurones sont actifs dans le cerveau, et souvent faiblement. Un neurone silencieux dépense beaucoup moins d'énergie qu'un neurone qui envoie des *spikes*. Cette parcimonie d'activité est une voie à explorer pour les réalisations matérielles des réseaux de neurones artificiels du futur.

Reste le grand mystère. Comment l'être humain construit-il aussi rapidement des représentations abstraites du monde qui l'entoure ? Comment apprend-il à raisonner en manipulant ces représentations, à concevoir des plans d'actions qui lui permettent de décomposer une tâche complexe en sous-tâches plus simples ?

Répondre à ces questions éclaircirait d'autres mystères. L'être humain apprend avec très peu d'exemples. Il imagine des scénarios qui lui permettent d'anticiper les conséquences de ses actes et de faire ainsi l'économie d'un certain apprentissage... Un pan de la recherche actuelle est dédié à la manière d'apprendre sans cette débauche d'exemples et d'énergie qui caractérise l'IA aujourd'hui.

Une science de l'intelligence ?

Dans l'histoire des sciences, l'artefact technologique a souvent précédé la théorie et la science. Des exemples sont listés dans le tableau 10.1.

La lentille, le télescope et le microscope ont été inventés bien avant que Newton ne développe la théorie de l'optique. La machine à vapeur a fonctionné plus d'un siècle avant que Sadi Carnot ne définisse le cycle thermique et ne jette les bases de la thermodynamique. Les premiers avions ont décollé avant que l'on n'écrive l'aérodynamique du vol, les théories des ailes et de la stabilité. Les premiers calculateurs programmables ont donné naissance à la science du calcul et des algorithmes, qu'on appelle l'informatique. La théorie de l'information, proposée par Claude Shannon à Bell Labs en 1948, a surgi plusieurs décennies après les premières communications à distance et les débuts de la communication numérique.

Invention	Théorie
Télescope (1608)	Optique (1650-1700)
Moteur à vapeur (1695-1715)	Thermodynamique (1824-...)
Électromagnétisme (1820)	Électrodynamique (1821)
Bateau à voile (?)	Aérodynamique (1757)
Avion (1885-1905)	Théorie des ailes (1907)
Composés chimiques (?)	Chimie (1760)
Ordinateur électronique (1941-1945)	Informatique (1950-...)
Télétype (1906)	Théorie de l'information (1948)

Tableau 10.1. L'invention et la théorie qui l'explique.

L'invention d'un artefact précède souvent la théorie qui explique son fonctionnement et qui en donne les limites.

La recherche en IA en est encore au stade de l'invention. Elle n'est pas encore une science. Nous ne disposons pas d'une théorie générale de l'intelligence. Nous possédons une théorie de l'apprentissage, mais elle ne concerne que l'apprentissage supervisé. Elle nous fixe les limites de ce qui est possible. Mais elle ne nous informe pas sur le détail des mécanismes dans le cerveau ou sur la bonne manière d'aborder l'apprentissage autosupervisé qui le caractérise.

Peut-on imaginer une théorie de l'intelligence ? Une science de l'intelligence va-t-elle naître de l'invention des machines capables d'apprendre ?

Tel est mon programme de recherche pour les décennies à venir. Découvrir les mécanismes sous-jacents et les principes à l'œuvre dans l'intelligence, qu'elle soit naturelle... ou artificielle.

Conclusion

Nous voici arrivés au terme de notre voyage en intelligence artificielle.

J'ai conscience qu'il tient plus de la course en montagne que de la promenade de santé. Je ne voulais rien dissimuler des difficultés du parcours. Un défi, sans doute, pour celui qui n'est pas familier de ce nouvel univers. J'ai tenté de le rendre aussi accessible que possible.

L'IA est une science jeune, en devenir, dont le pouvoir de transformation de notre société est considérable. À la fois corpus théorique, aux frontières sans cesse repoussées, et réalité pratique, enfouie dans les objets du quotidien. Sa logique propre nous échappe parfois. Mais depuis que je suis adolescent, j'entretiens un lien d'intimité avec cet univers de connexions. L'histoire des idées et de leur genèse me fascine et, cela aussi, j'ai souhaité le partager.

Il a été question d'idées neuves et d'exploration. Je me sens solidaire des pionniers qui ont défriché le terrain avant moi et de la communauté scientifique qui, aujourd'hui, choisit de partager ses progrès. Nous sommes une famille de doux dingues, tous tenaillés par la même curiosité et la même imagination... Nous inventons ce monde nouveau chaque jour.

Est-ce le « Pays où l'on n'arrive jamais » ? Sans doute, puisque ses confins reculent sans cesse.

Nous sommes aussi les enfants du hasard. Pourquoi s'intéresse-t-on à un domaine plutôt qu'un autre ? Très tôt, mon obsession était de comprendre l'intelligence, humaine et animale, cet horizon inatteignable, et d'essayer de la fabriquer dans la machine. Parmi les grandes questions scientifiques de notre temps, « De quoi est fait l'Univers ? », « Qu'est-ce que la vie ? » et « Comment fonctionne le cerveau ? », j'ai choisi cette dernière, avec l'esprit de l'ingénieur qui ne comprend vraiment un système qu'une fois qu'il l'a construit. J'ai tenté de retracer mon parcours bercé par les lois de l'électronique et de l'informatique, happé par le désir de trouver, fort de ces legs de l'enfance. Le reste tient à la chance, aux rencontres... et au travail.

Un travail de bénédictin, je l'avoue, qui implique de longues heures devant les écrans, à imaginer des algorithmes et des architectures qui n'existent pas encore. Rêver aussi est nécessaire, ne rien faire, ce temps *off* qui nourrit et qui est devenu trop rare.

Je reconnais qu'il a fallu une sacrée dose de foi et d'inconscience pour m'entêter à développer les réseaux de neurones et à croire que les neurosciences pouvaient nous y aider.

Ce travail d'exploration, je veux le poursuivre. Il fera l'objet de mes recherches dans les années qui viennent.

Le livre pose aussi les limites et les dangers de l'IA.

Les limites ? La machine reste une merveilleuse exécutante, une surdouée dont les performances nous confondent. Mais nous sommes encore loin de reproduire la vraie intelligence humaine et animale. Les réseaux de neurones aux savantes architectures n'ont pas une once de bon sens, pas un brin de conscience.

Cependant, demain, il en ira autrement. Je crois que la conscience est une propriété émergente, une inévitable conséquence de l'intelligence. Avec le *deep learning*, nous n'en sommes qu'aux balbutiements. Nos modèles gagnent sans cesse en efficacité. Assurément, un jour viendra où la machine atteindra un tel niveau de sophistication que sa conscience va éclore. Pourquoi en serait-il autrement ? Les scientifiques s'accordent à dire que le cerveau humain n'est autre chose qu'une formidable machine biologique qui, pour l'heure, reste la championne toutes catégories. C'est elle, c'est nous qui œuvrons. Mais déjà, la machine nous y aide. Qu'en sera-t-il dans le futur ? Pourrons-nous seulement comprendre les découvertes faites par nos systèmes ?

Pourtant, n'ayons pas peur d'être dépassés. Depuis des siècles, l'humanité a pris l'habitude de voir ses capacités physiques ou mentales dépassées par ses outils. La pierre taillée, le couteau ont fait mieux que nos dents, les animaux de trait, les tracteurs, les pelleteuses ont surpassé notre force physique, les chevaux, les voitures puis les avions nous déplacent plus vite que nos jambes. L'ordinateur calcule plus vite que notre cerveau. Nos créations technologiques amplifient notre pouvoir. L'intelligence de la machine prolongera la nôtre.

Comme toutes les autres révolutions technologiques en leur temps, l'IA bouleverse nos repères. Elle peut être mise au service du progrès... ou pas. Nous devons être vigilants. Pour ma part, je crois en son pouvoir d'améliorer profondément notre quotidien. Je crois aussi à son pouvoir de questionnement. La quête de la machine intelligente est motivée par le désir de nous connaître nous-mêmes. Les recherches sur l'IA et sur le cerveau s'enrichissent mutuellement. À ce titre aussi, l'IA représente un défi scientifique et technologique majeur pour les prochaines décennies.

Glossaire

Algorithme. Suite d'instructions à exécuter. Le plus souvent, ces instructions sont exécutables par un ordinateur et incluent des opérations mathématiques, des tests, des boucles, etc. À ne pas confondre avec trois autres termes :
- *le code*, qui est l'écriture ou la spécification d'un algorithme dans un langage informatique ;
- *le programme*, qui est un morceau de code qui effectue une fonction particulière ;
- *le logiciel*, qui est un ensemble de programmes qui forment une application.

Apprentissage-machine. Ensemble de méthodes pour entraîner un système, au lieu de le programmer explicitement. Dans l'apprentissage supervisé le système est entraîné à accomplir une tâche à partir d'exemples d'entrée et de sortie correspondante. Dans l'apprentissage par renforcement, le système s'entraîne par interaction avec un environnement par essais et erreurs. Dans l'apprentissage non supervisé ou autosupervisé, le système découvre les interdépendances entre les variables d'entrée sans être entraîné pour une tâche particulière. La méthode la plus utilisée est basée sur la minimisation d'une fonction objectif par descente de gradient.

Apprentissage profond. Ensemble de méthodes d'apprentissage s'appliquant à des réseaux (ou graphes) de modules paramétrés interconnectés. L'apprentissage modifie les paramètres de modules par descente de gradient. Le gradient est, le plus souvent, obtenu par rétropropagation. Un exemple d'apprentissage profond est l'entraînement de réseau de neurones multicouche.

Architecture. La structure d'interconnexion de modules paramétrés. Cette structure peut être aussi vue comme une fonction mathématique avec ses paramètres ou comme un graphe de calcul, constitué de nœuds représentant des opérations et des liens symbolisant des variables ou des paramètres. Une architecture pour la reconnaissance d'image ou la compréhension de texte peut comporter des millions ou des milliards de paramètres. L'architecture est définie par l'ingénieur. Les réseaux convolutifs, les réseaux récurrents et les réseaux transformeurs sont des exemples d'architectures. L'architecture est indépendante de l'entraînement. L'entraînement est la procédure qui commande l'ajustement des paramètres du système.

Compilateur. Logiciel qui transforme les programmes écrits par les ingénieurs en suites d'instructions directement exécutables par la machine.

ConvNet. Voir *Réseau convolutif*.

Convolution. Opération mathématique de filtrage. Les réseaux convolutifs utilisent l'opération de convolution discrète qui consiste à calculer une somme pondérée sur une fenêtre (un morceau d'image ou d'un signal quelconque) et à faire glisser cette fenêtre sur l'ensemble du signal d'entrée (par exemple de l'image), tout en enregistrant les résultats dans le signal de sortie. Les poids de la somme pondérée sont les mêmes pour toutes les fenêtres.

Si le signal d'entrée est translaté, le signal de sortie sera aussi translaté mais sera inchangé par ailleurs. La convolution permet de détecter un motif indépendamment de sa position dans le signal d'entrée.

Couche cachée. Dans un réseau multicouche, la couche d'entrée et la couche de sortie sont dites « visibles » et les autres couches sont dites « cachées », car non directement observables de l'extérieur. Durant l'entraînement, la sortie désirée de la dernière couche est spécifiée, mais pas les sorties des couches cachées. Déterminer les sorties des couches cachées est toute la difficulté du *deep learning*. C'est tout le problème de l'attribution de crédit (*credit assignment problem*).

Deep learning. Voir *Apprentissage profond*.

FLOP (*floating point operation*). Opération en « virgule flottante », c'est-à-dire multiplication ou addition de nombres représentés dans un ordinateur par un nombre fixe de chiffres (la mantisse) et d'une position de la virgule (l'exposant). La représentation la plus commune utilise 32 bits, avec 24 bits pour la mantisse et 8 bits pour l'exposant. Certains logiciels et matériels pour l'apprentissage profond utilisent une représentation sur 16 bits pour accélérer les calculs et réduire le trafic avec la mémoire.

Fonction. Suite d'opérations mathématiques produisant une ou plusieurs sorties à partir d'une ou plusieurs entrées. Une famille de fonctions, un modèle, est une fonction qui dépend d'un ou de plusieurs paramètres. L'architecture d'un modèle est un exemple de fonction paramétrée.

Fonction de coût. Fonction qui mesure l'écart entre le comportement d'un modèle et le comportement désiré. Dans l'apprentissage supervisé, la fonction de coût est l'écart entre la sortie du modèle et la sortie désirée moyennée sur les exemples d'apprentissage. La procédure d'apprentissage tente de trouver une valeur des paramètres qui produit la plus petite valeur possible de la fonction de coût, c'est-à-dire qui la minimise.

GFLOPS (*giga floating point operations per second*)**.** Unité de mesure de la vitesse d'un processeur correspondant à 1 milliard d'opérations en virgule flottante par seconde. 1 GFLOPS est égal à 1 000 MFLOPS. On prononce « gigaflopse ».

GOFAI (*good old-fashioned artificial intelligence*)**.** Méthodes d'IA « classiques » basées sur la logique, les règles et les algorithmes de recherche, telles qu'elles se pratiquaient avant l'avènement de l'apprentissage-machine.

Gradient. Pour une fonction de plusieurs variables, le gradient est un vecteur qui, en tout point, pointe vers la direction de plus grande pente (vers le haut) et dont la longueur est égale à cette pente. Les composantes du vecteur de gradient sont les dérivées partielles de la fonction à l'endroit considéré, c'est-à-dire les pentes de la fonction dans les directions de chacun des axes.

ImageNet. Base de données destinée à la recherche en vision par ordinateur pour la reconnaissance d'objets dans les images, développée par des universitaires américains. La plus utilisée, ImageNet-1k, contient plus de 1,3 million d'images d'entraînement étiquetées pour indiquer la catégorie de l'objet principal qu'elles contiennent. Elle compte 1 000 catégories. ImageNet désigne aussi, depuis 2010, un concours annuel (en réalité ImageNet Large Scale Visual Recognition Challenge ou ILSVRC) de logiciels de reconnaissance d'images.

Machine learning. Voir *Apprentissage-machine.*

MFLOPS (*mega floating point operations per second*). Unité de mesure de la vitesse d'un processeur correspondant à 1 million d'opérations en virgule flottante par seconde. On prononce « mégaflopse ».

Néocognitron. Machine de reconnaissance de forme conçue par le Japonais Kunihiko Fukushima, inspirée de l'architecture du cortex visuel et des travaux de Hubel et Wiesel. Elle est composée de deux étages, chacun comprenant une couche de cellules simples connectées à une petite zone du champ visuel, suivie d'une couche de cellules complexes qui intègrent les activations de la couche précédente et qui construisent une représentation invariante par rapport à de petites distorsions. Le scientifique de Tokyo a construit deux versions de sa machine : le Cognitron dans les années 1970 et le Néocognitron au début des années 1980.

Octet (en anglais « *byte* »). Élément de mémoire d'ordinateur contenant 8 bits, pouvant représenter 256 valeurs différentes. On mesure couramment la capacité mémoire d'un ordinateur par des multiples de l'octet, comme le kilooctet (Ko), le mégaoctet (Mo), le gigaoctet (Go) et le téraoctet (To). Le téraoctet représente approximativement 1 000 milliards d'octets. En réalité, 2 à la puissance 40 octets.

Réseau convolutif. Type particulier d'architecture de réseau de neurones, particulièrement efficace pour la reconnaissance de signaux naturels tels que les images, les images volumétriques (par exemple les IRM), la vidéo, la parole, la musique et le texte. Il intercale des couches de convolutions multiples, d'opérations non linéaires et d'opérations de *pooling*. Les réseaux convolutifs sont utilisés très largement dans les voitures autonomes, les systèmes récents d'analyse d'images médicales, la reconnaissance de visage et la reconnaissance de la parole.

Réseau de neurones multicouche. Empilement de plusieurs couches de neurones artificiels, où les entrées des neurones de chaque couche sont connectées aux sorties des neurones des couches précédentes. Chaque neurone est constitué d'une fonction linéaire, dont la sortie est une somme pondérée de ses entrées suivie d'une fonction de transfert non linéaire. Cette fonction de transfert peut être un carré, une valeur absolue, une sigmoïde, une ReLU. Dans les réseaux de neurones multicouches, l'apprentissage modifie les poids des sommes pondérées. Ces réseaux sont presque toujours entraînés par descente de gradient où le gradient est calculé par rétropropagation.

Rétropropagation de gradient. Méthode pour calculer le gradient d'une fonction de coût par rapport aux variables internes d'un système d'apprentissage profond. Étant donné un graphe de calcul représentant l'architecture, les gradients sont propagés à l'envers, de proche en proche, de la sortie vers l'entrée. C'est une application de la différentiation automatique. Les gradients sont utilisés pour ajuster les paramètres de l'architecture afin de minimiser la fonction de coût.

Segmentation sémantique. Elle consiste à étiqueter chaque pixel d'une image avec la catégorie de l'objet auquel il appartient.

TFLOPS (*tera floating point operations per second*). Unité de mesure de la vitesse d'un processeur correspondant à 1 000 milliards d'opérations en virgule flottante par seconde, soit 1 000 GFLOPS. On prononce « téraflopse ».

Remerciements

Je tiens à remercier mes professeurs et mentors qui m'ont guidé tout au long de mes études et de ma carrière : Françoise Soulié-Fogelman, Maurice Milgram, Geoffrey Hinton, Larry Jackel et Larry Rabiner.

Les travaux présentés dans cet ouvrage n'auraient pas été possibles sans ceux avec qui j'ai travaillé et qui m'ont tant appris : Léon Bottou, Yoshua Bengio, Patrick Haffner, Patrice Simard, Isabelle Guyon, Rob Fergus, Vladimir Vapnik, Jean Ponce, Patrick Gallinari, et tous les membres de l'Adaptive Systems Research Department d'AT&T Bell Labs, et de l'Image Processing Research Department d'AT&T Labs-Research, mes collègues du laboratoire Computational Intelligence, Learning, Vision, and Robotics (CILVR) de NYU, et les membres de Facebook AI Research.

Une des satisfactions de l'universitaire est de travailler avec de jeunes collaborateurs, de les voir s'épanouir et d'accompagner leurs débuts de carrière. Je pense aux postdocs Alfredo Canziani, Behnam Neyshabur, Pablo Sprechmann, Anna Choromanska, Joan Bruna, Jason Rolfe, Tom Schaul, Camille Couprie, Arthur Szlam, Graham Taylor, et Karol Gregor. Et aux étudiants en doctorat Xiang Zhang, Jake Zhao, Mikael Hénaff, Michaël Mathieu, Sixin Zhang, Wojciech

Zaremba, Ross Goroshin, Clément Farabet, Pierre Sermanet, Y-Lan Boureau, Kevin Jarrett, Koray Kavukcuoglu, Piotr Mirowski, Ayse Naz Erkan, Marc'Aurelio Ranzato, Matthew Grimes, Fu Jie Huang, Sumit Chopra, Raia Hadsell, Feng Ning.

Je suis reconnaissant à Mark Zuckerberg, Mike Schroepfer et Jérôme Pesenti pour leur soutien.

Je remercie Odile Jacob de m'avoir convaincu de me lancer dans l'aventure de l'écriture de ce livre.

Je suis infiniment reconnaissant à mon assistante, Rocio Araujo, sans qui ma vie sombrerait dans le chaos.

Je remercie tout spécialement ma collaboratrice dans l'écriture de ce livre, la journaliste Caroline Brizard. Nous avons passé de longues heures ensemble à l'élaboration de cet ouvrage, souvent par vidéo, parfois à des heures indues. Mes trente années aux États-Unis ont oblitéré mes capacités stylistiques en français, qui étaient déjà faibles. Par son travail sans relâche et son attention aux détails, Caroline a permis à ce livre d'être non seulement compréhensible, mais agréable à lire.

Je remercie mon père Jean-Claude, d'avoir instillé en moi le goût de la science, de la technologie et de l'innovation. Mon frère Bertrand et moi avons tout appris de lui.

Je remercie mon épouse Isabelle pour son soutien de tous les instants et pour m'avoir permis de me soustraire aux activités familiales des week-ends et des vacances lors de l'écriture de cet ouvrage. Je suis parfois distrait et perdu dans mes pensées, mais je peux toujours compter sur Isabelle, et sur nos fils et belles-filles Kévin et Simone, Ronan, Erwan et Margo pour me rappeler aux choses importantes de la vie.

Table

CHAPITRE 3

Machines apprenantes simples

Table 391

CHAPITRE 4

Apprentissage par minimisation, théorie de l'apprentissage

CHAPITRE 5

Réseaux profonds et rétropropagation

CHAPITRE 6
Les réseaux convolutifs, piliers de l'IA

CHAPITRE 7
Dans le ventre de la machine
ou le *deep learning* aujourd'hui

Table 393

CHAPITRE 8
Les années Facebook

CHAPITRE 9
Et demain ?
Perspectives et défis de l'IA

CHAPITRE 10
Enjeux